- 抗不安薬
- 抗うつ薬
- 抗精神病薬
- 催眠・鎮静薬
- 抗てんかん薬
- 抗パーキンソン病薬
- 抗認知症薬および脳循環・代謝改善薬
- 気分安定薬(抗躁薬)
- 精神刺激薬など

精神科のくすり
ハンドブック

第3版

総合医学社

●謹告：本書は医療従事者を対象に，向精神薬の概要を簡潔にまとめたものです．記載内容に関しましては，出版時点において最新医療情報に基づくよう，監修者，編集者，執筆者ならびに出版社では最善の努力を払っておりますが，医薬品の適応，用法・用量，禁忌事項等は最新の研究・調査に基づき，常に改訂が行われています．本書の記載内容に伴う不測の事故に対し，監修者，編集者，執筆者ならびに出版社はその責任を負いかねますのでご了承ください．薬剤の使用に際しては，最新の添付文書等の各種医療情報をご参照のうえ，読者ご自身によるご判断をお願い申し上げます．

第3版の序文

　第2版が2016年に改訂されてから4年が過ぎ，この度改訂第3版が出版されることになった．この4年の間に新たに市販された薬剤についての情報を届けるとともに第2版で記載された薬剤についてもその内容を見直し修正・追加した．

　本書は各向精神薬の概要を簡潔にまとめて臨床医の診察場面で活用してもらうことを目的に編集されている．したがって，実際に処方する際にその薬剤の安全性，副作用など詳細を必要とする場合には添付文書を参照していただきたい．

　本書では向精神薬および関連の薬剤を9つのジャンルに分けて解説した．各ジャンルの冒頭には総論を設け，その概要をその領域の専門家に執筆してもらった．この概要を読むだけで，そのジャンルの薬剤の全体像をつかめる仕組みになっている．これに続いて，個別の薬剤ごとの記載を執筆してもらった．この薬剤別の解説の特徴は，それぞれの「薬剤の特徴」，「薬理作用」，「適応」，「処方の実際」，「副作用」に加えて，「おもな類似薬との使い分け」，「服薬指導のポイント」，「専門医からのアドバイス」を記載した点である．

　向精神薬は種類も多く，次々新しい薬剤が開発されるので，各薬剤間の違いや薬剤の選択の仕方を添付文書のみで判断することは難しい．本書は精神科のトレーニングを受ける若い医師や一般科の医師が個々の薬剤のアウトラインを知るのに適しているだけでなく，コメディカルスタッフにも役立てていただける内容である．

　最後に「適応症」について本書での扱い方について触れておく．「適応症」はエビデンスに基づき，厚生労働省が承認し添付文書に記載された疾患・状態を指すものであり，本書においても原則として，これに従って記載している．しかし，例えば小児を対象にした臨床試験は困難な場合が多く，適応になっていないが，実際の臨床現場では使用されている．このように事実上臨床で使用されている実態があるが，本書では「適応」には加えていないこと

をご承知いただきたい．ただし，認知症のBPSDについては，臨床試験のデータで有効性が証明されていないが，厚生労働省の指針があり，これをもとに処方することが認められていることを付け加えたい．

　本書が多くの医療従事者の日常臨床に役立てていただけることを心から願っている．

2020年3月

樋口輝彦

執筆者一覧

- ●監修　　　樋口　輝彦（国立精神・神経医療研究センター 名誉理事長）
- ●第Ⅰ章　抗不安薬
  - 編集　　　井上　幸紀（大阪市立大学大学院医学研究科 神経精神医学 教授）
  - 執筆　　　谷　　宗英（たにメンタルクリニック 院長）
  - 　　　　　片上　素久（大阪市立大学大学院医学研究科 神経精神医学 講師）
  - 　　　　　松田　泰範（鶴橋メンタルクリニック 院長）
- ●第Ⅱ章　抗うつ薬
  - 編集・執筆　井上　　猛（東京医科大学 精神医学 主任教授）
  - 執筆　　　北市　雄士（医療法人澤山会 手稲病院 副院長）
  - 　　　　　仲唐　安哉（北25条メンタルクリニックあいさに 院長）
  - 　　　　　中川　　伸（山口大学大学院医学系研究科 高次脳機能病態学講座 教授）
- ●第Ⅲ章　抗精神病薬
  - 編集・執筆　神庭　重信（九州大学 名誉教授・日本うつ病センター 理事長・飯田病院 顧問）
  - 　　　　　鬼塚　俊明（九州大学大学院医学研究院 精神病態医学 准教授）
  - 執筆　　　本村　啓介（肥前精神医療センター）
  - 　　　　　平野　昭吾（九州大学大学院医学研究院 精神病態医学 助教）
  - 　　　　　平野　羊嗣（九州大学大学院医学研究院 精神病態医学 助教）
  - 　　　　　三浦　智史（国立小倉医療センター精神科 医長）
  - 　　　　　光安　博志（飯塚病院 リエゾン精神科 部長）
  - 　　　　　中尾　智博（九州大学大学院医学研究院 精神病態医学 講師）
  - 　　　　　猪狩　圭介（九州大学大学院医学研究院 精神病態医学）
  - 　　　　　小原　知之（九州大学大学院医学研究院 精神病態医学 助教講師）
  - 　　　　　平河　則明（九州大学大学院医学研究院 精神病態医学）
- ●第Ⅳ章　催眠・鎮静薬
  - 編集・執筆　井上　雄一（東京医科大学 睡眠学講座 教授・医療法人社団絹和会 睡眠総合ケアクリニック代々木 理事長）
  - 執筆　　　碓氷　　章（医療法人社団絹和会 睡眠総合ケアクリニック代々木 院長）
  - 　　　　　中村　真樹（青山・表参道睡眠ストレスクリニック 院長）
  - 　　　　　松澤　重行（医療法人社団絹和会 睡眠総合ケアクリニック代々木）
- ●第Ⅴ章　抗てんかん薬
  - 編集・執筆　渡邉　雅子（新宿神経クリニック 院長）
  - 執筆　　　原　　恵子（原クリニック）
  - 　　　　　小玉　　聡（東京大学医学部附属病院 脳神経内科）
  - 　　　　　髙木　俊輔（東京医科歯科大学大学院 医歯学総合研究科）
  - 　　　　　村田　佳子（埼玉医科大学病院 神経精神科・心療内科）
  - 　　　　　渡邊さつき（埼玉医科大学病院 神経精神科・心療内科）
  - 　　　　　倉持　　泉（埼玉医科大学総合医療センターメンタルクリニック 助教）
  - 　　　　　田久保陽司（済生会横浜市東部病院 精神科）

　　　　　　　根本　隆洋（東邦大学医学部 精神神経医学講座 准教授）
　　　　　　　平野　嘉子（東京都立東大和療育センター分園 よつぎ療育園）
　　　　　　　茂木　太一（自衛隊岐阜病院 精神保健部）
　　　　　　　藤岡　真生（東京大学医学部附属病院 精神神経科）

●第Ⅵ章　抗パーキンソン病薬
　編集・執筆　髙橋　祐二（国立精神・神経医療研究センター病院 特命副院長）
　執筆　　　　向井　洋平（国立精神・神経医療研究センター病院 脳神経内科）
　　　　　　　西川　典子（国立精神・神経医療研究センター病院 脳神経内科 医長）
　　　　　　　齊藤　勇二（国立精神・神経医療研究センター病院 脳神経内科）
　　　　　　　坂本　　崇（国立精神・神経医療研究センター病院 脳神経内科 医長）

●第Ⅶ章　抗認知症薬および脳循環・代謝改善薬
　編集・執筆　朝田　　隆（東京医科歯科大学 脳統合機能研究センター認知症研究部門 特任教授）
　執筆　　　　新井　哲明（筑波大学医学医療系臨床医学域 精神医学 教授）
　　　　　　　久永　明人（医療法人社団ひのき会証クリニック併設和漢診療研究所 所長）
　　　　　　　根本　清貴（筑波大学医学医療系臨床医学域 精神医学 准教授）
　　　　　　　髙橋　　晶（筑波大学医学医療系臨床医学域 災害・地域精神医学 准教授）
　　　　　　　堀　　孝文（茨城県立こころの医療センター 病院長）
　　　　　　　太刀川弘和（筑波大学医学医療系臨床医学域 災害・地域精神医学 教授）
　　　　　　　石井　映美（早稲田大学 保健センター 教授）
　　　　　　　佐藤　晋爾（筑波大学医学医療系茨城県地域臨床教育センター精神科 教授）
　　　　　　　石川　正憲（目白大学人間学部 人間福祉学科 教授）

●第Ⅷ章　気分安定薬（抗躁薬）
　編集　　　　坂元　　薫（医療法人和楽会赤坂クリニック坂元薫うつ治療センター長）
　執筆　　　　菅原　裕子（熊本大学病院 神経精神科）
　　　　　　　河野　敬明（東京女子医科大学大学院医学研究科 精神医学分野）
　　　　　　　村岡　寛之（東京女子医科大学大学院医学研究科 精神医学分野）

●第Ⅸ章　精神刺激薬など
　編集　　　　金生由紀子（東京大学大学院医学系研究科 こころの発達医学分野 准教授）
　執筆　　　　戸所　綾子（日本橋サンクリニック 院長）
　　　　　　　稲井　　彩（東京大学相談支援研究開発センター）
　　　　　　　濱本　　優（東京大学大学院医学系研究科 こころの発達医学分野）
　　　　　　　中島　　亨（杏林大学保健学部 臨床心理学科 教授）

●薬剤監修　　伊東　明彦（明治薬科大学 特任客員教授）

目 次

I 抗不安薬

抗不安薬 …………………………………………………………… 2

■セロトニン作動性
タンドスピロン ………………………………………………… 6

■ベンゾジアゼピン系

■短期作用型
エチゾラム ……………………………………………………… 8
クロチアゼパム ………………………………………………… 10
フルタゾラム …………………………………………………… 12

■中期作用型
ロラゼパム ……………………………………………………… 14
アルプラゾラム ………………………………………………… 16
フルジアゼパム ………………………………………………… 18
ブロマゼパム …………………………………………………… 20

■長期作用型
メキサゾラム …………………………………………………… 22
ジアゼパム ……………………………………………………… 24
クロキサゾラム ………………………………………………… 26
クロルジアゼポキシド ………………………………………… 28
クロラゼプ酸二カリウム ……………………………………… 30

■超長期作用型
フルトプラゼパム ……………………………………………… 32
ロフラゼプ酸エチル …………………………………………… 34

II 抗うつ薬

抗うつ薬 …………………………………………………………… 38

■モノアミン再取り込み阻害薬

■選択的セロトニン再取り込み阻害薬（SSRI）
フルボキサミン マレイン酸塩 ………………………………… 44
パロキセチン 塩酸塩水和物 …………………………………… 46

塩酸セルトラリン ……………………………………………… 48
　　　エスシタロプラム　シュウ酸塩 ……………………………… 50
■セロトニン・ノルアドレナリン再取り込み阻害薬（SNRI）
　　　ミルナシプラン　塩酸塩 ……………………………………… 52
　　　デュロキセチン　塩酸塩 ……………………………………… 54
　　　ベンラファキシン　塩酸塩 …………………………………… 56
■非選択的ノルアドレナリン再取り込み阻害薬
　　　ノルトリプチリン　塩酸塩 …………………………………… 58
　　　アモキサピン …………………………………………………… 60
　　　マプロチリン　塩酸塩 ………………………………………… 62
■非選択的セロトニン・ノルアドレナリン再取り込み阻害薬
　　　イミプラミン　塩酸塩 ………………………………………… 64
　　　アミトリプチリン　塩酸塩 …………………………………… 66
　　　クロミプラミン　塩酸塩 ……………………………………… 68
　　　ドスレピン　塩酸塩（ドチエピン） ………………………… 70
　　　トリミプラミン　マレイン酸塩 ……………………………… 72

■再取り込み阻害・受容体作動薬（multimodal drug）
　　　トラゾドン　塩酸塩 …………………………………………… 74
　　　ボルチオキセチン ……………………………………………… 76

■ノルアドレナリン作動性・特異的セロトニン作動性薬（NaSSA）
　　　ミルタザピン …………………………………………………… 78

■シナプス前α₂遮断薬
　　　ミアンセリン　塩酸塩 ………………………………………… 80
　　　セチプチリン　マレイン酸塩 ………………………………… 82

■ドパミン系薬物
　　　スルピリド ……………………………………………………… 84

Ⅲ　抗精神病薬　　87

抗精神病薬 ………………………………………………………… 88
■非定型
■セロトニン・ドパミン拮抗薬
　　　リスペリドン …………………………………………………… 94

パリペリドン錠 …………………………………… 96
　　ペロスピロン　塩酸塩 …………………………… 98
　　ブロナンセリン …………………………………… 100
　　アセナピン　マレイン酸塩 ……………………… 102
■クロザピンとその類似薬
　　クロザピン ………………………………………… 104
　　オランザピン ……………………………………… 106
　　クエチアピン　フマル酸塩 ……………………… 108
■ドパミン受容体部分作動薬
　　アリピプラゾール ………………………………… 110
　　ブレクスピプラゾール …………………………… 112

■定型　高力価群
■ブチロフェノン誘導体
　　ハロペリドール …………………………………… 114
　　スピペロン ………………………………………… 116
　　チミペロン ………………………………………… 118
■フェノチアジン誘導体
　　フルフェナジン　マレイン酸 …………………… 120
　　ペルフェナジン …………………………………… 122
　　プロクロルペラジン ……………………………… 124
■ベンザミド誘導体
　　ネモナプリド ……………………………………… 126

■定型　低力価群
■フェノチアジン誘導体
　　クロルプロマジン　塩酸塩 ……………………… 128
　　レボメプロマジン ………………………………… 130
■ブチロフェノン誘導体
　　ピパンペロン　塩酸塩 …………………………… 132

■中間／異型群
■フェノチアジン誘導体
　　プロペリシアジン ………………………………… 134

ix

- ■ チエピン誘導体
  - ゾテピン ……………………………………………… 136
- ■ イミノジベンジル誘導体
  - クロカプラミン 塩酸塩 ……………………………… 138
  - モサプラミン 塩酸塩 ………………………………… 140
- ■ ブチロフェノン誘導体
  - ブロムペリドール …………………………………… 142
  - ピモジド ……………………………………………… 144
- ■ インドール系薬物
  - オキシペルチン ……………………………………… 146
- ■ ベンザミド誘導体
  - スルピリド …………………………………………… 148
  - スルトプリド 塩酸塩 ………………………………… 150

■ 持効性製剤
  - ハロペリドール デカン酸エステル ………………… 152
  - フルフェナジン デカン酸エステル ………………… 154
  - リスペリドン持効性懸濁注射液 ……………………… 156
  - パリペリドン水懸筋注 ………………………………… 158
  - アリピプラゾール水和物持続性注射剤 ……………… 162

IV 催眠・鎮静薬　　165

催眠・鎮静薬 ………………………………………………… 167

■ ベンゾジアゼピン系
- ■ 超短時間型
  - トリアゾラム ………………………………………… 170
  - ゾルピデム 酒石酸塩 ………………………………… 172
  - ゾピクロン …………………………………………… 174
  - エスゾピクロン ……………………………………… 176
- ■ 短時間型
  - ミダゾラム …………………………………………… 178
  - ブロチゾラム ………………………………………… 180

リルマザホン 塩酸塩水和物 ……………………………… 182
　　ロルメタゼパム ………………………………………… 184
■ **中間型**
　　フルニトラゼパム ……………………………………… 186
　　エスタゾラム …………………………………………… 188
　　ニトラゼパム …………………………………………… 190
　　フルラゼパム 塩酸塩 …………………………………… 192
■ **長時間型**
　　ハロキサゾラム ………………………………………… 194
　　クアゼパム ……………………………………………… 196
■ **メラトニン受容体作動薬**
　　ラメルテオン …………………………………………… 198
■ **オレキシン受容体拮抗薬**
　　スボレキサント ………………………………………… 200

V　抗てんかん薬　　203

抗てんかん薬 ……………………………………………… 204
■ **シナプス小胞蛋白 2A 結合**
　　レベチラセタム ………………………………………… 212
　　レベチラセタム点滴静注 ……………………………… 214
■ **Na チャネル抑制，Ca チャネル抑制**
　　ラモトリギン …………………………………………… 216
■ **AMPA 受容体抑制**
　　ペランパネル …………………………………………… 220
■ **Na チャネル緩徐抑制**
　　ラコサミド ……………………………………………… 222
　　ラコサミド点滴静注 …………………………………… 224
■ **複数の作用機序**
　　バルプロ酸ナトリウム ………………………………… 226
　　ゾニサミド ……………………………………………… 228
　　トピラマート …………………………………………… 230

■GABA 受容体活性化
　ジアゼパム ·· 232
　ジアゼパム坐薬 ··· 234
　ジアゼパム注射薬 ·· 236
　ミダゾラム注射薬 ·· 238
　ニトラゼパム ··· 240
　クロナゼパム ··· 242
　クロバザム ·· 244
　スチリペントール ·· 246
　ビガバトリン ··· 248
　フェノバルビタール（PB） ·· 250
　フェノバルビタール静脈注射薬 ··································· 252
　フェノバルビタール坐薬 ··· 254
　プリミドン（PRM） ··· 256

■Ca チャネル抑制
　ガバペンチン ··· 258
　エトスクシミド ··· 260

■Na チャネル抑制
　カルバマゼピン ··· 262
　ルフィナミド ··· 264
　フェニトイン ··· 266
　ホスフェニトイン ナトリウム水和物 ·························· 268

■炭酸脱水素酵素抑制
　アセタゾラミド ··· 270

VI 抗パーキンソン病薬　273

抗パーキンソン病薬 ··· 274

■レボドパ（単剤および脱炭酸酵素阻害薬との合剤を含む）
　レボドパ ·· 280
　レボドパ・カルビドパ ·· 280
　レボドパ・ベンセラジド ··· 280

■ ドパミン受容体作用薬
　ブロモクリプチン ･････････････････････････････････ 282
　ペルゴリド メシル酸塩 ･････････････････････････････ 284
　カベルゴリン ･････････････････････････････････････ 286
　プラミペキソール 塩酸塩水和物 ･････････････････････ 288
　ロピニロール 塩酸塩 ･･･････････････････････････････ 290
　アポモルヒネ 塩酸塩水和物 ･････････････････････････ 292
　ロチゴチン ･･･････････････････････････････････････ 294

■ モノアミンオキシダーゼ B 阻害薬
　セレギリン 塩酸塩 ･････････････････････････････････ 296
　ラザギリン メシル酸塩 ･････････････････････････････ 298

■ COMT 阻害薬
　エンタカポン ･････････････････････････････････････ 300

■ 抗コリン薬
　トリヘキシフェニジル 塩酸塩，ビペリデン 塩酸塩 ･･････ 302

■ ドパミン遊離促進薬
　アマンタジン 塩酸塩水和物 ･････････････････････････ 304

■ ノルアドレナリン前駆物質
　ドロキシドパ ･････････････････････････････････････ 306

■ レボドパ賦活薬
　ゾニサミド ･･･････････････････････････････････････ 308

■ アデノシン A_{2A} 受容体拮抗薬
　イストラデフィリン ･･･････････････････････････････ 310

VII　抗認知症薬および脳循環・代謝改善薬　313

抗認知症薬および脳循環・代謝改善薬 ･･････････････････ 314

■ 抗認知症薬
　ドネペジル 塩酸塩 ･････････････････････････････････ 320
　ガランタミン 臭化水素酸塩 ･････････････････････････ 322
　メマンチン ･･･････････････････････････････････････ 324
　リバスチグミン ･･･････････････････････････････････ 326

■ 脳循環・代謝改善薬

　アデノシン三リン酸二ナトリウム水和物 ……………………………… 328

　イフェンプロジル　酒石酸塩 ………………………………………… 330

　ガンマ－アミノ酪酸 ……………………………………………………… 332

　シチコリン ……………………………………………………………… 334

　ジヒドロエルゴトキシン　メシル酸塩 ……………………………… 336

　ニセルゴリン …………………………………………………………… 338

　メクロフェノキサート　塩酸塩 ……………………………………… 340

Ⅷ　気分安定薬（抗躁薬）　343

気分安定薬（抗躁薬) ……………………………………………………344

　炭酸リチウム …………………………………………………………… 348

　カルバマゼピン ………………………………………………………… 350

　バルプロ酸ナトリウム ………………………………………………… 352

　オランザピン …………………………………………………………… 354

■ **うつ病相予防**　ラモトリギン ……………………………………… 356

Ⅸ　精神刺激薬など　359

ADHD治療薬 ……………………………………………………………360

　メチルフェニデート徐放薬 …………………………………………… 364

　アトモキセチン　塩酸塩 ……………………………………………… 366

　グアンファシン塩酸塩徐放錠 ………………………………………… 368

過眠症治療薬 ……………………………………………………………370

　モダフィニル …………………………………………………………… 374

　ペモリン ………………………………………………………………… 376

　メチルフェニデート即効薬 …………………………………………… 378

■Column
　　疾患修飾薬（disease modifying drug）初めての成功か？ ……… 342

和文索引

(＊青色文字は「一般名」)

和名索引

ア

ATP（抗認知症薬および脳循環・代謝改善薬） ……… 328
アキネトン（抗パーキンソン病薬） ……… 302
アジレクト（抗パーキンソン病薬） ……… 298
アセタゾラミド（抗てんかん薬） ……… 270
アセナピン マレイン酸（抗精神病薬） ……… 102
アデタイド（抗認知症薬および脳循環・代謝改善薬） ……… 328
アデノシン三リン酸ニナトリウム水和物（抗認知症薬および脳循環・代謝改善薬） ……… 328
アデホスコーワ（抗認知症薬および脳循環・代謝改善薬） ……… 328
アーテン（抗パーキンソン病薬） ……… 302
アトモキセチン 塩酸塩（精神刺激薬など） ……… 366
アナフラニール（抗うつ薬） ……… 68
アビリット（抗うつ薬） ……… 84
アビリット（抗精神病薬） ……… 148
アポカイン（抗パーキンソン病薬） ……… 292
アポモルヒネ 塩酸塩水和物（抗パーキンソン病薬） ……… 292
アマンタジン 塩酸塩水和物（抗パーキンソン病薬） ……… 304
アミトリプチリン 塩酸塩（抗うつ薬） ……… 66
アモキサピン（抗うつ薬） ……… 60
アモキサン（抗うつ薬） ……… 60
アモバン（催眠・鎮静薬） ……… 174
アリセプト（抗認知症薬および脳循環・代謝改善薬） ……… 320
アリピプラゾール（抗精神病薬） ……… 110, 162
アルプラゾラム（抗不安薬） ……… 16

アルプラゾラム（抗不安薬） ……… 16
アレビアチン（抗てんかん薬） ……… 266
イクセロン（抗認知症薬および脳循環・代謝改善薬） ……… 326
イーケプラ（抗てんかん薬） ……… 212, 214
イーシー・ドパール（抗パーキンソン病薬） ……… 280
イストラデフィリン（抗パーキンソン薬） ……… 310
イノベロン（抗てんかん薬） ……… 264
イフェクサーSR（抗うつ薬） ……… 56
イフェンプロジル酒石酸塩（抗認知症薬および脳循環・代謝改善薬） ……… 330
イフェンプロジル酒石酸塩（抗認知症薬および脳循環・代謝改善薬） ……… 330
イミドール（抗うつ薬） ……… 64
イミプラミン 塩酸塩（抗うつ薬） ……… 64
インヴェガ（抗精神病薬） ……… 96
インチュニブ（精神刺激薬など） ……… 368
インプロメン（抗精神病薬） ……… 142
ウインタミン（抗精神病薬） ……… 128
エクセグラン（抗てんかん薬） ……… 228
エスシタロプラム シュウ酸塩（抗うつ薬） ……… 50
エスゾピクロン（催眠・鎮静薬） ……… 176
エスタゾラム（催眠・鎮静薬） ……… 188
エチゾラム（抗不安薬） ……… 8
エチゾラム（抗不安薬） ……… 8
エトスクシミド（抗てんかん薬） ……… 260
エバミール（催眠・鎮静薬） ……… 184
エビリファイ（抗精神病薬） ……… 110, 162
エピレオプチマル（抗てんかん薬） ……… 260
エフピー（抗パーキンソン病薬） ……… 296
エミレース（抗精神病薬） ……… 126

和文索引

エリスパン（抗不安薬） …………………… 18
塩酸セルトラリン（抗うつ薬） …………… 48
エンタカポン（抗パーキンソン病薬） …… 300
オキシペルチン（抗精神病薬） …………… 146
オーラップ（抗精神病薬） ………………… 144
オランザピン（気分安定薬（抗躁薬）） 354
オランザピン（抗精神病薬） ……………… 106

カ

カバサール（抗パーキンソン病薬） ……… 286
ガバペン（抗てんかん薬） ………………… 258
ガバペンチン（抗てんかん薬） …………… 258
カベルゴリン（抗パーキンソン病薬） …… 286
ガランタミン臭化水素酸塩（抗認知症薬および脳循環・代謝改善薬） ………………… 322
カルバマゼピン（気分安定薬（抗躁薬）） 262
カルバマゼピン（気分安定薬（抗躁薬）） 262
カルバマゼピン（抗てんかん薬） ………… 262
カルバマゼピン（抗てんかん薬） ………… 262
ガンマ-アミノ酪酸（抗認知症薬および脳循環・代謝改善薬） ………………………… 332
ガンマロン（抗認知症薬および脳循環・代謝改善薬） …………………………………… 332
クアゼパム（催眠・鎮静薬） ……………… 196
グアンファシン 塩酸塩徐放錠（精神刺激薬など） ………………………………………… 368
クエチアピン フマル酸塩（抗精神病薬） 108
クレミン（抗精神病薬） …………………… 140
クロカプラミン 塩酸塩（抗精神病薬） … 138
クロキサゾラム（抗不安薬） ……………… 26
クロザピン（抗精神病薬） ………………… 104
クロザリル（抗精神病薬） ………………… 104
クロチアゼパム（抗不安薬） ……………… 10
クロチアゼパム（抗不安薬） ……………… 10
クロナゼパム（抗てんかん薬） …………… 242
クロバザム（抗てんかん薬） ……………… 244

クロフェクトン（抗精神病薬） …………… 138
クロミプラミン 塩酸塩（抗うつ薬） …… 68
クロラゼプ酸ニカリウム（抗不安薬） …… 30
クロルジアゼポキシド（抗不安薬） ……… 28
クロルジアゼポキシド（抗不安薬） ……… 28
クロルプロマジン 塩酸塩（抗精神病薬） 128
コムタン（抗パーキンソン病薬） ………… 300
コレミナール（抗不安薬） ………………… 12
コンサータ（精神刺激薬など） …………… 364
コンスタン（抗不安薬） …………………… 16
コントミン（抗精神病薬） ………………… 128
コントール（抗不安薬） …………………… 28

サ

サアミオン（抗認知症薬および脳循環・代謝改善薬） …………………………………… 338
サイレース（催眠・鎮静薬） ……………… 186
サインバルタ（抗うつ薬） ………………… 54
サブリル（抗てんかん薬） ………………… 248
ザロンチン（抗てんかん薬） ……………… 260
ジアゼパム（抗不安薬） …………………… 24
ジアゼパム（抗不安薬） …………………… 24
ジアゼパム（抗てんかん薬） … 232, 234, 236
ジアゼパム（抗てんかん薬） ……… 232, 236
ジアパックス（抗不安薬） ………………… 24
ジアパックス（抗てんかん薬） …………… 232
ジェイゾロフト（抗うつ薬） ……………… 48
シクレスト（抗精神病薬） ………………… 102
シスコリン（抗認知症薬および脳循環・代謝改善薬） …………………………………… 334
シチコリン（抗認知症薬および脳循環・代謝改善薬） …………………………………… 334
シチコリン（抗認知症薬および脳循環・代謝改善薬） …………………………………… 334
ジヒドロエルゴトキシン メシル酸塩（抗認知症薬および脳循環・代謝改善薬） ……… 336

xvii

ジヒドロエルゴトキシンメシル酸塩（抗認知症薬および脳循環・代謝改善薬）……… 336	ゾニサミド（抗パーキンソン病薬）……… 308
ジプレキサ（気分安定薬（抗躁薬））……… 354	ゾニサミドEX（抗てんかん薬）……… 228
ジプレキサ（抗精神病薬）……… 106	ゾピクロン（催眠・鎮静薬）……… 174
シンメトレル（抗パーキンソン病薬）……… 304	ソメリン（催眠・鎮静薬）……… 194
スチリペントール（抗てんかん薬）……… 246	ソラナックス（抗不安薬）……… 16
ストラテラ（精神刺激薬など）……… 366	ゾルピデム 酒石酸塩（催眠・鎮静薬）……… 172
スピペロン（抗精神病薬）……… 116	
スピロピタン（抗精神病薬）……… 116	**タ**
スボレキサント（睡眠・鎮静薬）……… 200	ダイアップ（抗てんかん薬）……… 234
スルトプリド 塩酸塩（抗精神病薬）……… 150	ダイアップ（抗不安薬）……… 24
スルトプリド 塩酸塩（抗精神病薬）……… 150	ダイアモックス（抗てんかん薬）……… 270
スルピリド（抗うつ薬）……… 84	ダルメート（催眠・鎮静薬）……… 192
スルピリド（抗精神病薬）……… 148	炭酸リチウム（気分安定薬（抗躁薬））……… 348
スルピリド（抗精神病薬）……… 148	炭酸リチウム（気分安定薬（抗躁薬））……… 348
スルモンチール（抗うつ薬）……… 72	タンドスピロン（抗不安薬）……… 6
セチプチリン マレイン酸塩（抗うつ薬）……… 82	タンドスピロンクエン酸塩（抗不安薬）……… 6
セチプチリン マレイン酸塩（抗うつ薬）……… 82	チミペロン（抗精神病薬）……… 118
セディール（抗不安薬）……… 6	ディアコミット（抗てんかん薬）……… 246
セトウス（抗精神病薬）……… 136	テグレトール（気分安定薬（抗躁薬））……… 350
セニラン（抗不安薬）……… 20	テグレトール（抗てんかん薬）……… 262
セパゾン（抗不安薬）……… 26	テシプール（抗うつ薬）……… 82
ゼプリオン（抗精神病薬）……… 158	デジレル（抗うつ薬）……… 74
セリミック（抗認知症薬および脳循環・代謝改善薬）……… 330	テトラミド（抗うつ薬）……… 80
セルシン（抗てんかん薬）……… 232, 236	デパケン（気分安定薬（抗躁薬））……… 352
セルシン（抗不安薬）……… 24	デパケン（抗てんかん薬）……… 226
セレギリン 塩酸塩（抗パーキンソン病薬）……… 296	デパス（抗不安薬）……… 8
セレニカR（気分安定薬（抗躁薬））……… 352	デプロメール（抗うつ薬）……… 44
セレニカR（抗てんかん薬）……… 226	デュロキセチン 塩酸塩（抗うつ薬）……… 54
セレネース（抗精神病薬）……… 114	ドグマチール（抗うつ薬）……… 84
セロクエル（抗精神病薬）……… 108	ドグマチール（抗精神病薬）……… 148
ゾテピン（抗精神病薬）……… 136	ドスレピン 塩酸塩（ドチエピン）（抗うつ薬）……… 70
ゾテピン（抗精神病薬）……… 136	ドネペジル 塩酸塩（抗認知症薬および脳循環・代謝改善薬）……… 320
ゾニサミド（抗てんかん薬）……… 228	ドパコール（抗パーキンソン病薬）……… 280
ゾニサミド（抗てんかん薬）……… 228	ドパストン（抗パーキンソン病薬）……… 280

ドパゾール（抗パーキンソン病薬）……… 280
トピナ（抗てんかん薬）……………………… 230
トピラマート（抗てんかん薬）…………… 230
トピラマート（抗てんかん薬）…………… 230
ドプス（抗パーキンソン病薬）…………… 306
トフラニール（抗うつ薬）…………………… 64
トラゾドン 塩酸塩（抗うつ薬）……………… 74
ドラール（催眠・鎮静薬）………………… 196
トリアゾラム（催眠・鎮静薬）…………… 170
トリノシン（抗認知症薬および脳循環・代謝改善薬）……………………………………… 328
トリプタノール（抗うつ薬）………………… 66
トリヘキシフェニジル 塩酸塩（抗パーキンソン病薬）……………………………………… 302
トリミプラミン マレイン酸塩（抗うつ薬）… 72
トリンテリックス（抗うつ薬）……………… 76
ドルミカム（催眠・鎮静薬）……………… 178
ドルミカム（抗てんかん薬）……………… 238
トレドミン（抗うつ薬）……………………… 52
トレリーフ（抗パーキンソン病薬）……… 308
ドロキシドパ（抗パーキンソン病薬）…… 306
トロペロン（抗精神病薬）………………… 118

ナ

ニコリン（抗認知症薬および脳循環・代謝改善薬）……………………………………… 334
ニセルゴリン（抗認知症薬および脳循環・代謝改善薬）…………………………………… 338
ニトラゼパム（抗てんかん薬）…………… 240
ニトラゼパム（催眠・鎮静薬）…………… 190
ニュープロパッチ（抗パーキンソン病薬）… 294
ニューレプチル（抗精神病薬）…………… 134
ネオドパストン（抗パーキンソン病薬）… 280
ネオドパゾール配合錠（抗パーキンソン病薬）……………………………………………… 280
ネオペリドール（抗精神病薬）…………… 152

ネモナプリド（抗精神病薬）……………… 126
ネルボン（抗てんかん薬）………………… 240
ネルボン（催眠・鎮静薬）………………… 190
ノウリアスト（抗パーキンソン薬）……… 310
ノバミン（抗精神病薬）…………………… 124
ノーベルバール（抗てんかん薬）………… 252
ノリトレン（抗うつ薬）……………………… 58
ノルトリプチリン 塩酸塩（抗うつ薬）……… 58

ハ

パキシル CR（抗うつ薬）…………………… 46
パキシル（抗うつ薬）………………………… 46
パソラックス（抗認知症薬および脳循環・代謝改善薬）…………………………………… 336
バランス（抗不安薬）………………………… 28
パリペリドン（抗精神病薬）……………… 158
パリペリドン錠（抗精神病薬）……………… 96
ハルシオン（催眠・鎮静薬）……………… 170
バルネチール（抗精神病薬）……………… 150
バルプロ酸 Na（抗てんかん薬）………… 226
バルプロ酸ナトリウム（気分安定薬（抗躁薬））…………………………………………… 352
バルプロ酸ナトリウム（抗てんかん薬）… 226
バルプロ酸ナトリウム（抗てんかん薬）… 226
ハルロピ（抗パーキンソン病）…………… 290
バレリン（気分安定薬（抗躁薬））……… 352
バレリン（抗てんかん薬）………………… 226
ハロキサゾラム（催眠・鎮静薬）………… 194
パロキセチン 塩酸塩水和物（抗うつ薬）… 46
パーロデル（抗パーキンソン病薬）……… 282
ハロペリドール（抗精神病薬）…………… 114
ハロペリドール デカン酸エステル（抗精神病薬）……………………………………………… 152
ハロマンス（抗精神病薬）………………… 152
ビガバトリン（抗てんかん薬）…………… 248
ピパンペロン 塩酸塩（抗精神病薬）……… 132

ビブレッソ（抗精神病薬）	………………	108
ビムパット（抗てんかん薬）	………	222, 224
ビ・シフロール（抗パーキンソン病薬）	…	288
ピーゼットシー（抗精神病薬）	………	122
ヒダントール（抗てんかん薬）	………	266
ヒデルギン（抗認知症薬および脳循環・代謝改善薬）	………………………………………	336
ビペリデン 塩酸塩（抗パーキンソン病薬）	……………………………………………………	302
ピモジド（抗精神病薬）	…………	144
ヒルナミン（抗精神病薬）	………………	130
フェニトイン（抗てんかん薬）	………	266
フェノバール（抗てんかん薬）	………	250
フェノバルビタール（抗てんかん薬）	……………………………………	250, 252, 254
フェノバルビタール（抗てんかん薬）	…	250
フィコンパ（抗てんかん薬）	…………	220
プラミペキソール 塩酸塩水和物（抗パーキンソン病薬）	……………………………………………………	288
プリミドン（抗てんかん薬）	…………	256
プリミドン（抗てんかん薬）	…………	256
フルジアゼパム（抗不安薬）	……………	18
フルタゾラム（抗不安薬）	………………	12
フルデカシン（抗精神病薬）	…………	154
フルトプラゼパム（抗不安薬）	………	32
フルニトラゼパム（催眠・鎮静薬）	…	186
フルフェナジン デカン酸エステル（抗精神薬）	……………………………………………………	154
フルフェナジン マレイン酸（抗精神病薬）	……………………………………………………	120
フルボキサミン マレイン酸塩（抗うつ薬）	…	44
フルメジン（抗精神病薬）	………………	120
フルラゼパム 塩酸塩（催眠・鎮静薬）	…	192
ブレクスピプラゾール（抗精神病薬）	…	112
プロクロルペラジン（抗精神病薬）	…	124
プロチアデン（抗うつ薬）	………………	70

ブロチゾラム（催眠・鎮静薬）	………	180
ブロナンセリン（抗精神病薬）	………	100
プロピタン（抗精神病薬）	………………	132
プロペリシアジン（抗精神病薬）	……	134
ブロマゼパム（抗不安薬）	………………	20
ブロムペリドール（抗精神病薬）	……	142
ブロモクリプチン（抗パーキンソン病薬）	……………………………………………………	282
ベタナミン（精神刺激薬など）	………	376
ベモリン（精神刺激薬など）	…………	376
ペランパネル（抗てんかん薬）	………	220
ペルゴリド メシル酸塩（抗パーキンソン病薬）	……………………………………………………	284
ベルソムラ（催眠・鎮静薬）	…………	200
ペルフェナジン（抗精神病薬）	………	122
ペルマックス（抗パーキンソン病薬）	…	284
ペロスピロン 塩酸塩（抗精神病薬）	…	98
ペロスピロン 塩酸塩（抗精神病薬）	…	98
ベンザリン（抗てんかん薬）	…………	240
ベンザリン（催眠・鎮静薬）	…………	190
ベンラファキシン 塩酸塩（抗うつ薬）	…	56
ホストイン（抗てんかん薬）	…………	268
ホスフェニトインナトリウム水和物（抗てんかん薬）	……………………………………………………	268
ホリゾン（抗てんかん薬）	………	232, 236
ホリゾン（抗不安薬）	……………………	24
ホーリット（抗精神病薬）	………………	146
ボルチオキセチン（抗うつ薬）	………	76

マ

マイスタン（抗てんかん薬）	…………	244
マイスリー（催眠・鎮静薬）	…………	172
マドパー（抗パーキンソン病薬）	……	280
マプロチリン 塩酸塩（抗うつ薬）	……	62
マプロチリン 塩酸塩（抗うつ薬）	……	62
ミアンセリン 塩酸塩（抗うつ薬）	……	80

ミダゾラム（催眠・鎮静薬） ………… 178
ミダゾラム（抗てんかん薬） ………… 238
ミダゾラム（抗てんかん薬） ………… 238
ミダフレッサ（抗てんかん薬） ………… 238
ミラドール（抗うつ薬） ………… 84
ミラドール（抗精神病薬） ………… 148
ミラペックスLA（抗パーキンソン病薬）・288
ミルタザピン（抗うつ薬） ………… 78
ミルナシプラン 塩酸塩（抗うつ薬） ………… 52
メイラックス（抗不安薬） ………… 34
メキサゾラム（抗不安薬） ………… 22
メクロフェノキサート 塩酸塩（抗認知症薬および脳循環・代謝改善薬） ………… 340
メチルフェニデート徐放薬（精神刺激薬など） ………… 364
メチルフェニデート即効薬（精神刺激薬など） ………… 378
メネシット（抗パーキンソン病薬） ……… 280
メマリー（抗認知症薬および脳循環・代謝改善薬） ………… 324
メマンチン（抗認知症薬および脳循環・代謝改善薬） ………… 324
メレックス（抗不安薬） ………… 22
メンドン（抗不安薬） ………… 30
モサプラミン 塩酸塩（抗精神病薬） ……… 140
モダフィニル（精神刺激薬など） ………… 374
モディオダール（精神刺激薬など） ……… 374

ヤ

ユーロジン（催眠・鎮静薬） ………… 188

ラ

ラコサミド（抗てんかん薬） ……… 222, 224
ラサギリン メシル酸塩（抗パーキンソン病薬） ………… 298

ラミクタール（気分安定薬（抗躁薬）） ……… 356
ラミクタール（抗てんかん薬） ………… 216
ラメルテオン（催眠・鎮静薬） ………… 198
ラモトリギン（気分安定薬（抗躁薬）） ……… 356
ラモトリギン（抗てんかん薬） ………… 216
ラモトリギン（抗てんかん薬） ………… 216
ランドセン（抗てんかん薬） ………… 242
リスパダール（抗精神病薬） ………… 94
リスパダール コンスタ（抗精神病薬） ……… 156
リスペリドン（抗精神病薬） ………… 94, 156
リスミー（催眠・鎮静薬） ………… 182
リーゼ（抗不安薬） ………… 10
リタリン（精神刺激薬など） ………… 368
リバスタッチ（抗認知症薬および脳循環・代謝改善薬） ………… 326
リバスチグミン（抗認知症薬および脳循環・代謝改善薬） ………… 326
リフレックス（抗うつ薬） ………… 78
リボトリール（抗てんかん薬） ………… 242
リーマス（気分安定薬（抗躁薬）） ……… 348
リルマザホン 塩酸塩水和物（催眠・鎮静薬） ………… 182
ルジオミール（抗うつ薬） ………… 62
ルシドリール（抗認知症薬および脳循環・代謝改善薬） ………… 340
ルネスタ（催眠・鎮静薬） ………… 176
ルピアール（抗てんかん薬） ………… 254
ルフィナミド（抗てんかん薬） ………… 264
ルボックス（抗うつ薬） ………… 44
ルーラン（抗精神病薬） ………… 98
レキサルティ（抗精神病薬） ………… 112
レキソタン（抗不安薬） ………… 20
レキップCR（抗パーキンソン病薬） ……… 290
レキップ（抗パーキンソン病薬） ………… 290
レクサプロ（抗うつ薬） ………… 50
レスタス（抗不安薬） ………… 32
レスリン（抗うつ薬） ………… 74

レベチラセタム（抗てんかん薬）…… 212, 214	ロドピン（抗精神病薬）……………… 136
レボドパ（抗パーキンソン病薬）………… 280	ロナセン（抗精神病薬）……………… 100
レボドパ・カルビドパ（10：1）配合（抗パーキンソン病薬）……………………… 280	ロピニロール 塩酸塩（抗パーキンソン病薬）…………………………………… 290
レボドパ・ベンセラジド（4：1）配合（抗パーキンソン病薬）……………………… 280	ロフラゼプ酸エチル（抗不安薬）………… 34
レボトミン（抗精神病薬）………………… 130	ロフラゼプ酸エチル（抗不安薬）………… 34
レボメプロマジン（抗精神病薬）………… 130	ロラゼパム（抗不安薬）……………………… 14
レミニール（抗認知症薬および脳循環・代謝改善薬）…………………………………… 322	ロラゼパム（抗不安薬）……………………… 14
レメロン（抗うつ薬）……………………… 78	ロラメット（催眠・鎮静薬）……………… 184
レンドルミンD（催眠・鎮静薬）………… 180	ロルメタゼパム（催眠・鎮静薬）………… 184
レンドルミン（催眠・鎮静薬）…………… 180	

ワ

ロゼレム（催眠・鎮静薬）………………… 198	ワイパックス（抗不安薬）………………… 14
ロチゴチン（抗パーキンソン薬）………… 294	ワコビタール（抗てんかん薬）…………… 254

欧文索引

英名索引

A

- acetazolamide ……… 270
- adenosine triphosphate disodiumhydrate ……… 328
- alplazolam ……… 16
- amantadine hydrochloride ……… 304
- amitriptyline ……… 66
- amoxapine hydrochloride hydrate ……… 60
- apomorphine ……… 292
- aripiprazole ……… 110
- aripiprazole long-acting injection ……… 162
- atmoxetine hydrochloride ……… 366

B

- biperiden ……… 302
- blonanserin ……… 100
- brexpiprazole ……… 112
- bromazepam ……… 20
- bromocriptine ……… 282
- bromperidol ……… 142
- brotizolam ……… 180

C

- cabergoline ……… 286
- carbamazepine ……… 262, 350
- chlordiazepoxide ……… 28
- chlorpromazine hydrochloride ……… 128
- citicholine ……… 334
- clobazam ……… 244
- clocapramine hydrochloride ……… 138
- clomipramine ……… 68
- clonazepam ……… 242
- clorazepate dipotassium ……… 30
- clotiazepam ……… 10
- cloxazolam ……… 26
- clozapine ……… 104

D

- diazepam ……… 24, 232, 234, 236
- dihydroergotoxine mesilate ……… 336
- donepezil hydrochloride ……… 320
- dosulepin (dothiepin) ……… 70
- droxidopa ……… 306
- duloxetine hydrochloride ……… 54

E

- entacapone ……… 300
- escitalopram oxalate ……… 50
- estazolam ……… 188
- eszopiclone ……… 176
- ethosuximide ……… 260
- ethyl loflazepate ……… 34
- etizolam ……… 8

F

- fludiazepam ……… 18
- flunitrazepam ……… 186
- fluphenazine decanoate ……… 154
- fluphenazine maleate ……… 120
- flurazepam ……… 192
- flutazolam ……… 12
- flutoprazepam ……… 32
- fluvoxamine maleate ……… 44
- fosphenytoin sodium hydrate ……… 268

G

gabapentine ········· 258
galantamine hydrobromide ········· 322
guanfacine hydrochloride ········· 368

H

haloperidol ········· 114
haloperidol decanoate ········· 152
haloxazolam ········· 194

I

ifenprodil tartrate ········· 330
imipramine ········· 64
istradefylline ········· 310

L

lacosamide ········· 222, 224
lamotrigine ········· 216, 356
levetiracetam ········· 212, 214
levodopa（L-dopa） ········· 280
levodopa・benserazide ········· 280
levodopa・carbidopa ········· 280
levomepromazine ········· 130
lithium ········· 348
lorazepam ········· 14
lormetazepam ········· 184

M

maprotiline hydrochloride ········· 62
meclofenoxate hydrochloride ········· 340
memantine ········· 324
methylphenidate ········· 378
methylphenidate hydrochlirude ········· 364
mexazolam ········· 22
mianserin ········· 80
midazolam ········· 178, 238
milnacipran hydrochloride ········· 52
mirtazapine ········· 78
modafinil ········· 374
mosapramine hydrochloride ········· 140

N

nemonapride ········· 126
nicergoline ········· 338
nitrazepam ········· 190, 240
nortriptyline hydrochloride ········· 58

O

olanzapine ········· 106, 354
oxypertine ········· 146

P

paliperidone ········· 96, 158
paroxetine hydrochloride hydrate ········· 46
pemoline ········· 376
perampanel ········· 220
pergolide ········· 284
perospirone hydrochloride ········· 98
perphenazine ········· 122
phenobarbital ········· 250, 252, 254
phenytoin ········· 266
pimozide ········· 144
pipamperone hydrochloride ········· 132
pramipexole ········· 288
primidone ········· 256
prochlorperazine ········· 124
propericiazine ········· 134

Q

quazepam ········· 196
quetiapine fumarate ········· 108

R

ramelteon ·· 198
rasagiline mesylate ································ 298
rilmazafone hydrochloride hydrate ·· 182
risperidone ································· 94, 156
rivastigmine ·· 326
ropinirole hydrochloride ···················· 290
rotigotine ··· 294
rufinamide ··· 264

S

sertraline hydrochloride ······················ 48
selegiline hydrochloride ···················· 296
setiptiline ··· 82
sodium valproate ···················· 226, 352
spiperone ··· 116
stiripentol ··· 246
sulpiride ··· 84, 148
sultopride hydrochloride ··················· 148
suvorexant ·· 200

T

tandospirone ··· 6

timiperone ··· 118
topiramate ··· 230
trazodone ·· 74
triazolam ·· 170
trihexyphenidyl ····································· 302
trimipramine ·· 72

V

valproate ·· 226
valproic acid ·· 226
venlafaxine hydrochloride ················· 56
vigabatrin ·· 248
vortioxetine ·· 76

Z

zolpidem tartrate ·································· 172
zonisamide ································· 228, 308
zopiclone ··· 174
zotepine ··· 136

γ

γ-aminobutyric acid ···························· 332

I
抗不安薬

章編集:井上　幸紀

抗不安薬

■特徴・どんな薬剤か？

　抗不安薬とは，不安や緊張などの精神症状を軽減させる作用をもつもので，そのほとんどがベンゾジアゼピン系抗不安薬である．そのため，ここではベンゾジアゼピン系抗不安薬を中心に述べる．抗不安作用，鎮静催眠作用，筋弛緩作用，抗けいれん作用などを有し，不安障害，心身症をはじめ，けいれん重積，アルコール離脱，うつ病の不安，統合失調症の興奮などにも使用されている．効果が高く即効性があり，副作用が少なく安全性が高いため，精神科以外でも広く使用されている．しかし，眠気，ふらつきといった副作用がしばしばみられ，依存や乱用が生じることもあり，慎重な使用が求められる．

　また，ベンゾジアゼピン系抗不安薬以外に，セロトニン作動性抗不安薬タンドスピロンがある．ベンゾジアゼピン受容体には結合せず，5-HT$_{1A}$受容体に選択的に作用することにより，抗不安作用を示す．鎮静催眠作用や筋弛緩作用はほとんどなく，依存性もないが，抗不安作用は弱く，即効性もない．詳細はタンドスピロンの項目で述べる．

■作用機序

　ベンゾジアゼピン系抗不安薬は，抑制型神経伝達物質であるγ-アミノ酪酸（GABA）を活性化する．GABAはGABA受容体に結合することにより，Cl$^-$チャネルが開口し，Cl$^-$が細胞内に流入し，抑制的な神経伝達が生じる．GABA受容体にはA，B，Cのサブタイプがあるが，そのうちGABA$_A$受容体はベンゾジアゼピン（BZD）受容体とCl$^-$チャネルと複合体を形成しており，ベンゾジアゼピン系抗不安薬からの誘導体がベンゾジアゼピン受容体に結合することで，GABA$_A$受容体のGABA親和性が高まり，Cl$^-$の細胞内への流入がいっそう促進される（図1）．

■効能・効果

　ベンゾジアゼピン系抗不安薬の適応は，不安症状，不眠，筋緊張，けいれん重積状態，アルコール離脱症状，麻酔前処置などである．具体的な疾患と臨床症状としては，①不安障害における不安，緊張，焦燥，抑うつ，易疲労感，不眠などの精神症状，②心身症（胃・十二指腸潰瘍，過敏性腸症候群，高血圧など）における不安，緊張，抑うつ，不眠などの精神症状および身体症状，③うつ病における不安，緊張，④統合失調症における興奮，衝動性，⑤筋緊張性疾患や脳脊髄疾患における筋緊張，疼痛，⑤けいれんやけいれん重積状

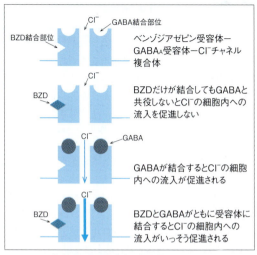

図1 ベンゾジアゼピン系薬物の薬理作用
(浦部晶夫,島田和幸,川合眞一 編:今日の治療薬 解説と便覧 2012.
南江堂,2012 より引用)

態,⑥アルコール離脱症状,特に振戦せん妄の予防などである.

■治療のガイドライン

数多くあるベンゾジアゼピン系抗不安薬は,それぞれ作用時間および抗不安,鎮静・催眠,筋弛緩,抗けいれんといった作用特性に差異があるため,それらをふまえて選択する(**表1**).

■薬の使い分け

不安障害

以前は不安障害の治療といえばベンゾジアゼピン系抗不安薬が頻用されていたが,依存や乱用などの問題もあり,長期に漫然と使用せず,できるだけ投与期間をある程度設定したほうが望ましい.選択的セロトニン再取り込み阻害薬(SSRI)にも抗不安作用や抗パニック効果などがあるため,現在ではSSRIが第一選択薬として推奨されているが,効果発現に時間がかかるため,治療初期にはベンゾジアゼピン系抗不安薬を併用し,落ち着いてからSSRI中心の治療を行う.

パニック障害では,発作や予期不安が強い場合の頓用や急性期のSSRIと

表1 おもなベンゾジアゼピン系抗不安薬の作用時間と作用特性

作用時間	一般名(商品名)	作用特性			
		抗不安	鎮静催眠	筋弛緩	抗けいれん
短期作用型	タンドスピロン(セディール)※	+	±	−	−
	エチゾラム(デパス)	+++	+++	+++	−
	クロチアゼム(リーゼ)	+	+	±	±
	フルタゾラム(コレミナール)	++	+	±	−
中期作用型	ロラゼパム(ワイパックス)	+++	++	+	−
	アルプラゾラム(コンスタン・ソラナックス)	++	++	±	−
	フルジアゼパム(エリスパン)	++	++	++	±
	ブロマゼパム(レキソタン・セニラン)	+++	++	+++	+++
長期作用型	メキサゾラム(メレックス)	++	++	±	−
	ジアゼパム(セルシン・ホリゾン)	++	+++	+++	+++
	クロキサゾラム(セパゾン)	+++	+	+	−
	クロルジアゼポキシド(コントール・バランス)	+	++	+	±
	クロラゼプ酸二カリウム(メンドン)	++	±	−	++
超長期作用型	フルトプラゼパム(レスタス)	+++	++	++	−
	ロフラゼプ酸エチル(メイラックス)	++	+	±	++

※セロトニン作動性抗不安薬であり,ベンゾジアゼピン系抗不安薬ではない
(渡辺昌祐:抗不安薬の選び方と用い方 改訂第3版.金原出版,1997を参照して作成)

の併用で使用される.アルプラゾラムやクロナゼパム(抗てんかん薬の項参照)などが勧められる[1].全般性不安障害では,ベンゾジアゼピン系抗不安薬は第二選択薬であるが,初期の不安軽減や治療抵抗性例で有効である[2].社会不安障害(社交不安障害)では,二重盲検比較対照試験で有効であったのはクロナゼパムのみであり,ベンゾジアゼピン系抗不安薬は安全回避行動を形成し,認知行動療法の妨げになる[3].強迫性障害では,ベンゾジアゼピン系抗不安薬の有効性を支持する知見は乏しく,不安焦燥が強い場合にはアルプラゾラムやクロナゼパムなどの高力価のものを選択する[4].

うつ病

一般にベンゾジアゼピン系抗不安薬だけでうつ病を治療することはないが,抗うつ薬の効果発現には時間がかかるため,うつ病の不安や焦燥などに対して,即効性のあるベンゾジアゼピン系抗不安薬を併用することがある.また,抗うつ作用があるベンゾジアゼピン系抗不安薬としては,アルプラゾラムが有名である[5].

統合失調症

統合失調症の興奮,衝動性,焦燥などに対して,抗精神病薬単独で使用するよりもベンゾジアゼピン系抗不安薬を併用したほうが効果的であり,薬効の速さ,抗精神病薬投与量の抑制,錐体外路症状の軽減といったメリットが

ある．欧米ではロラゼパムの筋注や静注が使用されるが，本邦では市販されていない．経口薬として非定型抗精神病薬とロラゼパムとの併用がしばしばみられる．

けいれん，けいれん重積

ジアゼパムやクロナゼパムには抗けいれん作用が強い．けいれん重積状態には，ジアゼパムの静注が第一選択であり，10mgを数分かけてゆっくり静注する．

アルコール離脱

ベンゾジアゼピン系抗不安薬はアルコールとの交叉耐性をもつことから，アルコール離脱症状，特に振戦せん妄を予防するために使用される．即効性があり，半減期が長く，抗けいれん作用が強いことから，ジアゼパムを使用することが多い．また，肝機能が重篤な場合は，P450に関係せずグルクロン酸抱合され，薬物相互作用と無関係なロラゼパムが使用されることもある．

Point

ベンゾジアゼピン系抗不安薬は正しく服用すれば非常に有効で安全であるが，依存性および離脱症状がよく指摘される．そのため，短期作用型の抗不安薬を減量中止する場合，（超）長期作用型の抗不安薬へ置換し，急な中断は避け，長期間かけて少量ずつ減量すべきである．また，アルコールとの併用により作用が増強するため，服用中は禁酒すべきである．過剰な服用，飲酒での死亡例の報告もある．

【文献】

1) 児玉健介，穐吉篠太郎：BZP系抗不安薬とSSRISの特徴と使い方．最新精神医学 14：527-531, 2009
2) 宮田久嗣，中山和彦：全般性不安障害⑦．精神科治療学 神経症性障害の治療ガイドライン 26 増刊号：31-33, 2011
3) 永田利彦：社交不安障害．精神科治療学．今日の精神科治療ガイドライン 2010 年度版 25 増刊号：156-158, 2010
4) 松永寿人：強迫性障害．精神科治療学．神経症性障害の治療ガイドライン 26 増刊号：56-67, 2011
5) Rickels K, Feighner JP, Smith WT：Alprazolam, Amitriptyline, Doxepin, and Placebo in the treatment of depression. Arch Gen Psychiat 42：134-141, 1985

（谷　宗英）

抗不安薬 | セロトニン作動性抗不安薬 | 短期作用型

タンドスピロン

tandospirone

セディール [大日本住友] 錠 5mg, 10mg, 20mg / タンドスピロンクエン酸塩「サワイ」[沢井] 錠 5mg, 10mg, 20mg / タンドスピロンクエン酸塩「アメル」[共和] 錠 5mg, 10mg, 20mg / タンドスピロンクエン酸塩「トーワ」[東和] 錠 5mg, 10mg, 20mg / タンドスピロンクエン酸塩「日医工」[日医工] 錠 5mg, 10mg, 20mg

特徴・どんな薬剤か？

我が国初のセロトニン作動性抗不安薬であり，従来のベンゾジアゼピン系抗不安薬とは大きく異なる薬理作用を有する．抗不安作用は弱く，鎮静催眠作用や筋弛緩作用はほとんどなく，依存性もない．しかし，即効性がなく，症状の改善には服薬開始後数週間かかる．

薬理作用

ベンゾジアゼピン受容体には結合しない．$5-HT_{1A}$ 受容体に選択的に作用することにより，抗不安作用や心身症における改善効果を示すと考えられている．また，抗うつ作用のおもな作用機序は，セロトニン神経終末のシナプス後 $5-HT_2$ 受容体密度の低下が関与していると推定されている．

適応となる疾患・病態，どんなときに使うか？

効能・効果として，①心身症（自律神経失調症，本態性高血圧症，消化性潰瘍）における身体症候ならびに抑うつ，不安，焦燥，睡眠障害，②神経症における抑うつ，不安である．

ベンゾジアゼピン系抗不安薬による依存症の危険性や眠気やふらつきといった副作用の出現がある症例に本剤が使用しやすい．また，抗不安作用は弱く，鎮静催眠作用もほとんどないため，高齢者や軽症例などで本剤が使用しやすい．

処方の実際，どのように使うか？

通常成人には1日 30mg を3回に分け経口投与する．なお，年齢・症状により適宜増減するが，1日 60mg までとする．

・非高齢者の心身症や神経症に対して
　セディール錠 10mg　1回1錠　1日3回　朝昼夕食後
・高齢者の心身症や神経症に対して
　セディール錠 5mg　1回1錠　1日3回　朝昼夕食後

禁忌，併用禁忌，注意すべき副作用，慎重投与など

おもな副作用としては，いずれも頻度は極めて少ないものの，眠気，ふらつき，悪心，倦怠感，気分不快感，食欲不振などである．重大な副作用としては，肝機能障害・黄疸，セロトニン症候群，悪性症候群である．併用禁忌はないが，相互作用（併用注意）としては，ブチロフェノン系薬剤，カルシウム拮抗剤，セロトニン再取り込み阻害剤である．慎重投与としては，器質的障害，中等度または重篤な呼吸不全，心障害，肝障害，腎障害，高齢者，脱水・栄養不良などの身体的疲弊のある患者である．

おもな類似薬との使いわけ

クロチアゼパム（リーゼ）：抗不安作用，鎮静催眠作用，筋弛緩作用，抗けいれん作用はいずれも弱く，作用時間も短く，高齢者や軽症例で使用しやすい．ベンゾジアゼピン系抗不安薬であるため，即効性がある．

服薬指導のポイント

本剤は鎮静催眠作用や筋弛緩作用がほとんどないとはいえ，高齢者に使用されることが多いため，眠気やめまいなどの副作用の説明が必要である．また，依存性はないものの，即効性がなく，症状の改善には服薬開始後数週間かかるため，自己判断で中止することのないように指導する．

《《《 専門医からのアドバイス 》》》

本剤はセロトニン作動性抗不安薬であり，従来のベンゾジアゼピン系抗不安薬のように薬物依存症になる可能性はなく，アルコールとの相互作用もない．マイルドな作用をもつ抗不安薬であり，高齢者や軽症例に使用しやすい．しかし，ベンゾジアゼピン系抗不安薬から直ちに本剤に切り替えると，退薬症候がひき起こされ，症状が悪化することがあるので，前薬を漸減する必要がある．さらに，罹病機関が3年以上や重症例あるいはベンゾジアゼピン系抗不安薬での治療効果が不十分な患者には効果が現れにくく，1日60mg投与しても効果が認められないときには，漫然と投与することなく，中止すること．

（谷　宗英）

抗不安薬　ベンゾジアゼピン系　短期作用型

エチゾラム

etizolam

デパス［田辺三菱］錠 0.25mg, 0.5mg, 1mg, 細粒 1% / エチゾラム［共和, 武田テバ, 東和, 日医工など］錠 0.25mg, 0.5mg, 1mg

特徴・どんな薬剤か？

抗不安作用に加え鎮静催眠作用，筋弛緩作用，抗うつ作用をもつ抗不安薬である．作用時間は短く，高力価である．

薬理作用

ジアゼピン環にチオフェン環を縮合したチエノジアゼピン系抗不安薬であるが，基本的にはベンゾジアゼピン系抗不安薬と同様の特性である．視床下部および大脳辺縁系，特に扁桃核のベンゾジアゼピン受容体に作用し，不安・緊張などの情動異常を改善する．

適応となる疾患・病態，どんなときに使うか？

効能・効果として，①神経症における不安・緊張・抑うつ・神経衰弱症状・睡眠障害，②うつ病における不安・緊張・睡眠障害，③心身症（高血圧，胃・十二指腸潰瘍）における身体症候ならびに不安・緊張・抑うつ・睡眠障害，④統合失調症における睡眠障害，⑤頸椎症，腰椎症，筋収縮性頭痛における不安・緊張・抑うつおよび筋緊張である．

処方の実際，どのように使うか？

神経症，うつ病の場合，通常，成人には1日3mgを3回に分けて経口投与する．心身症，頸椎症，腰痛症，筋収縮性頭痛の場合，通常，成人には1日1.5mgを3回に分けて経口投与する．睡眠障害の場合，通常，成人には1日1～3mgを就寝前に1回経口投与する．なお，いずれの場合も年齢，症状により適宜増減するが，高齢者には1日1.5mgまでとする．

・神経症やうつ病に対して
　デパス錠 0.5～1mg　1回1錠　1日3回　朝昼夕食後
・心身症や筋緊張性疾患に対して
　デパス錠 0.5mg　1回1錠　1日3回　朝昼夕食後
・睡眠障害に対して
　デパス錠 1mg　1回1～3錠　1日1回　就寝前

禁忌，併用禁忌，注意すべき副作用，慎重投与など

禁忌としては，急性閉塞隅角緑内障，重症筋無力症である．おもな副作用としては，眠気，ふらつき，倦怠感，脱力感などである．重大な副作用としては，依存性，呼吸抑制・CO_2 ナルコーシス，悪性症候群，横紋筋融解症，間質性肺炎，肝機能障害・黄疸である．併用禁忌はないが，相互作用（併用注意）としては，中枢神経抑制薬（フェノチアジン誘導体，バルビツール酸誘導体等），モノアミン酸化酵素（MAO）阻害薬，フルボキサミン，アルコール（飲酒）である．慎重投与としては，心障害，肝障害，腎障害，器質的障害，小児，高齢者，衰弱患者，中等度または重篤な呼吸障害のある患者である．

おもな類似薬との使い分け

アルプラゾラム（コンスタン，ソラナックス）：高力価で速やかな作用発現はエチゾラムと類似しているが，鎮静催眠作用や筋弛緩作用はエチゾラムのほうが強い．

服薬指導のポイント

日中の不安や緊張の軽減のために処方する場合，眠気やふらつきなどの副作用の説明が必要で，自動車の運転等危険を伴う作業は控えるように注意する．睡眠薬として処方する場合，せん妄を起こすこともあり，注意が必要である．

《《《 専門医からのアドバイス 》》》

本剤は，抗不安作用，鎮静催眠作用，筋弛緩作用，抗うつ作用をもつ抗不安薬である．そのため，神経症やうつ病などの精神疾患だけでなく，心身症や筋緊張性疾患などにも使用され，精神科だけでなく，身体科でも広く使用されている．鎮静催眠作用が強いため，睡眠薬としても使用されている．その一方，高齢者には眠気，ふらつき，さらには転倒，骨折の危険性があり，注意を要する．

（谷　宗英）

抗不安薬 / ベンゾジアゼピン系 / 短期作用型

クロチアゼパム
clotiazepam

リーゼ［田辺三菱］錠 5mg, 10mg, 顆粒 10％ / クロチアゼパム［沢井，鶴原，東和，日医工］錠 5mg, 10mg

特徴・どんな薬剤か？

抗不安作用，鎮静催眠作用，筋弛緩作用，抗けいれん作用はいずれも弱く，作用時間も短く，低力価で，マイルドな作用をもつ抗不安薬である．

薬理作用

エチゾラムと同様に，ジアゼピン環にチオフェン環を縮合したチエノジアゼピン系抗不安薬であるが，基本的にはベンゾジアゼピン系抗不安薬と同様の特性である．視床下部および大脳辺縁系，特に扁桃核のベンゾジアゼピン受容体に作用し，不安・緊張などの情動異常を改善する．

適応となる疾患・病態，どんなときに使うか？

効能・効果として，①心身症（消化器疾患，循環器疾患）における身体症候ならびに不安・緊張・心気・抑うつ・睡眠障害，②自律神経失調症のめまい・肩こり・食欲不振，③麻酔前投薬である．

不安，緊張，心気などの症状を有する高血圧患者に対して，精神症状の改善だけでなく，初期血圧の高いものほど降圧効果がある．

消化性潰瘍に対しても，心理・社会的要因が発症に相関がある症例では，不安，緊張などの精神症状だけでなく，潰瘍そのものの治療にも好影響を及ぼす．

神経症のおもな症状である不安，緊張，抑うつ，神経衰弱症状，不眠などにも改善効果がある．高齢者や軽症例などで本剤が使用しやすい．

処方の実際，どのように使うか？

患者の年齢，症状により決定するが，通常，成人には1日15〜30mgを3回に分けて経口投与する．

・心身症や神経症に対して
　リーゼ錠 5〜10mg　1回1錠　1日3回　朝昼夕食後

禁忌，併用禁忌，注意すべき副作用，慎重投与など

禁忌としては，急性閉塞隅角緑内障，重症筋無力症である．おもな副作用としては，眠気，ふらつき，倦怠感などである．重大な副作用としては，依存性や肝機能障害，黄疸である．併用禁忌はないが，相互作用（併用注意）としては，中枢神経抑制薬（フェノチアジン誘導体，バルビツール酸誘導体等），MAO阻害薬，アルコール（飲酒）である．慎重投与としては，心障害，肝障害，腎障害，脳に器質的障害，乳児・幼児，高齢者，衰弱患者，中等度または重篤な呼吸障害のある患者である．

おもな類似薬との使い分け

タンドスピロン（セディール）：$5-HT_{1A}$受容体に高い結合性があり，ベンゾジアゼピン受容体には結合しない．抗不安作用は弱く，鎮静催眠作用や筋弛緩作用がほとんどなく，依存性もないため，高齢者や軽症例で使用しやすい．しかし，即効性がなく，症状の改善には服薬開始後数週間かかる．

服薬指導のポイント

本剤は鎮静催眠作用や筋弛緩作用が弱いとはいえ，高齢者に使用されることが多いため，眠気，ふらつき，倦怠感などの副作用の説明が必要である．また，依存性の心配から自己判断で減量や中止したり，効果不十分で自己判断で増量したりすることのないように指導する．

《《《 専門医からのアドバイス 》》》

本剤はマイルドな作用をもつ抗不安薬の代表である．そのため，高齢者や軽症例に使用しやすく，さらにはベンゾジアゼピン系抗不安薬の初めての投与例に使用されることもしばしばある．しかし，抗不安作用が弱いため，効果不十分な症例では副作用に注意しながら，抗不安作用の強い薬剤への変更も考慮すべきである．

（谷　宗英）

抗不安薬 | **ベンゾジアゼピン系** | **短期作用型**

フルタゾラム
flutazolam

コレミナール［沢井‐田辺三菱］錠 4mg, 顆粒 1%

特徴・どんな薬剤か？
　消化管機能安定薬として優れた効果があり，比較的マイルドな作用をもつ．鎮静催眠作用，筋弛緩作用，抗けいれん作用はいずれも弱く，作用時間も短く，低力価な抗不安薬である．

薬理作用
　既存のベンゾジアゼピン系化合物と類似した薬理作用を有する．葛藤行動緩解作用，馴化作用，鎮静作用の作用機序は視床下部ならびに扁桃核を含む大脳辺縁系のベンゾジアゼピン受容体に作用する．

適応となる疾患・病態，どんなときに使うか？
　効能・効果として，心身症（過敏性腸症候群，慢性胃炎，胃・十二指腸潰瘍）における身体症候ならびに不安・緊張・心気・抑うつである．
　上記の消化器系の心身症に対して効果的であり，特に不安，緊張，抑うつなどの精神症状を伴う症例で優れている．便通異常，腹痛，腹部膨満感・不快感，悪心・嘔吐等の消化器症状に効果がある．

処方の実際，どのように使うか？
　通常，成人には1日12mgを3回に分けて経口投与する．なお，年齢・症状により適宜増減する．
・心身症に対して
　コレミナール錠 4mg　1回1錠　1日3回　朝昼夕食後

禁忌，併用禁忌，注意すべき副作用，慎重投与など
　禁忌としては，急性閉塞隅角緑内障，重症筋無力症である．おもな副作用としては，眠気，口渇，めまい・ふらつき・立ちくらみなどである．重大な副作用としては，依存性である．併用禁忌はないが，相互作用（併用注意）としては，中枢神経抑制薬（フェノチアジン誘導体，バルビツール酸誘導体等），MAO阻害薬，アルコール（飲酒），四環系抗うつ剤（マプロチリン等）である．慎重投与としては，心障害，肝障害，腎障害，脳に器質的障害，小

児，高齢者，衰弱患者，中等度または重篤な呼吸障害のある患者である．

おもな類似薬との使い分け

クロチアゼパム（リーゼ）：フルタゾラムと同様に，抗不安作用，鎮静催眠作用，筋弛緩作用はいずれも弱い．クロチアゼパムと比べると，フルタゾラムのほうが若干抗不安作用は強いが，半減期は短い．

服薬指導のポイント

本剤は鎮静催眠作用や筋弛緩作用が弱く，半減期も 3.5 時間と短く，高齢者に対する用量制限は設けられていない．しかし，眠気，ふらつき，立ちくらみなどの副作用の出現の可能性はあるため，注意が必要である．

《《《 専門医からのアドバイス 》》》

本剤はクロチアゼパムと同様に比較的マイルドな作用をもつ抗不安薬である．過敏性腸症候群，慢性胃炎，胃・十二指腸潰瘍などの消化器系をはじめとする心身症に対して，優れた効果をもつ．身体合併症を有する患者や高齢者の不安・緊張などに対して使用しやすい．

（谷　宗英）

抗不安薬 | ベンゾジアゼピン系 | 中期作用型

ロラゼパム

lorazepam

ワイパックス［ファイザー］錠 0.5mg, 1mg / ロラゼパム［沢井］錠 0.5mg, 1mg

特徴・どんな薬剤か？

強い抗不安作用を示し，適度な鎮静催眠作用をもつが，抗けいれん作用や筋弛緩作用は比較的軽度な抗不安薬であり，作用時間は中間型，高力価である．

薬理作用

中枢における抑制性伝達物質 GABA の受容体の 1 つである $GABA_A$ 受容体は，GABA 結合部位等からなる複合体を形成し，中央に Cl^- チャネルが存在する．GABA がその結合部位に結合すると Cl^- チャネルが開口し，それにより神経細胞は過分極し，神経機能の全般的な抑制がもたらされる．ベンゾジアゼピン系薬物がこの複合体の結合部位に結合すると，GABA による過分極を促進し，神経機能抑制作用が増強される．

適応となる疾患・病態，どんなときに使うか？

適応となる疾患や病態は，①神経症における不安・緊張・抑うつ，②心身症（自律神経失調症，心臓神経症）における身体症候ならびに不安・緊張・抑うつである．

処方の実際，どのように使うか？

ほとんどのベンゾジアゼピン系薬物が肝臓で代謝され，その代謝産物も活性をもっているのとは異なり，ロラゼパムは活性代謝産物を生じることがなく，代謝過程が簡単で，半減期も比較的短いことから肝機能障害例や高齢者にも使用できることが特徴である．また適応外使用ではあるが，統合失調症患者における精神病性興奮を制御するのにもよく使用される．急性の躁病の治療においてもリチウムの併用投与薬として有用であると報告されている．

・高齢者における抑うつ気分，不安に対して
　ワイパックス錠　0.5mg　1回1錠　1日2回　朝夕食後

禁忌，併用禁忌，注意すべき副作用，慎重投与など

禁忌としては，急性閉塞隅角緑内障，重症筋無力症である．おもな副作用としては，眠気，ふらつき，めまい，頭重，頭痛に加え，悪心や胃部不快感などの消化器症状である．併用禁忌はない．慎重投与としては心障害のある患者，肝障害，腎障害のある患者，脳に器質的障害のある患者，乳児・幼児，高齢者，衰弱患者，中等度または重篤な呼吸不全のある患者である．重大な副作用としては，依存性，刺激興奮・錯乱，呼吸抑制である．相互作用（併用注意）としては，中枢神経抑制薬（フェノチアジン誘導体，バルビツール酸誘導体等），MAO阻害薬，アルコール（飲酒），マプロチリン塩酸塩などである．

おもな類似薬との使い分け

ブロマゼパム（レキソタン）：高力価であり，抗不安作用や作用時間はロラゼパムと同様であるが，筋弛緩作用や抗けいれん作用が強いのが特徴である．

服薬指導のポイント

本剤は，強い抗不安作用に加えて適度な鎮静催眠作用があり，その他の作用は軽度である．そのため眠気やふらつきは起こりにくいが，過量投与で出現する場合があり，注意を要する．また高力価で作用時間も比較的短めであることから，服用を急に中止すると，不安，不眠，焦燥感や発汗など反跳症状や離脱症状を生じやすい．

《《《 専門医からのアドバイス 》》》

本剤は強い抗不安作用に適度な鎮静催眠作用をもつ抗不安薬である．そのため，神経症を中心とした精神疾患だけでなく，心身症などにも使用され，精神科だけでなく，身体科でも広く使用されている．その一方で，他のベンゾジアゼピン系薬剤と比較しても，反跳症状や離脱症状を生じやすく，減量や投与を中止する場合は，反跳性不安や離脱症状に注意する必要がある．

（片上素久）

抗不安薬　ベンゾジアゼピン系　中期作用型

アルプラゾラム
alplazolam

コンスタン [武田] 錠 0.4mg, 0.8mg/ ソラナックス [ファイザー] 錠 0.4mg, 0.8mg / アルプラゾラム [沢井, 共和, 東和] 錠 0.4mg, 0.8mg

特徴・どんな薬剤か？

適度な抗不安作用および鎮静催眠作用を有するものの，筋弛緩作用や抗けいれん作用は弱く，作用時間は中間型，高力価である．

薬理作用

中枢における抑制性伝達物質 GABA の受容体の 1 つである $GABA_A$ 受容体は，GABA 結合部位等からなる複合体を形成し，中央に Cl^- チャネルが存在する．GABA がその結合部位に結合すると Cl^- チャネルが開口し，それにより神経細胞は過分極し，神経機能の全般的な抑制がもたらされる．ベンゾジアゼピン系薬物がこの複合体の結合部位に結合すると，GABA による過分極を促進し，神経機能抑制作用が増強される．

適応となる疾患・病態，どんなときに使うか？

適応は，心身症（胃・十二指腸潰瘍，過敏性腸症候群，自律神経失調症）における身体症候ならびに不安・緊張・抑うつ・睡眠障害である．また抗うつ作用も有するとの報告があるが，SSRI や環状抗うつ薬ほどの効果はないとされている．

処方の実際，どのように使うか？

・予期不安や広場恐怖を認めるパニック障害患者に対して
　コンスタン錠　0.4mg　1 回 1 錠　1 日 3 回　朝昼夕食後

禁忌，併用禁忌，注意すべき副作用，慎重投与など

禁忌としては，急性閉塞隅角緑内障，重症筋無力症である．おもな副作用としては，眠気，めまい，ふらつき，頭痛，不眠，眼症状（霧視，複視）に加え，口渇，悪心・嘔吐，食欲不振，腹痛，腹部不快感，便秘などの消化器

症状である．**慎重投与**としては心障害のある患者，肝障害，腎障害のある患者，脳に器質的障害のある患者，小児，高齢者，衰弱患者，中等度または重篤な呼吸障害のある患者である．**重大な副作用**としては，薬物依存，刺激興奮・錯乱，呼吸抑制，アナフィラキシー，肝機能障害・黄疸である．併用禁忌としてHIVプロテアーゼ阻害薬がある．**相互作用（併用注意）**としては，中枢神経抑制薬（フェノチアジン誘導体，バルビツール酸誘導体等），MAO阻害薬，フルボキサミン，アルコール（飲酒）などである．

おもな類似薬との使い分け

ロラゼパム（ワイパックス）：ロラゼパムは精神病性興奮を制御するのに使われることが多いが，アルプラゾラムは好戦的な態度や躁状態を惹起させるかもしれず，推奨されないとの報告がある．

服薬指導のポイント

本剤はパニック障害におけるパニック発作などに速やかな効果を示すが，その持続時間が比較的短いため，1日数回以上に分けて投与しなければならず，また，投与の間欠期に離脱様症状を認めることがあり，注意を要する．さらに服用を急に中止すると，反跳症状や離脱症状を生じやすく，急激な減量や突然の中断は，せん妄やけいれんをひき起こす可能性がある．そのため，投与を中止する場合は徐々に減量する，あるいは一度長期作用型薬物に切り替えるなど，慎重に行うことが大切である．

《《《 専門医からのアドバイス 》》》

本剤は適度な抗不安作用や鎮静催眠作用をもつ抗不安薬である．そのため，不安障害を中心とした精神疾患や心身症などに幅広く使用されている．その一方で，高齢者や身体状態が衰弱している人では鎮静作用や筋弛緩作用が出現しやすく，めまい，ふらつき，転倒などに注意する．また反跳症状や離脱症状を他のベンゾジアゼピン系薬剤と比較しても生じやすく，減量や投与を中止する場合はこれらに注意し，慎重に行う必要がある．

（片上素久）

抗不安薬 / ベンゾジアゼピン系 / 中期作用型

フルジアゼパム
fludiazepam

エリスパン［大日本住友］錠 0.25mg，顆粒 0.1%

特徴・どんな薬剤か？

高力価かつ中期作用型のベンゾジアゼピン系抗不安薬であり，抗不安作用に加え，鎮静催眠作用や筋弛緩作用がある．最高血中濃度は1時間後と作用発現は速やかである．不安や緊張を和らげ，気持ちを落ち着かせる作用があり，うつ病，神経症，心身症などの病気に幅広く使用されている．

薬理作用

中枢における抑制性伝達物質GABAの受容体の1つであるGABA$_A$受容体は，GABA結合部位等からなる複合体を形成し，中央にCl$^-$チャネルが存在する．GABAがその結合部位に結合するとCl$^-$チャネルが開口し，それにより神経細胞は過分極し，神経機能の全般的な抑制がもたらされる．ベンゾジアゼピン系薬物がこの複合体の結合部位に結合すると，GABAによる過分極を促進し，神経機能抑制作用が増強される．

適応となる疾患・病態，どんなときに使うか？

適応は，心身症（消化器疾患，高血圧症，心臓神経症，自律神経失調症）における身体症候ならびに，不安・緊張・抑うつおよび焦燥，易疲労性，睡眠障害である．

処方の実際，どのように使うか？

消化性潰瘍などを伴う精神的な緊張や，自律神経失調症などによる種々の症状に対して，初期用量は0.25mgを1日1回経口投与で開始し，0.75mgを1日3回へと漸増することが望ましい．

・身体症候ならびに不安・緊張・抑うつを伴う心身症に対して
　エリスパン錠　0.25mg　1回1錠　1日3回　朝昼夕食後

禁忌，併用禁忌，注意すべき副作用，慎重投与など

禁忌としては，急性閉塞隅角緑内障，重症筋無力症である．おもな副作用としては，眠気，めまい，ふらつき，頭重，頭痛に加え，口渇，食欲不振，悪心・嘔気，腹部不快感・膨満感，便秘などの消化器症状である．併用禁忌はない．慎重投与としては心障害のある患者，肝障害，腎障害のある患者，脳に器質的障害のある患者，乳児・幼児，高齢者，衰弱患者，中等度または重篤な呼吸不全のある患者である．重大な副作用としては，薬物依存，刺激興奮・錯乱である．相互作用（併用注意）としては，中枢神経抑制薬（フェノチアジン誘導体，バルビツール酸誘導体等），MAO阻害薬，アルコール（飲酒）などである．

おもな類似薬との使い分け

アルプラゾラム（コンスタン）：フルジアゼパムと同様，中期作用型であるが，筋弛緩作用は弱い．

服薬指導のポイント

本剤は適度な抗不安作用，鎮静催眠作用および筋弛緩作用をもち，作用発現は速やかである．そのため心身症における身体症候や不安および緊張などに速やかな効果を示すが，過鎮静や運動失調の発現などに注意しなければならない．また心身症の基礎身体疾患そのものの治療ではなく，あくまでも症状の軽減を目的として処方すべきである．

《《《 専門医からのアドバイス 》》》

本剤は抗不安作用，鎮静催眠作用に加え，筋弛緩作用をもつベンゾジアゼピン系抗不安薬である．そのため心身症を中心として使用され，精神科以外でも処方される機会が増えつつあるが，近年ベンゾジアゼピン系薬剤の濫用が問題視されており，処方は必要最小限にとどめるべきである．また減量や投与を中止する場合は離脱症状に注意する必要がある．

（片上素久）

| 抗不安薬 | ベンゾジアゼピン系 | 中期作用型 |

ブロマゼパム

bromazepam

レキソタン[中外] 錠 1mg, 2mg, 5mg, 顆粒 1%（10mg）/ セニラン[サンド] 錠 1mg, 2mg, 3mg, 5mg, 顆粒 1%, 坐剤 3mg

特徴・どんな薬剤か？

高力価, 作用時間は中間型であり, 抗不安作用や筋弛緩作用, 抗けいれん作用は強力で鎮静催眠作用も十分にある.

薬理作用

中枢における抑制性伝達物質GABAの受容体の1つであるGABA$_A$受容体は, GABA結合部位等からなる複合体を形成し, 中央にCl$^-$チャネルが存在する. GABAがその結合部位に結合するとCl$^-$チャネルが開口し, それにより神経細胞は過分極し, 神経機能の全般的な抑制がもたらされる. ベンゾジアゼピン系薬物がこの複合体の結合部位に結合すると, GABAによる過分極を促進し, 神経機能抑制作用が増強される.

適応となる疾患・病態, どんなときに使うか？

適応は, ①神経症における不安・緊張・抑うつおよび強迫・恐怖, ②うつ病における不安・緊張, ③心身症（高血圧症, 消化器疾患, 自律神経失調症）における身体症候ならびに不安・緊張・抑うつおよび睡眠障害, ④麻酔前投薬である.

実際には不安障害における恐怖・強迫症状を中心に, 上記のような症状を呈する心身症, うつ病や不眠症などに処方されている. また筋弛緩作用があるため, 緊張型頭痛や頸椎症, 腰痛症, 肩こりなどにも処方される. さらに坐剤は麻酔前投薬として処方されることが多い.

処方の実際, どのように使うか？

・うつ病に伴う不安や焦燥に対して
　レキソタン錠　2mg　1回1〜2錠　1日2〜3回　朝夕食後〜朝昼夕食後

禁忌, 併用禁忌, 注意すべき副作用, 慎重投与など

禁忌としては, 急性閉塞隅角緑内障, 重症筋無力症である. おもな副作用としては, 眠気, ふらつき, めまい, 興奮, 気分高揚に加え, 口渇や食欲不

振などの消化器症状である．併用禁忌はない．慎重投与としては心障害のある患者，肝障害，腎障害のある患者，脳に器質的障害のある患者，小児，高齢者，衰弱患者，中等度または重篤な呼吸障害のある患者である．重大な副作用としては，依存性，刺激興奮・錯乱である．相互作用（併用注意）としては，中枢神経抑制薬（フェノチアジン誘導体，バルビツール酸誘導体等），MAO 阻害薬，アルコール（飲酒）などである．

おもな類似薬との使い分け

ジアゼパム（セルシン）：ブロマゼパムはより抗不安作用が強く，ジアゼパムにはない mood elevating effect や beneficial effect（気分が落ち着く，集中できる，気分が大きくなる）が認められている．

服薬指導のポイント

本剤は抗不安作用が強力であるが，その持続時間が比較的短いため，1日数回以上に分けて投与しなければならず，また投与間欠期に離脱様症状を認めることがある．服用を急に中止すると，反跳症状や離脱症状を他のベンゾジアゼピン系薬剤と比較しても生じやすく，急激な減量や突然の中断はせん妄やけいれんをひき起こす可能性がある．

《《《 専門医からのアドバイス 》》》

本剤の抗不安作用は強力であり，不安障害やうつ病を中心とした精神疾患や心身症に加えて，麻酔前投薬などに幅広く使用されている．その一方で，高齢者や身体状態が衰弱している人では鎮静作用や筋弛緩作用が出現しやすく，めまい，ふらつき，転倒などに注意する．また反跳症状や離脱症状を他のベンゾジアゼピン系薬剤と比較しても生じやすく，減量や投与を中止する場合はこれらに注意し，慎重に行う必要がある．

（片上素久）

抗不安薬　ベンゾジアゼピン系　長期作用型

メキサゾラム

mexazolam

メレックス［第一三共］錠 0.5mg, 1mg, 細粒 0.1%

特徴・どんな薬剤か？

オキサゾラム（セレナール），クロキサゾラム（セパゾン）と同一系統のベンゾジアゼピン系誘導体として開発された抗不安薬である．高力価で長期作用型に分類されている．血中半減期は 60～150 時間，最高濃度時間は 1～2 時間とされている．

薬理作用

ベンゾジアゼピン系薬剤は，中枢神経系の抑制性伝達物質の 1 つである GABA により活性化される $GABA_A$ 受容体チャネルに作用することにより薬効をあらわす．$GABA_A$ 受容体は，脳幹網様体，辺縁系，海馬，小脳，脊髄，大脳皮質辺縁系など広範囲に存在する．

その作用には大きく分けて，①抗不安作用，②鎮静催眠作用，③抗けいれん作用，④筋弛緩作用がある．

適応となる疾患・病態，どんなときに使うか？

効能・効果として，①神経症における不安・緊張・抑うつ，易疲労性，強迫・恐怖・睡眠障害，②心身症（胃・十二指腸潰瘍，慢性胃炎，過敏性腸症候群，高血圧症，心臓神経症，自律神経失調症）における身体症候ならびに不安・緊張・抑うつ・易疲労性・睡眠障害である．

処方の実際，どのように使うか？

通常，成人には 1 日 1.5～3mg を 3 回に分けて経口投与する．なお，年齢・症状に応じ適宜増減するが，高齢者には 1 日 1.5mg までとする．

・神経症や心身症に対して
　メレックス錠 0.5～1mg　1 回 1 錠　1 日 3 回　朝昼夕食後

禁忌，併用禁忌，注意すべき副作用，慎重投与など

禁忌としては，急性閉塞隅角緑内障，重症筋無力症である．おもな副作用としては，眠気，ふらつき，倦怠感，めまい，傾眠，口渇などである．重大

な副作用としては，依存性，刺激興奮・錯乱である．慎重投与としては，心障害，肝障害，腎障害，脳の器質的障害，低出生体重児，新生児，乳幼児，小児，高齢者，衰弱患者，中等度以上の呼吸障害がある．併用禁忌薬はないが，相互作用（併用注意）としては，中枢神経抑制薬（フェノチアジン誘導体，バルビツール酸誘導体等），MAO阻害薬，アルコール（飲酒）である．

おもな類似薬との使い分け

ジアゼパム（セルシン）：代表的なベンゾジアゼピン系抗不安薬であり，メキサゾラムに比べて強力な筋弛緩作用，抗けいれん作用を有しているが，強迫症状，恐怖症状に対しては，メキサゾラムが有意に優れた治療効果を示している．

服薬指導のポイント

本剤は鎮静催眠作用や筋弛緩作用を有するため，眠気，ふらつき，倦怠感などの副作用の説明が必要である．特に高齢者では転倒，骨折などにも注意すべきである．また，反射運動能力等の低下が起こることがあるので，服用中には自動車の運転等危険を伴う機械の操作には従事させないように注意する．

期待通りの効果が出ない場合でも，自分の判断で用量を増やさず，指示された用量を守るよう説明する．

《《《 専門医からのアドバイス 》》》

向精神薬として規制されていないため投与期間の上限が設けられておらず，長期処方が可能である．強迫，恐怖症状にも優れた効果が認められており，心身症の中で，特に消化器系の障害，循環器系の高血圧症にも効果を示す．オキサゾール環を有するものの特徴として筋弛緩作用は比較的弱いという利点をもっている．

（松田泰範）

抗不安薬　ベンゾジアゼピン系　長期作用型

ジアゼパム

diazepam

セルシン[武田]錠 2mg, 5mg, 10mg, 散 1%, シロップ 0.1% 注射液 5mg, 10mg/ ホリゾン[丸石]錠 2mg, 5mg, 散 1%, 注射液 10mg/ ジアゼパム[鶴原]錠 2mg, 5mg, 10mg/ ジアゼパム[共和]錠 2mg, 5mg, 散 1%など / ジアパックス[大鵬]錠 2mg, 5mg/ ダイアップ[高田]坐剤 4mg, 6mg, 10mg

特徴・どんな薬剤か？

代表的なベンゾジアゼピン系薬剤であり、剤型が豊富にある．中力価で長期作用型に分類されている．血中半減期は 20～70 時間，最高濃度時間は 1～2 時間とされている．

薬理作用

$GABA_A$ 受容体に作用し、抗不安作用、鎮静催眠作用、抗けいれん作用、筋弛緩作用を現す．

適応となる疾患・病態，どんなときに使うか？

経口薬の適応は，①神経症における不安・緊張・抑うつ，②うつ病における不安・緊張，③心身症における身体症候ならびに不安・緊張・抑うつ，④脳脊髄疾患に伴う筋けいれん，疼痛時の筋緊張の軽減，⑤麻酔前投薬である．

注射液の適応は，①神経症における不安・緊張・抑うつ，②次の疾患および状態における不安・興奮・抑うつの軽減　a) 麻酔前，麻酔導入時，麻酔中，術後，b) アルコール依存症の禁断（離脱）症状，c) 分娩時，③てんかん様重積状態，有機リン中毒，カーバメート中毒におけるけいれんの抑制である．

処方の実際，どのように使うか？

経口薬：成人には，1 回 2～5mg を 1 日 2～4 回に分割経口投与する．外来患者は原則として 1 日量 15mg 以内とする．

小児には，3 歳以下は 1 日量 1～5mg を，4～12 歳は 1 日量 2～10mg を，それぞれ 1～3 回に分割経口投与する．

・成人の不安・緊張・抑うつに対して
　セルシン錠 2～5mg　1 回 1 錠　1 日 3 回　朝昼夕食後
注射液：成人には初回 2mL（10mg）を静脈内または筋肉内に，できるだけ緩徐に（静脈内の場合は 2 分間以上かけて）注射する．以後，必要に応じて

3〜4時間ごとに注射する.

・筋けいれん，アルコール離脱症状の軽減などに対して

　セルシン注射液　1回5または10mg　1回1アンプル　緩徐に筋注または静注.

禁忌，併用禁忌，注意すべき副作用，慎重投与など

　急性閉塞隅角緑内障，重症筋無力症には禁忌である（注射液では，その他にショック，昏睡，バイタルサインの悪い急性アルコール中毒）．おもな副作用は，眠気，ふらつき，めまい，倦怠感などである．重大な副作用は，薬物依存，離脱症状，呼吸抑制，刺激興奮・錯乱である．注射液はこれらに加えて舌根沈下による上気道閉塞，循環性ショックである．併用禁忌としては，HIVプロテアーゼ阻害薬（リトナビル）がある．併用注意としては，中枢神経抑制薬，MAO阻害薬，アルコール，シメチジン，オメプラゾール，シプロフロキサシン，フルボキサミン，マプロチリン，ダントロレンナトリウムがある．

おもな類似薬との使い分け

　ブロマゼパム（レキソタン）：ジアゼパムと同様に，抗不安作用，鎮静催眠作用，筋弛緩作用，抗けいれん作用はいずれも強いが，ジアゼパムのほうが若干，抗不安作用は弱く半減期は長い．

服薬指導のポイント

　眠気，ふらつき，倦怠感などの副作用の説明が必要である．自動車の運転等危険を伴う機械の操作には従事させないように注意する．

≪≪≪ 専門医からのアドバイス ≫≫≫

　向精神薬に規定されているが，90日分を上限とした処方が可能である．注射に際しては，静注が基本的な投与経路であるが，経口投与が困難な場合や緊急の場合，経口投与で効果が不十分な場合に限って使用すべきである．未熟児，新生児，乳幼児，小児に対して筋注は行わない．添付文書の適用上の注意に「他の注射液と混合または希釈して使用しないこと」との記載があるため，点滴静注は推奨されない．

（松田泰範）

抗不安薬　ベンゾジアゼピン系　長期作用型

クロキサゾラム

cloxazolam

セパゾン［アルフレッサ］錠1mg, 2mg, 散1%

特徴・どんな薬剤か？

オキサゾラム（セレナール）誘導体の中から見出されたさらにいっそう強力な馴化作用と抗けいれん作用を有するベンゾジアゼピン系抗不安薬であり，高力価で長期作用型に分類されている．血中半減期は20〜30時間以上であり，最高濃度時間は2〜4時間とされている．

薬理作用

ベンゾジアゼピン系薬剤は，中枢神経系の抑制性伝達物質の1つであるGABAにより活性化されるGABA$_A$受容体チャネルに作用することにより薬効をあらわす．GABA$_A$受容体は，脳幹網様体，辺縁系，海馬，小脳，脊髄，大脳皮質辺縁系など広範囲に存在する．

その作用には大きく分けて，①抗不安作用，②鎮静催眠作用，③抗けいれん作用，④筋弛緩作用がある．

適応となる疾患・病態，どんなときに使うか？

効能・効果として，①神経症における不安・緊張・抑うつ・強迫・恐怖・睡眠障害，②心身症（消化器疾患，循環器疾患，更年期障害，自律神経失調症）における身体症候ならびに不安・緊張・抑うつ，③術前の不安除去である．

処方の実際，どのように使うか？

通常，成人に1日3〜12mgを3回に分けて経口投与する．年齢，症状に応じ適宜増減する．術前の不安除去の場合は0.1〜0.2mg/kgを手術前に経口投与する．年齢，症状に応じ適宜増減する．

・神経症，心身症に対して
　セパゾン錠1〜2mg　1回1〜2錠　1日3回　朝昼夕食後

禁忌，併用禁忌，注意すべき副作用，慎重投与など

禁忌としては，急性閉塞隅角緑内障，重症筋無力症である．おもな副作用としては，眠気，ふらつき，倦怠感，口渇，めまい，悪心・嘔吐，脱力感などである．重大な副作用としては，依存性，刺激興奮である．慎重投与と

しては，心障害，肝障害，腎障害，脳の器質的障害，低出生体重児，新生児，乳幼児，小児，高齢者，衰弱患者，中等度以上の呼吸障害がある．併用禁忌薬はないが，**相互作用（併用注意）**としては，中枢神経抑制薬（フェノチアジン誘導体，バルビツール酸誘導体等），MAO阻害薬，アルコール（飲酒）である．

おもな類似薬との使い分け

ジアゼパム（セルシン）：代表的なベンゾジアゼピン系薬剤であり，神経症や心身症に対して同等の効果を示すとされているが，鎮静催眠作用，筋弛緩作用，抗けいれん作用は，いずれもジアゼパムのほうが強い．

服薬指導のポイント

本剤は鎮静催眠作用や筋弛緩作用を有するため，眠気，ふらつき，倦怠感などの副作用の説明が必要である．特に高齢者では転倒，骨折などにも注意すべきである．また，反射運動能力等の低下が起こることがあるので，服用中には自動車の運転等危険を伴う機械の操作には従事させないように注意する．

期待通りの効果が出ない場合でも，自分の判断で用量を増やさず，指示された用量を守るよう説明する．

専門医からのアドバイス

不安に対する改善効果は，長期作用型の中でも優れており，セルシン（ジアゼパム）より優位な抗うつ作用もある．また，いわゆる神経症における緊張，うつ状態への効果に加えて，抗不安薬に反応しにくいといわれている強迫性障害や恐怖症にも効果が認められることがある．治療効果は投与開始後の1～2週間で認められ，効果の発現は速やかである．

（松田泰範）

| 抗不安薬 | ベンゾジアゼピン系 | 長期作用型 |

クロルジアゼポキシド

chlordiazepoxide

コントール［武田］錠 5mg, 10mg, 散 10%, 1% / バランス［丸石］錠 5mg, 10mg, 散 10%
／クロルジアゼポキシド［鶴原］錠 5mg, 10mg, 散 1%

特徴・どんな薬剤か？

1959年 Hofmann-La Roche 社の Strenbach らにより合成された最初のベンゾジアゼピン系化合物であり，本邦では1961年から臨床に使用されている．低力価で長期作用型に分類されている．血中半減期が5～30時間，最高濃度時間は1～5時間とされている．

薬理作用

ベンゾジアゼピン系薬剤は，中枢神経系の抑制性伝達物質の1つであるGABAにより活性化される$GABA_A$受容体チャネルに作用することにより薬効をあらわす．$GABA_A$受容体は，脳幹網様体，辺縁系，海馬，小脳，脊髄，大脳皮質辺縁系など広範囲に存在する．

その作用には大きく分けて，①抗不安作用，②鎮静催眠作用，③抗けいれん作用，④筋弛緩作用がある．

適応となる疾患・病態，どんなときに使うか？

効能・効果として，①神経症における不安・緊張・抑うつ，②うつ病における不安・緊張，③心身症（胃・十二指腸潰瘍，高血圧症）における身体症候ならびに不安・緊張・抑うつである．

処方の実際，どのように使うか？

患者の年齢，症状により適宜増減するが下記の通り経口投与する．
・成人の不安・緊張・抑うつに対して
 バランス/コントール錠　5mg　1回1～4錠　1日3回　朝昼夕食後
 または
 バランス/コントール錠　10mg　1回1～2錠　1日3回　朝昼夕食後
・小児に対して
 バランス/コントール錠　5～10mg　1回1錠　1日2回　朝夕食後
 または
 バランス/コントール錠　5mg　1回1錠　1日4回　毎食後と就寝前

禁忌，併用禁忌，注意すべき副作用，慎重投与など

禁忌としては，急性閉塞隅角緑内障，重症筋無力症である．おもな副作用としては，眠気，めまい，ふらつき，倦怠感，脱力感などである．重大な副作用としては，依存性・離脱症状，刺激興奮・錯乱，呼吸抑制である．慎重投与としては，心障害，肝障害，腎障害，脳の器質的障害のある患者，乳幼児，高齢者，衰弱患者，中等度以上の呼吸不全の患者である．併用禁忌薬はないが，相互作用（併用注意）としては，中枢神経抑制薬（フェノチアジン誘導体，バルビツール酸誘導体等），MAO阻害薬，アルコール（飲酒），マプロチリン，ダントロレンナトリウムである．

おもな類似薬との使い分け

ジアゼパム（セルシン）：代表的なベンゾジアゼピン系薬剤であり，抗不安作用，鎮静催眠作用，筋弛緩作用，抗けいれん作用いずれも本剤より強力である．したがって高齢者や軽症例では，本剤のほうが比較的安全に使用しやすい．

服薬指導のポイント

本剤は鎮静催眠作用や筋弛緩作用を有するため，眠気，ふらつき，倦怠感などの副作用の説明が必要である．特に高齢者では，転倒，骨折などにも注意すべきである．また，反射運動能力等の低下が起こることがあるので，服用中には自動車の運転等危険を伴う機械の操作には従事させないように注意する．

《《《 専門医からのアドバイス 》》》

実際には心身症に対して用いられることが多い．ベンゾジアゼピン系薬剤の中では低力価で，筋弛緩作用も強くないため，高齢者や小児に対しても使用しやすいが，眠気や転倒などがみられることがあるので，全身状態や併用薬剤を考慮して投与量を加減する必要がある．

（松田泰範）

抗不安薬　ベンゾジアゼピン系　長期作用型

クロラゼプ酸ニカリウム

clorazepate dipotassium

メンドン［マイラン EPD］カプセル 7.5mg

特徴・どんな薬剤か？

1964 年フランスで合成され，本邦では 1979 年に発売されたベンゾジアゼピン系の抗不安薬であり，低力価で長期作用型に分類されている．血中半減期が 24 時間以上，最高濃度時間が 0.5 ～ 1 時間とされている．

薬理作用

ベンゾジアゼピン系薬剤は，中枢神経系の抑制性伝達物質の 1 つである GABA により活性化される $GABA_A$ 受容体チャネルに作用することにより薬効をあらわす．$GABA_A$ 受容体は，脳幹網様体，辺縁系，海馬，小脳，脊髄，大脳皮質辺縁系など広範囲に存在する．

その作用には大きく分けて，①抗不安作用，②鎮静催眠作用，③抗けいれん作用，④筋弛緩作用がある．

適応となる疾患・病態，どんなときに使うか？

効能・効果として，①神経症における不安・緊張・焦燥・抑うつである．

神経症のおもな症状である不安，緊張，抑うつ，神経衰弱症状などにも改善効果がある．比較的マイルドな作用をもつため，高齢者や軽症例などでは本剤が使用しやすい．

処方の実際，どのように使うか？

成人には 1 日 9 ～ 30mg を 2 ～ 4 回に分けて経口投与する．年齢，症状に応じ適宜増減する．

　メンドンカプセル 7.5mg　1 回 1 カプセル　1 日 2 回　朝夕食後
　効果不十分なとき
　メンドンカプセル 7.5mg　1 回 1 カプセル　1 日 4 回　毎食後と就寝前
　メンドンカプセル 7.5mg　1 回 2 カプセル　1 日 2 回　朝夕食後

禁忌，併用禁忌，注意すべき副作用，慎重投与など

禁忌としては，急性閉塞隅角緑内障，重症筋無力症である．おもな副作用としては，眠気，めまい，ふらつき，易疲労感・脱力感・倦怠感などであ

る．重大な副作用としては，依存性，刺激興奮，錯乱である．慎重投与としては，心障害，肝障害，腎障害，脳の器質的障害のある患者，乳幼児，高齢者，衰弱患者，中等度以上の呼吸不全の患者である．併用禁忌薬としては，HIVプロテアーゼ阻害薬（リトナビル）がある．併用注意としては，中枢神経抑制薬（フェノチアジン誘導体，バルビツール酸誘導体等），MAO阻害薬，アルコール（飲酒）である．

おもな類似薬との使い分け

クロルジアゼポキシド（コントール，バランス）：クロラゼプ酸二カリウムより抗不安作用は強く，鎮静催眠作用および筋弛緩作用は非常に弱い．したがって高齢者や日中の不安に対しては，本剤のほうが比較的安全に使用しやすい．

服薬指導のポイント

本剤は鎮静催眠作用や筋弛緩作用が非常に弱いとはいえ，眠気，ふらつき，倦怠感などの副作用の説明が必要である．特に高齢者では，転倒，骨折などにも注意すべきである．また，反射運動能力等の低下が起こることがあるので，服用中には自動車の運転等危険を伴う機械の操作には従事させないように注意する．

期待通りの効果が出ない場合でも，自分の判断で用量を増やさず，指示された用量を守るよう説明する．

《《《 専門医からのアドバイス 》》》

投薬日数制限があり，1回14日分を限度とされているため注意が必要である．剤型が1種類のみであるために用量調節が簡潔に行いやすい．鎮静催眠作用，筋弛緩作用は非常に弱く，眠気，ふらつきを生じにくいため，高齢者には使用しやすい．小児，特に乳・幼児には，治療上の有益性が危険性を上回ると判断される場合にのみ，慎重に投与する必要がある．

（松田泰範）

抗不安薬　ベンゾジアゼピン系　超長期作用型

フルトプラゼパム

flutoprazepam

レスタス［日本ジェネリック］錠 2mg

特徴・どんな薬剤か？

高力価，超長期作用型であり，抗不安作用は強く，作用発現は遅い．鎮静催眠作用および筋弛緩作用を有しているが，抗けいれん作用は乏しい．

薬理作用

中枢における抑制性伝達物質 GABA の受容体の1つである $GABA_A$ 受容体は，GABA 結合部位等からなる複合体を形成し，中央に Cl^- チャネルが存在する．GABA がその結合部位に結合すると Cl^- チャネルが開口し，それにより神経細胞は過分極し，神経機能の全般的な抑制がもたらされる．ベンゾジアゼピン系薬物がこの複合体の結合部位に結合すると，GABA による過分極を促進し，神経機能抑制作用が増強される．

適応となる疾患・病態，どんなときに使うか？

神経症における不安・緊張・抑うつ・易疲労性・睡眠障害，心身症（高血圧症，胃・十二指腸潰瘍，慢性胃炎，過敏性腸症候群）における身体症候ならびに不安・緊張・抑うつ・易疲労性・睡眠障害に適応がある．

処方の実際，どのように使うか？

通常，成人には1日2〜4mgを1〜2回に分割経口投与し，高齢者には1日4mgまでとする．
・不安障害（パニック障害，強迫性障害，全般性不安障害など）に対して
　レスタス錠　2mg　1日1回　1〜2錠　夕食後
　あるいは，
　レスタス錠　2mg　1日2回　1回1錠　朝夕食後

禁忌，併用禁忌，注意すべき副作用，慎重投与など

禁忌としては，急性閉塞隅角緑内障，重症筋無力症である．おもな副作用としては，眠気，ふらつき，易疲労感・倦怠感，めまいである．併用禁忌はない．慎重投与としては心障害のある患者，肝障害，腎障害のある患者，脳に器質的障害のある患者，小児，高齢者，衰弱患者，中等度または重篤な呼

吸障害のある患者である．重大な副作用としては，依存性である．相互作用（併用注意）としては，中枢神経抑制薬（フェノチアジン誘導体，バルビツール酸誘導体等），MAO阻害薬，アルコール（飲酒）などである．

おもな類似薬との使い分け

ロラゼパム（ワイパックス）：抗不安作用，鎮静催眠作用，筋弛緩作用はほぼ同様であるが，フルトプラゼパムは作用時間が長期にわたるため，1日1回での投与が可能である．

ロフラゼプ酸エチル（メイラックス）：作用時間は同様に長期であるが，フルトプラゼパムのほうが鎮静催眠作用，筋弛緩作用が強く，作用発現は遅い．

服薬指導のポイント

本剤は抗不安作用が強いため，不安障害や心身症における不安などに幅広く使用される．また血中半減期が長時間にわたるため，1日1回での投与が可能であるが，日中の眠気が起きたり，集中力や注意力が低下したりするおそれがあるため，自動車の運転等危険を伴う機械の操作に従事させないように注意する．退薬症状が出現しにくいとはいえ，長期間服用後いきなり中止すると，不眠や不安および焦燥などの離脱症状が出現するおそれがあり，中止する場合は漸減が望ましい．

《《《 専門医からのアドバイス 》》》

本剤は強い抗不安作用をもち，不安障害を中心とした精神疾患や心身症などに幅広く使用されるが，鎮静催眠作用や筋弛緩作用があるため，高齢者では少量より投与を開始する．また，超長期作用型であるため1日1回での投与が可能であり，退薬症状が出現しにくいゆえに，漸減が比較的容易である．その一方で，日中の眠気や集中力の低下をひき起こすおそれがあり，特に車の運転には注意を要する．

（片上素久）

抗不安薬　ベンゾジアゼピン系　超長期作用型

ロフラゼプ酸エチル

ethyl loflazepate

メイラックス［Meiji Seika ファルマ］錠 1mg, 2mg, 顆粒 1％／ロフラゼプ酸エチル［日医工］錠 1mg, 2mg

特徴・どんな薬剤か？

抗不安作用は中等度であり，鎮静作用や筋弛緩作用は比較的弱いが，抗けいれん作用が強い高力価，超長期作用型である．

薬理作用

中枢における抑制性伝達物質 GABA の受容体の1つである $GABA_A$ 受容体は，GABA 結合部位等からなる複合体を形成し，中央に Cl^- チャネルが存在する．GABA がその結合部位に結合すると Cl^- チャネルが開口し，それにより神経細胞は過分極し，神経機能の全般的な抑制がもたらされる．ベンゾジアゼピン系薬物がこの複合体の結合部位に結合すると，GABA による過分極を促進し，神経機能抑制作用が増強される．

適応となる疾患・病態，どんなときに使うか？

適応は神経症における不安・緊張・抑うつ・易疲労性・睡眠障害，心身症（胃・十二指腸潰瘍，慢性胃炎，過敏性腸症候群，自律神経失調症）における身体症候ならびに不安・緊張・抑うつ・睡眠障害である．また，抗けいれん作用も強いため，小児のてんかんに対して有用性があるとされている．

処方の実際どのように使うか？

・不安障害（パニック障害，強迫性障害，全般性不安障害など）に対して
　メイラックス錠　1mg　1回1錠　1日1〜2回　夕食後〜朝夕食後

禁忌，併用禁忌，注意すべき副作用，慎重投与など

禁忌としては，急性閉塞隅角緑内障，重症筋無力症である．おもな副作用としては，眠気，ふらつき，めまい，口渇，倦怠感などである．併用禁忌はない．慎重投与としては心障害のある患者，肝障害，腎障害のある患者，脳に器質的障害のある患者，高齢者，乳児・幼児・小児，衰弱患者，中等度または重

篤な呼吸不全のある患者である．重大な副作用としては，薬物依存，刺激興奮・錯乱，幻覚，呼吸抑制である．相互作用（併用注意）としては，中枢神経抑制薬（フェノチアジン誘導体，バルビツール酸誘導体等），MAO阻害薬，シメチジン，アルコール（飲酒），マプロチリン塩酸塩である．

おもな類似薬との使い分け

アルプラゾラム（コンスタン）：アルプラゾラムは中期作用型であり，作用発現は速やかであるが，本剤は超長期作用型で退薬症状が出現しにくいことから，不安障害の維持療法により適している．

服薬指導のポイント

本剤は十分な抗不安作用をもつため，不安障害を中心に幅広く使用される．また血中半減期が長時間にわたるため，1日1回での投与が可能であるが，日中の眠気が起きたり，集中力が低下したりするおそれがあるため，自動車の運転等危険を伴う機械の操作に従事させないように注意する．また，退薬症状が出現しにくいとはいえ，長期間服用後いきなり中止すると，不眠や不安および焦燥などの離脱症状が出現するおそれがあり，中止する場合は漸減が望ましい．

≪≪≪ 専門医からのアドバイス ≫≫≫

本剤は適度な抗不安作用をもち，不安障害を中心とした精神疾患や心身症などに幅広く使用され，筋弛緩作用が弱いため高齢者にも安全に投与ができる．また，超長期作用型であるため1日1回での投与が可能であり，退薬症状が出現しにくいゆえに，漸減が比較的容易である．そのため，短期作用型ベンゾジアゼピン系薬物の減量あるいは中止を目的として，本剤に一時的に切り替えられることがある．

（片上素久）

II
抗うつ薬

章編集：井上　猛

抗うつ薬

■特徴・どんな薬剤か？

1950年代より三環系抗うつ薬がうつ病（狭義には最近は大うつ病性障害と呼ばれる）の治療に有効であることが報告され，広く精神科臨床で使われるようになってきた．その後，スルピリド，四環系抗うつ薬，次いで1999年より選択的セロトニン再取り込み阻害薬（SSRI），セロトニン・ノルアドレナリン再取り込み阻害薬（SNRI）が臨床に導入されてきた．2009年に発売となったミルタザピンは四環系抗うつ薬であるが，ユニークな作用を有するためNaSSA（Noradrenergic and Specific Serotonergic Antidepressant）として別に分類されている．現在22種類の抗うつ薬が日本では用いられており，それらの作用機序は様々であるが，いずれも脳内モノアミンの細胞外濃度を増加させる作用を有し，抗うつ作用の作用機序として考えられている．しかし，現時点では大うつ病性障害に対する抗うつ薬の効果の作用機序が十分に解明されているとはいえない．

■作用機序（表1）

三環系抗うつ薬，四環系抗うつ薬（一部を除く），SSRI，SNRIの主たる作用機序はいずれもセロトニンあるいはノルアドレナリン再取り込み阻害作用である．一部の三環系抗うつ薬［特に側鎖末端にアミノモノメチル基〔-NH（CH3）〕がつく化合物である2級アミン］はセロトニン再取り込み阻害作用を有さず，ノルアドレナリン再取り込み阻害作用を有する．SSRIはノルアドレナリン再取り込み阻害作用を有さず，セロトニン再取り込み阻害作用を有する．側鎖末端にアミノジメチル基〔-N（CH3）2〕がつく三環系抗うつ薬（3級アミンと呼ばれる）はノルアドレナリン再取り込み阻害作用とセロトニン再取り込み阻害作用の両方を有することが多いが，その活性代謝物は2級アミンであり強いノルアドレナリン再取り込み阻害作用を有する．したがって，例えばノルアドレナリン再取り込み阻害作用に比べてセロトニン再取り込み阻害作用が強いクロミプラミンは服用後に体内でデスメチルクロミプラミンに代謝されるため，ノルアドレナリン再取り込み阻害作用も強く惹起する．

四環系抗うつ薬のうち，ミアンセリン，セチプチリンはα_2アドレナリン受容体遮断作用を有する．α_2アドレナリン受容体は自己受容体でノルアドレナリン作動性神経の発火，活動に対して抑制的に作用する．α_2受容体遮断薬はこの抑制作用を解除するため，脳内ノルアドレナリンの細胞外濃度を増加させる．ミルタザピンも四環系抗うつ薬であり，α_2受容体遮断作用を有するが，α_1受容体遮断作用を有さない点が，ミアンセリンとは異なる点

であり（セチプチリンについてはα1受容体遮断作用に関する発表データがない），ミルタザピンはミアンセリンと区別して NaSSA と呼ばれる．α2受容体遮断作用により増加した細胞外ノルアドレナリンは，縫線核セロトニン作動性神経の細胞体にあるα1受容体を刺激し，セロトニン放出を刺激するが，α1受容体遮断作用はこのセロトニン放出を抑制する．したがって，ミルタザピンは細胞外セロトニンを増加させるが（増加させないという報告もあるが），ミアンセリンは増加させない．α1受容体遮断作用は，SSRI による細胞外セロトニン増加作用を抑制することが最近の研究で明らかになっている．大うつ病性障害のみならず，不安障害治療上も問題となる作用である．

ノルアドレナリン再取り込み阻害作用やα2受容体遮断作用によって細胞外ノルアドレナリン濃度は増加するが，同時に前頭前野の細胞外ドパミンも増加する．その作用機序としては以下の2つの機序が考えられる．①ノルアドレナリン作動性神経からノルアドレナリンがシナプス間隙に放出されるときに，前駆物質であるドパミンも一緒に放出される．②ノルアドレナリン作動性神経とドパミン作動性神経（側坐核，線条体以外では前頭前野に投射している）から放出されるドパミンはドパミン・トランスポーターのみならず，ノルアドレナリン・トランスポーターからも神経細胞内に再取り込みされるため，ノルアドレナリン再取り込み阻害薬与薬によりドパミンのノルアドレナリン・トランスポーターへの取り込みが阻害される．以上の2つの機序に加えて，前頭前野ではドパミン作動性神経に比べて，ノルアドレナリン作動性神経の神経終末が比較的多いという解剖学的特徴が寄与して，ノルアドレナリン再取り込み阻害薬与薬により前頭前野細胞外ドパミン濃度が増加すると考えられる．一方，線条体や側坐核では，ドパミン作動性神経の神経終末のほうがノルアドレナリン作動性神経の神経終末よりも圧倒的に多く，細胞外のドパミンは，ほとんどドパミン作動性神経終末にあるドパミン・トランスポーターにより取り込まれるため，ノルアドレナリン再取り込み阻害薬によって細胞外ドパミンが増加することはない．

スルピリドはドパミン D2 受容体遮断薬であり，低用量でドパミン作動性神経の神経終末のドパミン自己受容体を遮断することにより，ドパミン放出を増加させることが抗うつ作用と関連すると考えられている．

2019 年に発売されたボルチオキセチンは，セロトニン再取り込み阻害薬作用に加えて，セロトニン 1A 受容体アゴニスト作用，セロトニン 1B 受容体部分アゴニスト作用，セロトニン 1D, 3, 7 受容体遮断作用を有するユニークな抗うつ薬で，multimodal drug と呼ばれる．

その他，副作用と関連する抗α1作用，抗コリン作用，抗ヒスタミン作用を，SSRI と SNRI 以外の抗うつ薬は有する．

表1 抗うつ薬の受容体と取り込み部位に対する親和性 (nM)

抗うつ薬（一般名）	本邦での使用	ドパミン D_1	ドパミン D_2	アドレナリン β	アドレナリン α_1	アドレナリン α_2
desmethylclomipramine	clomipramine の代謝物		1200		190	
desipramine	発売中止		3300	4200	130	7200
lofepramine	発売		2000		100	2700
nortriptyline	発売		1200	15000	60	2500
amoxapine	発売	63	160		50	2600
maprotiline	発売		350		90	9400
mianserin	発売		2100		34	73
trazodone	発売		3800		36	490
imipramine	発売		2000	38000	90	3200
amitriptyline	発売		1000	6800	27	940
clomipramine	発売		190		38	3200
dosulepine (dothiepine)	発売				470	2400
trimipramine	発売		180		24	680
fluoxetine	未発売		32000	11000	5900	13000
fluvoxamine	発売		68000		7500	15000
paroxetine	発売		32000		4600	17000
sertraline	発売		10700		380	4100
citalopram	未発売		34000		1900	15300
escitalopram	発売		>1000	>1000	>1000	>1000
milnacipran	発売		>10000	>10000	>10000	>10000
venlafaxine	発売		>35000		>35000	>35000
duloxetine	発売		14000		8300	
voritioxetine	発売	>1000	>1000		>1000	>1000
bupropion	未発売（開発中）		>35000		4600	81000
setiptiline	発売					24
mirtazapine	発売		>1000	>1000	316	63
sulpiride	発売		31		>10000	>10000

井上　猛, 中川　伸, 小山　司：大うつ病性障害の薬理／抗うつ薬. 臨床精神薬理ハンドブック 第2版, 樋口輝彦, 小山　司 監, 神庭重信 他編, 医学書院, pp158-178, 2009
Sanchez C et al：Psychopharmacology 167：353-362, 2003, Bang-Andersen B et al：J Med Chem 54：3206-3221, 2011 を参照して作成.

セロトニン 5-HT$_1$	セロトニン 5-HT$_2$	セロトニン 5-HT$_3$	ムスカリン性 アセチルコリン	ヒスタミン H$_1$	ノルアドレナリン 再取り込み阻害	セロトニン 再取り込み阻害	ドパミン 再取り込み阻害
	360		1600	1600	0.5	41	2200
10000	280	>10000	198	110	1	340	5200
	200		67	360	2	2400	1800
310	44	>10000	150	10	4	260	1700
220	1		1000	25	4	470	1900
12000	120		570	2	7	3300	2900
190	7	40	820	0.4	42	2300	16200
60	7	>10000	324000	350	5000	190	14000
9500	80	>10000	90	11	13	42	5110
190	29	631	18	1.1	24	66	2300
7000	27	1000	37	31	28	5	1800
2300	258		25	3.6	34	110	2100
8000	32		58	0.3	510	2500	3400
7400	210	>10000	2000	6200	280	12	1600
16000	5600		24000	109000	500	7	5000
	19000		108	22000	33	0.7	1700
	9900		630	24000	220	3.4	260
21000	2400	>10000	2200	470	4000	1.3	28000
>1000	>1000	>1000	>1000	>1000	2500	2.1	40000
>10000	>10000		>10000	>10000	11	44	>10000
	>35000	>10000	>35000	>35000	210	39	5300
	>1000	>10000	3000	2300	5	16	369
15（1A）	>1000（2A） 180（2C）	3.7	>1000	>1000	140	1.6	890
170000	90000	>10000	48000	6600	2300	15600	630
					220	>10000	>10000
5012	32	20	398	3	>1000	>1000	>10000
	>10000		>10000	>10000			

※親和性（nM）は数字が小さいほど強いことを意味する．

■効果・効能

　大うつ病性障害が第一の適応であり，多数の偽薬との二重盲検比較試験により効果が確認されている．添付文書では「精神科領域におけるうつ病・うつ状態」に対する効能または効果が認められている．

　躁うつ病（双極性障害）患者のうつ病相には必ずしも適応外とはならないが，躁転，自殺企図が現れることがあるため，同病態には慎重投与となっている．ただしスルピリドは躁うつ病患者に対して慎重投与とはされていない．

　健常者のうつ状態，適応障害のうつ状態に抗うつ薬が有効かどうかについては，偽薬との二重盲検比較試験による検証はなく，明らかではない．

　うつ病・うつ状態に対する保険適用の他，SSRI は様々な不安障害に，SNRI であるデュロキセチンは糖尿病性神経障害に伴う疼痛に，スルピリドは胃・十二指腸潰瘍，統合失調症にも保険適用を有する．さらにイミプラミン，クロミプラミンは遺尿症に，アミトリプチリンは夜尿症にも保険適用を有する．

　子どもの大うつ病性障害に対する抗うつ薬の効果は明らかではない．スルピリドを除くすべての抗うつ薬の添付文書には 2007 年より「<u>24 歳以下の患者では，自殺念慮や自殺企図の発現のリスクが抗うつ剤投与群でプラセボ群と比較して高かった．</u>なお，25 歳以上の患者における自殺念慮や自殺企図の発現のリスクの上昇は認められず，65 歳以上においてはそのリスクが減少した」と書かれている．特に子どもの大うつ病性障害では，抗うつ薬により自殺のリスクが高くなるという報告もあり，治療上注意を要する．

■治療のガイドライン

　日本うつ病学会が 2012 年 7 月 26 日に大うつ病性障害の治療ガイドラインを作成し，Web 上で公開しているので PDF をダウンロードしてご覧いただきたい（2016 年改訂．https://www.secretariat.ne.jp/jsmd/iinkai/katsudou/data/20190724.pdf）．なお，同ガイドラインは，保険適用は有していてもスルピリド単剤の治療を推奨されない治療として位置づけている．基本的に単剤で治療を開始し，十分量（添付文書に書かれている最大用量まで増量），十分期間（4〜8 週間），規則的に服薬し，十分な効果が得られないとき，他の抗うつ薬に変更するか，作用機序の異なる他の抗うつ薬を併用する．開始 4 週間未満であっても，症状の悪化がみられたり，副作用が出現したりした場合は，次の治療の工夫を行う．

　不眠，不安が強い場合は，ベンゾジアゼピン系抗不安薬，睡眠導入薬を併用するが漫然と続けない．

■薬の使い分け

抗コリン作用のある三環系抗うつ薬，一部の四環系抗うつ薬（マプロチリン）は，記憶障害，せん妄を惹起し得るため高齢者（添付文書では慎重投与に指定されている）には原則として用いない．

SSRIは成人のすべての年齢層で男女ともに使用が可能であるが，性機能障害が出現するため，患者にその副作用について伝える必要がある．

抗コリン作用を有する三環系抗うつ薬のみならず，SNRIも前立腺肥大のある高齢男性患者では排尿障害を惹起することがあり，注意を要する．

NaSSAは眠気，食欲亢進，肥満の副作用を有するため，特に若い女性に処方の際にはあらかじめ体重増加の可能性について伝えておく必要がある．

上記のように，おもに副作用の観点から性，年齢によって抗うつ薬をまず使い分ける．次いで，不安障害や糖尿病性神経障害の併存のある患者ではそれぞれに適応を有する抗うつ薬を優先して選択する．第二選択以降の治療については様々な使い分けについてのエビデンスが報告されている[4]．

Point

抗うつ薬は大うつ病性障害の患者にまず使うべきであり，適応障害や病的ではないうつ症状に対する効果は不明である．双極性障害の大うつ病エピソードにも少なくとも抗うつ薬単剤で使うべきではなく，躁転のリスクが高くなるため特に三環系抗うつ薬は避けたほうがよい．診断を確実に行い，保険適用を重視し，副作用の出現に配慮しながら，添付文書の用法・用量に忠実に抗うつ薬治療を行うことが重要である．

【文献】

1) 井上 猛，小山 司：抗うつ薬の歴史と分類臨床精神医学講座，第14巻（精神科薬物療法）．村崎光邦，青葉安里 編，中山書店，pp109-121, 1999
2) 井上 猛，小山 司：ミルタザピンの薬理学的プロフィールと作用機序．ミルタザピンのすべて．小山 司，樋口輝彦 編，先端医学社，pp41-45, 2012
3) 井上 猛，中川 伸，小山 司：大うつ病性障害の薬理/抗うつ薬．臨床精神薬理ハンドブック，第2版．樋口輝彦，小山 司，神庭重信 編，医学書院，pp158-178, 2009
4) Kennedy SH, Lam RW, McIntyre RS et al: Canadian Network for Mood and Anxiety Treatments (CANMAT) 2016 clinical guidelines for the management of adults with major depressive disorder: Section 3. Pharmacological Treatments. Can J Psychiatry 61: 540-560, 2016
5) Sanchez C, Bergqvist PB, Brennum LT et al：Escitalopram, the S-(+)-enantiomer of citalopram, is a selective serotonin reuptake inhibitor with potent effects in animal models predictive of antidepressant and anxiolytic activities. Psychopharmacology 167：353-362, 2003

（井上 猛）

抗うつ薬 | モノアミン再取り込み阻害薬 | SSRI

フルボキサミン マレイン酸塩　fluvoxamine maleate

ルボックス［アッヴィ］錠 25mg, 50mg, 75mg/ デプロメール［Meiji Seika ファルマ］錠 25mg, 50mg, 75mg/ ジェネリック多数あり

特徴・どんな薬剤か？

本邦で初めて上市された SSRI．不安障害を有するうつ病などに有効であるが，他の薬剤との相互作用に注意が必要である．

薬理作用

セロトニンの神経終末への再取り込みを阻害し，シナプス間隙のセロトニン濃度を増加させる．

適応となる疾患・病態，どんなときに使うか？

本邦では，「うつ病・うつ状態」「強迫性障害」「社会不安障害（社交不安障害）」に対する効果が認められており，不安障害，うつ病が適応となる．「効能・効果に関する使用上の注意として，①24歳以下の患者で，自殺念慮，自殺企図のリスクが増加するとの報告があるため，与薬にあたってはリスクとベネフィットを考慮すること，②強迫性障害（小児）に投与する場合は保護者などに自殺念慮や自殺企図があらわれるリスクなどについて十分説明を行い，医師と緊密に連絡を取り合うよう指導すること，③社会不安障害の診断は，DSM などの適切な診断基準に基づき慎重に実施し，基準を満たす場合のみ投与すること，④18歳未満の大うつ病性障害患者に投与する際には適応を慎重に検討すること」とされている．

高齢者では，高い血中濃度が持続するおそれがあるので，増量に際しては，用量等に注意して慎重に与薬する必要がある．

処方の実際，どのように使うか？

・中等症以上の非高齢者の大うつ病性障害に対して

フルボキサミン（50mg）を初期用量とし，1日150mgまで増量できる．年齢・症状に応じて適宜増減する．1日2回に分割して与薬する．

SSRI の一般的な副作用として悪心・腹部症状が認められることがあるため，胃腸症状や食欲低下が著しい大うつ病性障害患者へ使用する際は，あらかじめ制吐剤などを併用する場合もある．

禁忌，併用禁忌，注意すべき副作用，慎重投与など

禁忌：本剤の成分に対し過敏症の既往，モノアミン酸化酵素（MAO）阻害薬服用中あるいは与薬中止2週間以内，ピモジド・チザニジン塩酸塩・ラメルテオン服用中の患者．

注意すべき副作用：けいれん，せん妄，錯乱，幻覚，妄想，意識障害，ショック，アナフィラキシー様症状，セロトニン症候群，悪性症候群，白血球減少，血小板減少，肝機能障害，黄疸，抗利尿ホルモン不適合分泌症候群．

相互作用：MAO阻害薬（併用禁忌），ピモジド（併用禁忌），チザニジン塩酸塩（併用禁忌），ラメルテオン（併用禁忌）．セロトニン作用薬との併用はセロトニン症候群などを惹起する可能性があるため併用注意とされている．向精神薬との併用で悪性症候群が現れることがあるため注意が必要である．

おもな類似薬との使い分け

不安障害，うつ病が適応となる．フルボキサミンのユニークな点は，抗うつ薬の中でσ_1受容体親和性が最も高くアゴニスト作用が期待されるため，σ_1受容体を介して認知機能改善の可能性や妄想性うつ病に対する効果も期待できるかもしれない．

CYP450の阻害，P糖蛋白の誘導などにより，他の薬物との相互作用が他のSSRIと比較して多いため注意が必要である．

服薬指導のポイント

効果発現まで比較的時間がかかることを説明したほうがよい．

減量あるいは中止の際に離脱症状の出現の可能性について説明したほうがよい．

他のSSRIと異なり，自動車の運転等危険を伴う機械の操作に従事させないように注意することと添付文書に記載されている．

《《《 専門医からのアドバイス 》》》

不安障害，うつ病が適応となる．σ_1受容体親和性が最も高いことがユニークである．一方で他の薬物との相互作用に注意が必要であり，第一選択薬としては使いにくい．

（北市雄士）

抗うつ薬 | モノアミン再取り込み阻害薬 | SSRI

パロキセチン 塩酸塩水和物 paroxetine hydrochloride hydrate

パキシル［グラクソ・スミスクライン］錠 5mg, 10mg, 20mg/ パキシル CR［グラクソ・スミスクライン］錠 6.25mg, 12.5mg, 25mg/ ジェネリック多数あり

特徴・どんな薬剤か？

セロトニン再取り込み阻害能が強く抗うつ効果に優れる一方で，離脱症状の発現率が高い．また，若年患者への使用は慎重に考慮する必要がある．

薬理作用

セロトニンの神経終末への再取り込みを阻害し，シナプス間隙のセロトニン濃度を増加させる．

適応となる疾患・病態，どんなときに使うか？

添付文書上，パキシル錠は「うつ病・うつ状態」「パニック障害」「強迫性障害」「社会不安障害（社交不安障害）」「外傷後ストレス障害」に対する効果が認められている．徐放錠であるパキシル CR 錠は「うつ病・うつ状態」のみに適応を有する．効果の面から，広く大うつ病性障害に用いられている．

効能・効果に関する使用上の注意として，①24歳以下の患者で自殺念慮，自殺企図のリスクが増加するとの報告があるため，投与にあたってはリスクとベネフィットを考慮すること，②社会不安障害，外傷後ストレス障害の診断は，DSM など適切な診断基準に基づき慎重に実施し，基準を満たす場合のみ投与すること，とされている．

高齢者では血中濃度が上昇するおそれがあるため，十分に注意しながら与薬する必要がある．また，抗利尿ホルモン不適合分泌症候群，出血の危険性が高くなるおそれがあるので注意が必要である．

処方の実際，どのように使うか？

・25歳以上の非高齢者の大うつ病性障害に対して

パキシル錠：10〜20mg から開始し，原則として1週ごとに 10mg/日ずつ増量する．1日1回夕食後に与薬する．最高用量は1日 40mg を超えないようにする．

パキシル CR 錠：初期用量として 12.5mg から開始し，1週間以上かけて1日用量 25mg に増量する．1日1回夕食後に与薬する．最高用量は1日 50mg を超えないようにする．増量は1週間以上の間隔をあけて1日用量と

して12.5mgずつ行う.

SSRIの一般的な副作用として悪心・腹部症状が認められることがあるため,あらかじめ制吐剤などを併用する場合もある.

禁忌,併用禁忌,注意すべき副作用,慎重投与など

禁忌：本剤の成分に対し過敏症の既往,MAO阻害薬投与中あるいは投与中止後2週間以内,ピモジド服用中の患者.

注意すべき副作用：セロトニン症候群,悪性症候群,錯乱,幻覚,せん妄,けいれん,中毒性表皮壊死融解症,皮膚粘膜眼症候群,多型紅斑,抗利尿ホルモン不適合分泌症候群,重篤な肝機能障害.

相互作用：MAO阻害薬(併用禁忌),ピモジド(併用禁忌),セロトニン作用薬との併用は,セロトニン症候群などを惹起する可能性があるため併用注意とされている.

警告：18歳未満の大うつ病性障害患者に与薬する際には,適応を慎重に検討すること.

用法・用量に関する使用上の注意：肝障害および高度の腎障害のある患者では,血中濃度が上昇することがあるので特に注意すること.

おもな類似薬との使い分け

SSRIの中でも効果が比較的強いことから,広く大うつ病性障害に用いられている.しかし,他のSSRIと比べて情動不安定性をきたしやすいことから,特に24歳以下の患者への与薬は慎重に行う必要がある.

服薬指導のポイント

離脱症状が他のSSRIに比べて出現しやすいため,離脱症状について説明する必要がある.

与薬量と血中濃度が直線的ではないため,増量には注意が必要である.

《《《専門医からのアドバイス》》》

抗うつ効果に優れていることから,広く大うつ病性障害患者に用いられている.一方で,離脱症状の出現率,18歳未満の大うつ病性障害患者への警告などから,使用にあたっては十分な説明と観察が必要と考えられる.

(北市雄士)

抗うつ薬 | モノアミン再取り込み阻害薬 | SSRI

塩酸セルトラリン

sertraline hydrochloride

ジェイゾロフト［ファイザー］錠 25mg, 50mg, 100mg, OD錠 25mg, 50mg, 100mg/ ジェネリック多数あり

特徴・どんな薬剤か？

セロトニン再取り込み阻害能が強く,相互作用が比較的少ない薬剤.

薬理作用

セロトニンの神経終末への再取り込みを阻害し,シナプス間隙のセロトニン濃度を増加させる.若干のドパミン再取り込み阻害作用を有する.

適応となる疾患・病態,どんなときに使うか？

大うつ病性障害が第一の適応である.添付文書では「うつ病・うつ状態」「パニック障害」「外傷後ストレス障害」に対する効果が認められている.副作用や相互作用の少なさから広く大うつ病性障害に用いられるが,小児に対しては有効性・および安全性は確立していない.パロキセチン塩酸塩水和物の警告に関連して,本剤においても「効能または効果に関連する注意として,24歳以下の患者で,自殺念慮,自殺企図のリスクが増加するとの報告があるため,与薬にあたってはリスクとベネフィットを考慮すること」とされている.

高齢者では,高い血中濃度が持続し,出血傾向の増強等が起こるおそれがあるので,肝機能,腎機能低下の低下を考慮し,用量等に注意して慎重に与薬する必要がある.

国内外におけるプラセボを対照とした二重盲検比較試験において,大うつ病患者における再燃/再発抑制効果が認められている.

処方の実際,どのように使うか？

・中等症以上の非高齢者の大うつ病性障害に対して

ジェイゾロフト（25mg）を初期用量とし,1日100mgまで漸増し1日1回与薬する.

SSRIの一般的な副作用として悪心・腹部症状が認められることがあるため,胃腸症状や食欲低下が著しい大うつ病性障害患者へ使用する際はあらか

じめ制吐剤などを併用する場合もある．

禁忌，併用禁忌，注意すべき副作用，慎重投与など

禁忌：本剤の成分に対し過敏症の既往，MAO阻害薬投与中あるいは投与中止後14日間以内，ピモジド与薬中の患者．

注意すべき副作用：セロトニン症候群，悪性症候群，けいれん，昏睡，肝機能障害，抗利尿ホルモン不適合分泌症候群，皮膚粘膜眼症候群，中毒性表皮壊死融解症，アナフィラキシー，QT延長，心室頻拍．

相互作用：MAO阻害薬（併用禁忌），ピモジド（併用禁忌），セロトニン作用薬との併用はセロトニン症候群などを惹起する可能性があるため併用注意とされている．

おもな類似薬との使い分け

SSRIの中でも，副作用の少なさ，相互作用の少なさなどから第一選択薬として使いやすい薬剤といえる．他のSSRIと比較して，若干のドパミン再取り込み阻害作用を有することから，意欲の低下，興味・関心の喪失，過眠，過食などの症状を伴う患者に対して有効である可能性がある．

服薬指導のポイント

効果発現まで比較的時間がかかることを説明したほうがよい．

薬剤の減量・中止の際に離脱症状が出現する可能性があるため，説明したほうがよい．

添付文書では，自動車の運転等危険を伴う機械を操作する際には十分注意させることと記載されているが，従事させないとまでは記載されていない．

⟪⟪⟪ 専門医からのアドバイス ⟫⟫⟫

SSRIの中でも薬理作用が単純なこと，相互作用の少なさなどから第一選択薬として考えられる薬剤である．他のSSRIと比較して，ドパミン再取り込み阻害作用を有することから，意欲の低下，興味・関心の喪失，過眠，過食などの症状を伴う患者に対して有効である可能性がある．

（北市雄士）

抗うつ薬　モノアミン再取り込み阻害薬　SSRI

エスシタロプラム シュウ酸塩
escitalopram oxalate

レクサプロ［田辺三菱，持田］錠 10mg，20mg

特徴・どんな薬剤か？

セロトニン再取り込み阻害能が強く，他の薬剤との相互作用が少ない薬剤．

薬理作用

セロトニンの神経終末への再取り込みを阻害し，シナプス間隙のセロトニン濃度を増加させる．セロトニントランスポーター以外の受容体への親和性が低い．

適応となる疾患・病態，どんなときに使うか？

添付文書では「うつ病・うつ状態」「社会不安障害（社交不安障害）」に対する効果が認められている．副作用や相互作用の少なさから，広く大うつ病性障害に用いられる．「効能・効果に関する使用上の注意として，①24歳以下の患者で，自殺念慮，自殺企図のリスクが増加するとの報告があるため，投与にあたってはリスクとベネフィットを考慮すること，②本剤を12歳未満の大うつ病性障害患者に投与する際には適応を慎重に検討すること，③社会不安障害の診断はDSMなど適切な診断基準に基づき慎重に実施し，基準を満たす場合のみ投与すること」とされている．

適応外ではあるが，月経前不快気分障害に有効との報告もある．

処方の実際，どのように使うか？

・中等症以上の非高齢者の大うつ病性障害に対して

レクサプロ（10mg）を1日1回夕食後に投与する．効果が不十分な場合には1週間以上の間隔をあけて増量を行い，最高用量は1日20mgを超えないようにする．

SSRIの一般的な副作用として悪心・腹部症状が認められることがあるため，胃腸症状や食欲低下が著しい大うつ病性障害患者へ使用する際は，あらかじめ制吐剤などを併用する場合もある．

禁忌，併用禁忌，注意すべき副作用，慎重投与など

禁忌：本剤の成分に対し過敏症の既往，MAO阻害薬投与中あるいは投与

中止後14日間以内，ピモジド投与中の患者，QT延長のある患者（先天性QT延長症候群等）．

　注意すべき副作用：けいれん，抗利尿ホルモン不適合分泌症候群，セロトニン症候群，QT延長，心室頻拍．

　相互作用：MAO阻害薬（併用禁忌），ピモジド（併用禁忌），セロトニン作用薬との併用は，セロトニン症候群などを惹起する可能性があるため併用注意とされている．

　用法・用量に関連する使用上の注意：肝機能障害患者，高齢者，CYP2C19のpoor Metabolizerでは10mgを上限とすることが望ましい．投与に際しては患者の状態を注意深く観察し，慎重に投与すること．

おもな類似薬との使い分け

　SSRIの中でも薬理作用がシンプルなこと，相互作用の少なさ，初期用量が治療用量であることなどから第一選択薬として使いやすい薬剤といえる．しかし，心血管系障害を有する患者に対してはQT延長がみられる場合があり注意が必要である．

服薬指導のポイント

　効果発現まで比較的時間がかかることを説明したほうがよい．

　QT延長に関しては使用前に以下の3項目を確認しておくとよい．

1. 現在，心臓の病気の治療を受けているかどうか
2. 今まで健康診断や心電図検査で何らかの指摘を受けているかどうか
3. 失神の既往

　薬剤の減量・中止の際に離脱症状が出現する可能性があるため，説明したほうがよい．

　添付文書では，自動車の運転等危険を伴う機械を操作する際には十分注意させることと記載されているが，従事させないとまでは記載されていない．

≪≪≪ 専門医からのアドバイス ≫≫≫

　SSRIの中でも薬理作用がシンプルなこと，相互作用の少なさ，初期用量が治療用量であることなどから，第一選択薬として考えられる薬剤である．添付文書上は，他のSSRI，SNRIと異なりQT延長のある患者に対して禁忌であることから，使用には注意が必要である．

（北市雄士）

| 抗うつ薬 | モノアミン再取り込み阻害薬 | SNRI |

ミルナシプラン 塩酸塩
milnacipran hydrochloride

トレドミン［旭化成，ヤンセン］錠 12.5mg, 15mg, 25mg, 50mg

特徴・どんな薬剤か？

セロトニンとノルアドレナリンの神経終末への再取り込みを選択的に阻害する抗うつ薬であり，三環系・四環系抗うつ薬に比して副作用が少ない．おもに腎臓で代謝されるため薬物相互作用が少ない．

薬理作用

ノルアドレナリンとセロトニンの神経終末への再取り込みを阻害し，シナプス間隙のノルアドレナリンおよびセロトニンを増加させることにより抗うつ効果を発揮する．

適応となる疾患・病態，どんなときに使うか？

大うつ病性障害が第一の適応である．添付文書では「うつ病・うつ状態」に対する効能または効果が認められている．高齢者や小児では慎重投与に指定されている．

処方の実際，どのように使うか？

・軽症以上の大うつ病性障害に対して

本剤1日25mgで開始し，副作用が軽度で効果も不十分であれば1日100mgまで漸増する．服用は1日2〜3回に分割して行う．高齢者における最高用量は1日60mgである．

禁忌，併用禁忌，注意すべき副作用，慎重投与など

禁忌：本剤の成分に対し過敏症の既往，尿閉のある患者，また，MAO阻害薬服用中あるいは与薬中止2週間以内である患者．

併用禁忌：MAO阻害薬．

併用注意：アルコール，中枢神経抑制薬，降圧薬，炭酸リチウム，5-$HT_{1B/1D}$受容体作動薬，リスデキサンフェタミン，メチルチオニニウム，ジゴキシン，アドレナリンおよびノルアドレナリン．

注意すべき副作用：出現しやすい副作用は口渇，悪心・嘔吐，便秘，眠気などである．重大な副作用には，悪性症候群，セロトニン症候群，けいれん，

白血球減少，スティーブンス・ジョンソン症候群などの重篤な皮膚疾患，抗利尿ホルモン不適合分泌症候群，肝機能障害・黄疸，高血圧クリーゼがある．

相互作用：本剤はおもに腎臓で代謝されるため，肝代謝酵素 CYP を介した薬物相互作用はほとんど認めない．しかし，本剤のノルアドレナリンおよびセロトニン再取り込み阻害作用により降圧剤（クロニジン等）やセロトニン 5-$HT_{1B/1D}$ 受容体作動薬の作用に影響を与えることがある．

おもな類似薬との使い分け

肝代謝酵素をほとんど阻害しないため，身体合併症をもつ患者や高齢者に使用しやすい．効果は四環系抗うつ薬と同等である．ノルアドレナリンの神経終末への再取り込み阻害作用のため，前立腺疾患を有する患者には注意が必要である．

服薬指導のポイント

希死念慮を有するうつ病患者に処方する際には，行動異常や過量服薬による自殺企図の可能性，服用中断によって離脱症状が生じる可能性があることを家族等に説明する．本剤によって生じる低ナトリウム血症はおもに高齢者において報告されている．

専門医からのアドバイス

ノルアドレナリンとセロトニンの神経終末への再取り込み阻害作用をもつ抗うつ薬である．三環系抗うつ薬に比して副作用が少なく，高齢者にも使用しやすい．本剤を含む SSRI や SNRI は軽症うつ病にも使用し得るが，効果がないのに漫然と使用し続けることは避けるべきである．

（仲唐安哉）

抗うつ薬 | モノアミン再取り込み阻害薬 | SNRI

デュロキセチン 塩酸塩
duloxetine hydrochloride

サインバルタ［塩野義，日本イーライリリー］カプセル 20mg, 30mg

特徴・どんな薬剤か？
ノルアドレナリンとセロトニンの神経終末への再取り込みを選択的に阻害する抗うつ薬であるが，疼痛にも効果を有する．

薬理作用
ノルアドレナリンとセロトニンの神経終末への再取り込みを阻害し，シナプス間隙のノルアドレナリンおよびセロトニンを増加させることにより効果を発揮する．

適応となる疾患・病態，どんなときに使うか？
うつ病・うつ状態と糖尿病性神経障害に伴う疼痛，線維筋痛症に伴う疼痛に効能または効果が認められている．海外では全般性不安障害，腹圧性尿失禁，慢性疼痛に適応があるが，日本では認められていない．

処方の実際，どのように使うか？
・軽症以上の大うつ病性障害に対して
　本剤1日20mgで開始し，40mgまで増量する．朝食後の服用が推奨される．副作用が軽度で効果も不十分であれば，1日60mgまで増量する．

禁忌，併用禁忌，注意すべき副作用，慎重投与など
　禁忌：本剤の成分に対し過敏症の既往，高度の肝障害や腎障害，コントロール不良の閉塞隅角緑内障の患者，また，MAO阻害薬服用中あるいは与薬中止2週間以内である患者．

　併用禁忌：MAO阻害薬．

　併用注意：ピモジド，アルコール，中枢神経抑制薬，メチルチオニニウム，フルボキサミン，エノキサシン，三環系抗うつ薬，フェノチアジン系抗精神病薬，抗不整脈薬，パロキセチン，セロトニン作用薬（炭酸リチウム，トラマドール，トリプタン系薬剤，セント・ジョーンズ・ワート，SNRI/SSRI など），降圧薬（クロニジン等），アドレナリンおよびノルアドレナリン，ワルファリンカリウム，出血傾向が増強する薬剤など．

注意すべき副作用：出現しやすい副作用は，悪心，傾眠，口渇，頭痛，便秘，下痢，めまいなどである．重大な副作用には，セロトニン症候群，悪性症候群，抗利尿ホルモン不適合分泌症候群，けいれん，幻覚，肝機能障害，スティーブンス・ジョンソン症候群，アナフィラキシー反応，高血圧クリーゼ，尿閉があり，中でもけいれんは0.16％の頻度で生じる．

　相互作用：本剤は肝代謝酵素CYP2D6を競合的に阻害するため，同酵素により代謝される三環系抗うつ剤やペルフェナジン，抗不整脈剤（プロパフェノン，フレカイニド）の血中濃度を上昇させる．また，本剤は肝代謝酵素CYP1A2でおもに代謝されるため，同酵素を阻害するフルボキサミンやシプロフロキサシン，エノキサシンにより本剤の血中濃度が上昇することがある．

おもな類似薬との使い分け

　本剤はうつ状態と疼痛に効果を発揮するため，疼痛を合併するうつ病患者や，疼痛を伴う身体疾患患者の抑うつ状態への使用が適している．ミルナシプランよりノルアドレナリンおよびセロトニンの再取り込み阻害作用が強い．けいれん性疾患や前立腺疾患を有する患者には注意が必要である．

服薬指導のポイント

　希死念慮を有する患者に処方する際には，行動異常や過量服薬による自殺企図の可能性，服用中断によって離脱症状が生じる可能性があることを家族等に説明する．また糖尿病合併患者では，本剤によって糖尿病が悪化することがあると報告されている．

≪≪≪ 専門医からのアドバイス ≫≫≫

　ノルアドレナリンとセロトニンの神経終末への再取り込み阻害作用をもつ新規抗うつ薬である．糖尿病性神経障害や線維筋痛症に伴う疼痛にも適応が認められており，疼痛を伴った患者に適している．

（仲唐安哉）

抗うつ薬 | モノアミン再取り込み阻害薬 | SNRI

ベンラファキシン 塩酸塩　venlafaxine hydrochloride

イフェクサー SR ［ファイザー，大日本住友］カプセル 37.5mg, 75mg

特徴・どんな薬剤か?

セロトニン（5-HT）とノルアドレナリン（NA）の神経終末への再取り込みを選択的に阻害する抗うつ薬である．低用量では主に 5-HT 系，高用量では 5-HT 系とともに NA 系の再取り込み阻害作用が強まる．三環系・四環系抗うつ薬に比して安全性に優れている．

薬理作用

NA と 5-HT の神経終末への再取り込みを阻害し，シナプス間隙の NA および 5-HT を増加させることにより抗うつ効果を発揮する．5-HT トランスポーターへの親和性は NA トランスポーターへの親和性の 30 倍あり，前述したように用量によって 5-HT および NA の脳内濃度の上昇割合が異なる．

適応となる疾患・病態，どんなときに使うか?

大うつ病性障害が第一の適応である．添付文書では「うつ病・うつ状態」に対する効能または効果が認められている．高齢者や小児（18 歳未満では有効性が確認されていない）では慎重投与に指定されている．

処方の実際，どのように使うか?

・軽症以上の大うつ病性障害に対して

本剤 1 日 37.5mg で開始し，副作用が許容範囲内であれば，1 週後に 1 日 75mg に増量する．効果が不十分であれば 1 週間以上の期間をあけて 1 日 75mg ずつ増量し，最大 225mg まで使用することができる．服用は 1 日 1 回食後に行う．

禁忌，併用禁忌，注意すべき副作用，慎重投与など

禁忌：本剤の成分に対し過敏症の既往，重度の肝機能障害，重度の腎機能障害または透析中の患者．また，MAO 阻害薬服用中あるいは投与中止 2 週間以内である患者．

併用禁忌：MAO 阻害薬．

注意すべき副作用：悪心，腹痛，腹部膨満感，便秘などの消化器系副作

用が特に投与初期に出現しやすい．他に，眠気，めまい，口渇，頭痛が出現しやすい．**重大な副作用**には，悪性症候群，セロトニン症候群，抗利尿ホルモン不適合分泌症候群（SIADH），横紋筋融解症，間質性肺疾患，けいれん，尿閉の他に，心血管系（QT延長，心室頻拍，心室細動，高血圧クリーゼ），造血器系（無顆粒球症，再生不良性貧血，汎血球減少症，好中球数減少，血小板減少）への副作用，アレルギー反応（アナフィラキシー，中毒性表皮壊死融解症，皮膚粘膜眼症候群，多形紅斑）がある．

相互作用：本剤は主として肝代謝酵素CYP2D6で，一部はCYP3A4で代謝される．弱いCYP2D6の阻害作用はあるが，CYP誘導作用やUDP-グルクロン酸転移酵素阻害作用はほとんど有しない．本剤はハロペリドール，リスペリドン，イミプラミンの作用を増強，また，本剤の作用増強の可能性，メトプロロール，インジナビルの作用を減弱させる可能性がある．

おもな類似薬との使い分け

うつ病に対する有効性はSSRIや他のSNRI（duloxetine, milnacipran）よりも高いという報告があり，難治性うつ病への有効性が期待できる．また，難治性うつ病に対して，mirtazapineとの併用療法が選択肢に挙げられる．海外では全般性不安障害や社交不安障害，パニック障害への適応も取得しており，不安障害を併存するうつ病に有用かもしれない．

服薬指導のポイント

前述した注意すべき副作用の他に，希死念慮を有するうつ病患者に処方する際には行動異常や過量服薬による自殺企図の可能性を家族等に説明する．また，服用中断によって生じる離脱症状についての説明も必要である．

《《《専門医からのアドバイス》》》

NAと5-HT神経終末への再取り込み阻害作用をもつ抗うつ薬，用量によって5-HTとNAの再取り込み阻害作用に違いがあることが特徴である．海外では不安障害での適応を取得している．三環系抗うつ薬に比して副作用が少なく，SSRIに比して有効性が高い可能性が指摘されており，難治性うつ病に対する有用性が期待される．

（仲唐安哉）

| 抗うつ薬 | モノアミン再取り込み阻害薬 | 非選択的ノルアドレナリン再取り込み阻害薬 |

ノルトリプチリン 塩酸塩　nortriptyline hydrochloride

ノリトレン［大日本住友］錠 10mg, 25mg

特徴・どんな薬剤か？

アミトリプチリンの代謝産物であるが，ノルアドレナリンの神経終末への再取り込みを選択的に阻害する三環系抗うつ薬．

薬理作用

おもにノルアドレナリンの神経終末への再取り込みを阻害し，シナプス間隙のノルアドレナリンを増加させることにより抗うつ効果を発揮する．

適応となる疾患・病態，どんなときに使うか？

大うつ病性障害が第一の適応である．添付文書では「うつ病・うつ状態」に対する効能または効果が認められている．高齢者や小児では慎重投与に指定されている．

処方の実際，どのように使うか？

・中等症以上の大うつ病性障害に対して

ノリトレン（10mg）またはノリトレン（25mg）を1回1錠で1日2〜3回で与薬する．副作用が軽度で効果も不十分であれば，1日量150mgまで漸次増量する．ノリトリプチリンには治療域があり，個人によって至適用量に違いがあると考えられる．

禁忌，併用禁忌，注意すべき副作用，慎重投与など

禁忌：閉塞隅角緑内障，三環系抗うつ薬に対する過敏症の既往，尿閉のある患者，また心筋梗塞の回復初期，MAO阻害薬服用中あるいは与薬中止2週間以内である患者．

併用禁忌：MAO阻害薬．

併用注意：フェノチアジン系薬剤，ブチロフェノン系薬剤，バルプロ酸ナトリウム，中枢神経抑制薬，アルコール，アドレナリン作動薬，降圧薬（グアネチジン，ベタニジン等），リファンピシン，スルファメトキサゾール，キニジン，ワルファリン，インスリン，血糖降下薬．

注意すべき副作用：出現しやすい副作用は口渇，眠気，便秘などである．

重大な副作用には，てんかん発作，無顆粒球症，麻痺性イレウスがある．注意すべき重大な副作用には悪性症候群，抗利尿ホルモン不適合分泌症候群，心室性頻拍がある．

　相互作用：本剤はおもに CYP2D6 で代謝されるため，リファンピシンにより本剤の作用が減弱し，キニジンによって本剤の血中濃度が上昇する．また，機序不明であるがスルファメトキサゾール・トリメトプリムは本剤の作用を減弱させる．本剤がワルファリンの肝代謝を阻害することがある．

おもな類似薬との使い分け

　イミプラミンなどの第一世代三環系抗うつ薬に比すると副作用が少なく，高齢者に使用しやすいが，特別な理由がなければ，SSRI や SNRI などのより副作用が少ない薬を用いる．ノルアドレナリンの神経終末への再取り込み阻害作用が強いため，意欲低下が目立つうつ病患者への使用が適している．

服薬指導のポイント

　希死念慮を有するうつ病患者に処方する際には，行動異常や過量服薬による自殺企図の可能性があることを家族等に説明する．

専門医からのアドバイス

　ノルアドレナリンの神経終末への再取り込み阻害作用が強い三環系抗うつ薬であり，SSRI や SNRI が無効な症例に使用される．効果がないのにもかかわらず低用量で漫然と使うことは避けるべきである．

（仲唐安哉）

抗うつ薬　モノアミン再取り込み阻害薬　非選択的ノルアドレナリン再取り込み阻害薬

アモキサピン

amoxapine

アモキサン［ファイザー］カプセル 10mg, 25mg, 50mg, 細粒 10%

特徴・どんな薬剤か？

ノルアドレナリンの神経終末への再取り込みを阻害する三環系抗うつ薬．

薬理作用

ノルアドレナリンの神経終末への再取り込みを阻害し，シナプス間隙のノルアドレナリンを増加させる．ドパミン D_2 受容体遮断作用も有している．抗ヒスタミン作用は比較的強いが，抗コリン作用は弱い．

適応となる疾患・病態，どんなときに使うか？

大うつ病性障害が第一の適応である．「うつ病・うつ状態」に対する効能または効果が認められている．高齢者や小児では慎重投与に指定されている．イミプラミンなどの第一世代三環系抗うつ薬に比して副作用は出現しにくい．効果発現が比較的早く，うつ状態が重篤で急速な回復を要する際には，第一選択薬となる場合もある．

処方の実際，どのように使うか？

・中等症以上の大うつ病性障害に対して

アモキサン（25mg）を1回1カプセルで1日1～3回で開始する．副作用が軽度で効果も不十分であれば，1日量150mgまで増量する．症状が重篤な場合には，300mgまで増量することもある．分割与薬したほうが副作用は軽減する．

禁忌，併用禁忌，注意すべき副作用，慎重投与など

禁忌：閉塞隅角緑内障，三環系抗うつ薬に対する過敏症の既往のある患者，また心筋梗塞の回復初期，MAO阻害薬服用中あるいは与薬中止2週間以内である患者．

併用禁忌：MAO阻害薬．

併用注意：トリヘキシフェニジル，アドレナリン作動薬，中枢神経抑制薬，降圧薬，シメチジン，スルファメトキサゾール・トリメトプリム，アルコール，SSRI，リネゾリド，メチルチオニニウム．

注意すべき副作用：出現しやすい副作用は口渇，便秘，めまい，眠気などである．重大な副作用には，悪性症候群，けいれん，精神錯乱，幻覚，せん妄，無顆粒球症，麻痺性イレウス，遅発性ジスキネジア，スティーブンス・ジョンソン症候群，ライエル症候群，急性汎発性発疹性膿疱症，肝機能障害や黄疸がある．

相互作用：本剤は肝代謝酵素 CYP2D6 により代謝されるため，シメチジンや SSRI により代謝が阻害される．

おもな類似薬との使い分け

イミプラミンなどの第一世代三環系抗うつ薬に比すると副作用が少なく，高齢者に使用しやすいが，特別な理由がなければ，SSRI や SNRI などのより副作用が少ない薬を用いる．ノルアドレナリンの神経終末への再取り込み阻害作用が強いため，意欲低下が目立つうつ病患者への使用が適している．

服薬指導のポイント

希死念慮を有するうつ病患者に処方する際には，行動異常や過量服薬による自殺企図の可能性があり，家族等に十分な説明を行い，1回分の処方日数を最小限にとどめる．

専門医からのアドバイス

ノルアドレナリンの神経終末への再取り込み阻害作用が強い三環系抗うつ薬であり，SSRI や SNRI が無効または症状が重症な症例に使用される．効果がないのにもかかわらず低用量で漫然と使うことは避けるべきである．

（仲唐安哉）

| 抗うつ薬 | モノアミン再取り込み阻害薬 | 非選択的ノルアドレナリン再取り込み阻害薬 |

マプロチリン 塩酸塩

maprotiline hydrochloride

ルジオミール［サンファーマ］錠 10mg, 25mg/ マプロチリン塩酸塩「タカタ」［高田］錠 10mg, 25mg, 50mg/ マプロチリン塩酸塩「アメル」［共和］錠 10mg, 25mg, 50mg

特徴・どんな薬剤か？

ノルアドレナリンの神経終末への再取り込みを特異的に阻害する四環系抗うつ薬.

薬理作用

ノルアドレナリンの神経終末への再取り込みを阻害し,シナプス間隙のノルアドレナリンを増加させる.抗コリン作用は弱いが,抗ヒスタミン作用は強い.

適応となる疾患・病態,どんなときに使うか？

「うつ病・うつ状態」に対する効能または効果が認められている.高齢者や小児では慎重投与に指定されているが,イミプラミンなどの三環系抗うつ薬に比して副作用は出現しにくく比較的使用しやすい.海外では疼痛性障害に有効であることが臨床試験で報告されているが,これらの精神疾患に対する適応は国内では認められていない.

処方の実際,どのように使うか？

・中等症以上の大うつ病性障害に対して

ルジオミール（10mg）またはルジオミール（25mg）を1回1錠で1日2〜3回に分割,もしくは3錠を夕食後か就寝前に処方する.分割与薬したほうが副作用は軽減する.高齢者に処方する場合は,1日 20mg 程度の少量から開始し,患者の状態を観察しながら慎重に処方する.

禁忌,併用禁忌,注意すべき副作用,慎重投与など

禁忌：閉塞隅角緑内障,本剤の成分に対する過敏症の既往,けいれん性疾患またはその既往,尿閉のある患者,心筋梗塞の回復初期,MAO 阻害薬服用中あるいは与薬中止2週間以内である患者.

併用禁忌：MAO 阻害薬.

注意すべき副作用：出現しやすい副作用は,口内乾燥,排尿困難や尿閉,

血圧変動，傾眠，めまい，振戦などである．**重大な副作用**には，悪性症候群，てんかん発作，横紋筋融解症，スティーブンス・ジョンソン症候群，麻痺性イレウス，無顆粒球症，間質性肺炎または好酸球性肺炎，心電図で QT 延長や心室頻拍，肝機能障害や黄疸がある．

　相互作用：リスペリドンやパロキセチン，フルボキサミンは，本剤の酸化的な代謝を阻害するため，併用すると本剤の血中濃度が上昇する．

おもな類似薬との使い分け

　三環系抗うつ薬に比すると高齢者に使用しやすいが，特別な理由がなければ，SSRI や SNRI などのより副作用が少ない薬を用いる．他の四環系の薬剤との比較では，ノルアドレナリンの神経終末への再取り込み阻害作用が強いため，意欲低下が目立つうつ病患者への使用が適していると考えられる．

服薬指導のポイント

　希死念慮を有するうつ病患者に処方する際には，行動異常や過量服薬による自殺企図の可能性があることを家族等に説明する．高齢者では眠気やふらつきに注意が必要．

⟪⟪⟪ 専門医からのアドバイス ⟫⟫⟫

ノルアドレナリンの神経終末への再取り込みを特異的に阻害する四環系抗うつ薬であり，SSRI や SNRI が無効な症例に使用される．

（仲唐安哉）

抗うつ薬 | モノアミン再取り込み阻害薬 | 非選択的セロトニン・ノルアドレナリン再取り込み阻害薬

イミプラミン 塩酸塩
imipramine

トフラニール［アルフレッサ］錠 10mg, 25mg / イミドール［田辺三菱］糖衣錠 10mg, 25mg

特徴・どんな薬剤か？

1950年代より国際的に用いられている古典的な三環系抗うつ薬.

薬理作用

ノルアドレナリンとセロトニンの神経終末への再取り込みを阻害し,シナプス間隙のノルアドレナリンおよびセロトニン濃度を増加させる.活性代謝物のデシプラミンはノルアドレナリンの神経終末への再取り込みを強く阻害し,シナプス間隙のノルアドレナリン濃度を増加させる.その他,副作用と関連する,抗α_1作用,抗コリン作用,抗ヒスタミン作用を有する.

適応となる疾患・病態, どんなときに使うか？

大うつ病性障害が第一の適応である.添付文書では「精神科領域におけるうつ病・うつ状態」と「遺尿症（昼,夜）」に対する効能または効果が認められている.おもに高齢者（慎重投与に指定されている）以外の大うつ病性障害に用いられるが,副作用も強いため中等症～重症で用いられる.

躁うつ病患者のうつ病相には必ずしも適応外とはならないが,躁転,自殺企図が現れることがあるため,同病態には慎重投与となっている.その他,海外ではパニック障害,全般性不安障害に有効であることが臨床試験で報告されているが,これらの精神疾患に対する適応は国内では認められていない.

処方の実際, どのように使うか？

・中等症以上の非高齢者の大うつ病性障害に対して

トフラニール（10mg）1回1錠毎食後とトフラニール（25mg）1回1～2錠就寝前で開始し,1週ごとに徐々に増量し,副作用が軽度で効果も不十分であれば1日量150mg程度まで増量する（添付文書には,200mgまで漸増する,稀には300mgまで増量することがあると書かれている）.分割投与したほうが副作用は軽減する（1日量を一度に服用すると,眠気,低血圧などで耐えられない）.

禁忌, 併用禁忌, 注意すべき副作用, 慎重投与など

禁忌：閉塞隅角緑内障,三環系抗うつ薬に過敏症の既往,心筋梗塞の回

復初期，尿閉のある患者，MAO阻害薬服用中あるいは与薬中止2週間以内，QT延長症候群のある患者．**注意すべき副作用**：心電図でQT延長，口渇，起立性低血圧（転倒し骨折，脳内血腫が発生することがある），便秘（麻痺性イレウスになることがある），排尿困難（特に前立腺肥大のある高齢男性），眼圧上昇，けいれん閾値の低下（てんかん患者でてんかん発作を起こすことがある），眠気，記憶障害（特に高齢者），肝機能障害．**相互作用**：MAO阻害薬（併用禁忌），パロキセチンあるいはフルボキサミンとの併用で本剤の血中濃度上昇．**慎重投与**：開放隅角緑内障の患者，排尿困難または眼内圧亢進等のある患者，心不全・心筋梗塞・狭心症・不整脈（発作性頻拍・刺激伝導障害等）等の心疾患のある患者または甲状腺機能亢進症の患者，てんかん等のけいれん性疾患またはこれらの既往歴のある患者，躁うつ病患者，脳の器質障害または統合失調症の素因のある患者，衝動性が高い併存障害を有する患者，自殺念慮または自殺企図の既往のある患者，自殺念慮のある患者，副腎髄質腫瘍（褐色細胞腫，神経芽細胞腫等）のある患者，重篤な肝・腎障害のある患者，低血圧のある患者，低カリウム血症のある患者，高度な慢性の便秘のある患者，小児または高齢者．

おもな類似薬との使い分け

高齢者や合併症のあるうつ病患者では，SSRIやSNRIなどの副作用の少ない薬を用いたほうがよい．認知機能低下，せん妄などを起こす可能性があり，高齢者への使用は避けたほうがよい．SSRIに比べて三環系抗うつ薬では躁転を起こしやすいと報告されている．

服薬指導のポイント

様々な副作用が生じ得ることを処方時に説明したほうがよい．

《《《 専門医からのアドバイス 》》》

1959年発売から使われ続けている古典的な抗うつ薬であり，現在も広く用いられている．SSRIやSNRIが発売されている現在では，大うつ病性障害の第一選択薬にはならないが，重症例や第一・第二選択薬が無効な症例では使用を考慮してよい．SSRIやSNRIが無効な症例で有効な場合がある．ただし，効果が得られないときは150mg/日程度まで増量する必要がある．効果がないのにもかかわらず，低用量で漫然と使うことは避けるべきである．

（井上　猛）

| 抗うつ薬 | モノアミン再取り込み阻害薬 | 非選択的セロトニン・ノルアドレナリン再取り込み阻害薬 |

アミトリプチリン 塩酸塩

amitriptyline

トリプタノール［日医工］錠 10mg, 25mg

特徴・どんな薬剤か？

1950年代より国際的に用いられている古典的な三環系抗うつ薬.

薬理作用

ノルアドレナリンとセロトニンの神経終末への再取り込みを阻害し,シナプス間隙のノルアドレナリンおよびセロトニン濃度を増加させる.活性代謝物のノルトリプチリン(抗うつ薬ノリトレンとして発売)はノルアドレナリンの神経終末への再取り込みを強く阻害し,シナプス間隙のノルアドレナリン濃度を増加させる.その他,副作用と関連する,抗$α_1$作用,抗コリン作用,抗ヒスタミン作用を有する.

適応となる疾患・病態,どんなときに使うか？

大うつ病性障害が第一の適応である.添付文書では「精神科領域におけるうつ病・うつ状態」と「夜尿症」「末梢性神経障害性疼痛」に対する効能または効果が認められている.おもに高齢者(慎重投与に指定されている)以外の大うつ病性障害に用いられるが,副作用も強いため,中等症～重症で用いられる.

躁うつ病患者のうつ病相には必ずしも適応外とはならないが,躁転,自殺企図が現れることがあるため,同病態には慎重投与となっている.

処方の実際,どのように使うか？

・中等症以上の非高齢者の大うつ病性障害に対して

トリプタノール(10mg)1回1錠ごと食後とトリプタノール(25mg)1回1～2錠就寝前で開始し,1週ごとに徐々に増量し,副作用が軽度で効果も不十分であれば1日量150mg程度まで増量する(添付文書には,稀には300mgまで増量することがあると書かれている).分割投与したほうが副作用は軽減する(1日量を一度に服用すると,眠気,低血圧などで耐えられない).

禁忌,併用禁忌,注意すべき副作用,慎重投与など

禁忌：閉塞隅角緑内障,三環系抗うつ薬に過敏症の既往,心筋梗塞の回復

初期，MAO阻害薬服用中あるいは与薬中止2週間以内，尿閉のある患者．

注意すべき副作用：口渇，起立性低血圧（転倒し骨折，脳内血腫が発生することがある），便秘（麻痺性イレウスになることがある），排尿困難（特に前立腺肥大のある高齢男性），眼圧上昇，眠気，記憶障害（特に高齢者），せん妄，肝機能障害．

相互作用：MAO阻害薬（併用禁忌），パロキセチンあるいはフルボキサミンとの併用で本剤の血中濃度上昇．

慎重投与：排尿困難のある患者，開放隅角緑内障の患者，眼内圧亢進のある患者，心不全・心筋梗塞・狭心症・不整脈（発作性頻拍・刺激伝導障害等）等の心疾患のある患者，甲状腺機能亢進症の患者，てんかん等のけいれん性疾患またはこれらの既往歴のある患者，躁うつ病患者，脳の器質障害または統合失調症の素因のある患者，衝動性が高い併存障害を有する患者，自殺念慮または自殺企図の既往のある患者，自殺念慮のある患者，小児，高齢者．

おもな類似薬との使い分け

高齢者や合併症のあるうつ病患者では，SSRIやSNRIなどの副作用の少ない薬を用いたほうがよい．認知機能低下，せん妄などを起こす可能性があり，高齢者への使用は避けたほうがよい．SSRIに比べて三環系抗うつ薬では躁転を起こしやすいと報告されている．メタ解析では，三環系抗うつ薬はSSRIよりも特に入院症例で有効であり，特にアミトリプチリンは，効果の面ではSSRIよりも優れているかもしれないと報告されている．

服薬指導のポイント

様々な副作用が生じ得ることを処方時に説明したほうがよい．

《《《 専門医からのアドバイス 》》》

1961年発売から使われ続けている古典的な抗うつ薬であり，現在も広く用いられている．SSRIやSNRIが発売されている現在では，大うつ病性障害の第一選択薬にはならないが，重症例や第一・第二選択薬が無効な症例では使用を考慮してよい．SSRIやSNRIが無効な症例で有効な場合がある．ただし，効果が得られないときは150mg/日程度まで増量する必要がある．効果がないのにもかかわらず，低用量で漫然と使うことは避けるべきである．

（井上　猛）

抗うつ薬 / モノアミン再取り込み阻害薬 / 非選択的セロトニン・ノルアドレナリン再取り込み阻害薬

クロミプラミン 塩酸塩

clomipramine

アナフラニール［アルフレッサ］錠 10mg, 25mg　点滴静注液 25mg

特徴・どんな薬剤か？

1973 年より国内で用いられている三環系抗うつ薬.

薬理作用

ノルアドレナリンよりもセロトニンの再取り込み阻害作用が強い. しかし, 活性代謝物のデスメチルクロミプラミンはノルアドレナリン再取り込み阻害薬である. したがって, クロミプラミンの服用はノルアドレナリンとセロトニンの両方に作用する. その他, 副作用と関連する, 抗 $α_1$ 作用, 抗コリン作用, 抗ヒスタミン作用を有する.

適応となる疾患・病態, どんなときに使うか？

大うつ病性障害が第一の適応である. 添付文書では「精神科領域におけるうつ病・うつ状態」と「遺尿症」「ナルコレプシーに伴う情動脱力発作」に対する効能または効果が認められている（点滴静注液は精神科領域におけるうつ病・うつ状態のみ）. おもに高齢者（慎重投与に指定されている）以外の大うつ病性障害に用いられるが, 副作用も強いため, 中等症～重症で用いられる.

躁うつ病患者のうつ病相には必ずしも適応外とはならないが, 躁転, 自殺企図が現れることがあるため, 同病態には慎重投与となっている. その他, 海外ではパニック障害, 強迫性障害に有効であることが臨床試験で報告されているが, これらの精神疾患に対する適応は国内では認められていない.

処方の実際, どのように使うか？

・中等症以上の非高齢者の大うつ病性障害に対して

アナフラニール（10mg）1 回 1 錠ごと食後とアナフラニール（25mg）1 回 1～2 錠就寝前で開始し, 1 週ごとに徐々に増量し, 副作用が軽度で効果も不十分であれば 1 日量 150mg 程度まで増量する.

点滴静注の場合は, 1 アンプルから 3 アンプルまで漸増し, 経口投与に切り替える. 反復服用したときには, 点滴静注と経口服用の薬物血中濃度に差はない. 点滴静注による急激な血中濃度上昇が循環器系の副作用を惹起する危険があり, 点滴中および後に厳重な注意を要する.

禁忌，併用禁忌，注意すべき副作用，慎重投与など

禁忌：閉塞隅角緑内障，三環系抗うつ薬に過敏症の既往，心筋梗塞の回復初期，尿閉のある患者，MAO阻害薬服用中あるいは与薬中止2週間以内，QT延長症候群のある患者．注意すべき副作用：心電図でQT延長，口渇，起立性低血圧（転倒し骨折，脳内血腫が発生することがある），便秘（麻痺性イレウスになることがある），排尿困難（特に前立腺肥大のある高齢男性），眼圧上昇，けいれん閾値の低下（てんかん患者でてんかん発作を起こすことがある），眠気，記憶障害（特に高齢者），肝機能障害．相互作用：MAO阻害薬（併用禁忌），パロキセチンあるいはフルボキサミンとの併用で本剤の血中濃度上昇．慎重投与：開放隅角緑内障の患者，排尿困難または眼内圧亢進等のある患者，心不全・心筋梗塞・狭心症・不整脈（発作性頻拍・刺激伝導障害等）等の心疾患のある患者または甲状腺機能亢進症の患者，てんかん等のけいれん性疾患またはこれらの既往歴のある患者，躁うつ病患者，脳の器質障害または統合失調症の素因のある患者，衝動性が高い併存障害を有する患者，自殺念慮または自殺企図の既往のある患者，自殺念慮のある患者，副腎髄質腫瘍（褐色細胞腫，神経芽細胞腫等）のある患者，重篤な肝・腎障害のある患者，低血圧のある患者，低カリウム血症のある患者，高度の慢性の便秘のある患者，小児または高齢者．

おもな類似薬との使い分け

高齢者や合併症のあるうつ病患者では，SSRIやSNRIなどの副作用の少ない薬を用いたほうがよい．海外での二重盲検比較試験で，入院症例ではSSRIよりも有効であったと報告されている．

服薬指導のポイント

様々な副作用が生じ得ることを処方時に説明したほうがよい．

《《《 専門医からのアドバイス 》》》

SSRIやSNRIが発売されている現在では，大うつ病性障害の第一選択薬にはならないが，重症例や第一・第二選択薬が無効な症例では使用を考慮してよい．効果が得られないときは150mg/日程度まで増量する必要がある．以前は点滴静注が頻用されていたが，内服よりも有効であるという証拠はなく，循環器系への副作用を考えると筆者は点滴静注を推奨しない．

（井上　猛）

| 抗うつ薬 | モノアミン再取り込み阻害薬 | 非選択的セロトニン・ノルアドレナリン再取り込み阻害薬 |

ドスレピン 塩酸塩（ドチエピン）dosulepin (dothiepin)

プロチアデン ［日医工，科研製薬］錠 25mg

特徴・どんな薬剤か？

1985 年より国内で用いられている三環系抗うつ薬．

薬理作用

ノルアドレナリンの再取り込み阻害作用が，セロトニン再取り込み阻害作用より強い．抗ヒスタミン作用は強く，その他，副作用と関連する抗$α_1$作用，抗コリン作用を有する．

適応となる疾患・病態，どんなときに使うか？

大うつ病性障害が第一の適応である．添付文書では「うつ病及びうつ状態」に対する効能または効果が認められている．おもに高齢者（慎重投与に指定されている）以外の大うつ病性障害に用いられる．

躁うつ病患者のうつ病相には必ずしも適応外とはならないが，躁転，自殺企図が現れることがあるため，同病態には慎重投与となっている．

処方の実際，どのように使うか？

・中等症以上の非高齢者の大うつ病性障害に対して

添付文書では，1 日 75 ～ 150mg を 2 ～ 3 回分割経口与薬すると書かれている．

禁忌，併用禁忌，注意すべき副作用，慎重投与など

禁忌：閉塞隅角緑内障，三環系抗うつ薬に過敏症の既往，心筋梗塞の回復初期，MAO 阻害薬を与薬中の患者，尿閉のある患者．

注意すべき副作用：口渇，起立性低血圧（転倒し骨折，脳内血腫が発生することがある），便秘（麻痺性イレウスになることがある），排尿困難（特に前立腺肥大のある高齢男性），眼圧上昇，眠気，記憶障害（特に高齢者），肝機能障害．

相互作用：MAO 阻害薬（併用禁忌），パロキセチンあるいはフルボキサミンとの併用で本剤の血中濃度上昇．

慎重投与：排尿困難のある患者，開放隅角緑内障または眼内圧亢進のあ

る患者，心不全・心筋梗塞・狭心症・不整脈（発作性頻拍・刺激伝導障害等）等の心疾患のある患者または甲状腺機能亢進症の患者，てんかん等のけいれん性疾患またはこれらの既往歴のある患者，躁うつ病患者，脳の器質障害または統合失調症の素因のある患者，衝動性が高い併存障害を有する患者，自殺念慮または自殺企図の既往のある患者，自殺念慮のある患者，重篤な肝・腎障害のある患者，小児，高齢者．

おもな類似薬との使い分け

高齢者や合併症のあるうつ病患者では，SSRI や SNRI などの副作用の少ない薬を用いたほうがよい．認知機能低下，せん妄などを起こす可能性があり，高齢者への使用は避けたほうがよい．本剤は最近はあまり用いられない．

服薬指導のポイント

様々な副作用が生じ得ることを処方時に説明したほうがよい．

《《《 専門医からのアドバイス 》》》

SSRI や SNRI が発売されている現在では，大うつ病性障害の第一選択薬にはならない．最近の国内外の治療ガイドラインでもほとんどとりあげられることのない抗うつ薬である．ノルアドレナリン再取り込み阻害作用がセロトニン再取り込み阻害作用よりも強いが，両方とも他の抗うつ薬と比べると比較的弱い．

（井上　猛）

抗うつ薬 | モノアミン再取り込み阻害薬 | 非選択的セロトニン・ノルアドレナリン再取り込み阻害薬

トリミプラミン マレイン酸塩

trimipramine

スルモンチール［塩野義］錠 10mg, 25mg, 散 10%

特徴・どんな薬剤か？

1965年より国内で用いられている三環系抗うつ薬.

薬理作用

ノルアドレナリンの再取り込み阻害作用とセロトニン再取り込み阻害作用はいずれも非常に弱く,他の三環系抗うつ薬のように脳内でノルアドレナリンやセロトニンの細胞外濃度を増やすかどうかは疑問であり,古い薬のためデータも乏しい.抗ヒスタミン作用は強く,その他,副作用と関連する抗 a_1 作用,抗コリン作用を有する.

適応となる疾患・病態,どんなときに使うか？

大うつ病性障害が第一の適応である.添付文書では「精神科領域におけるうつ病・うつ状態」に対する効能または効果が認められている.おもに高齢者(慎重投与に指定されている)以外の大うつ病性障害に用いられる.鎮静作用が強いといわれている.

躁うつ病患者のうつ病相には必ずしも適応外とはならないが,躁転,自殺企図が現れることがあるため,同病態には慎重投与となっている.

処方の実際,どのように使うか？

・中等症以上の非高齢者の大うつ病性障害に対して

添付文書では,1日50～100mgを初期用量として,1日200mgまで漸増し,分割与薬すると書かれている(稀に300mg程度まで増量することもある).傾眠作用が強いため,就寝前1回服用が用いられることもある.

禁忌，併用禁忌，注意すべき副作用，慎重投与など

禁忌：閉塞隅角緑内障，三環系抗うつ薬に過敏症の既往，心筋梗塞の回復初期，MAO阻害薬服用中あるいは与薬中止2週間以内.

注意すべき副作用：口渇，起立性低血圧（転倒し骨折，脳内血腫が発生することがある），便秘（麻痺性イレウスになることがある），排尿困難（特に前立腺肥大のある高齢男性），眼圧上昇，けいれん閾値の低下（てんかん患者でてんかん発作を起こすことがある），眠気，記憶障害（特に高齢者），肝機能障害.

相互作用：MAO阻害薬（併用禁忌）.

慎重投与：開放隅角緑内障の患者，排尿困難または眼内圧亢進のある患者，心不全・心筋梗塞・狭心症・不整脈（発作性頻拍・刺激伝導障害等）等の心疾患のある患者または甲状腺機能亢進症の患者，てんかん等のけいれん性疾患またはこれらの既往歴のある患者，躁うつ病患者，脳の器質障害または統合失調症の素因のある患者，衝動性が高い併存障害を有する患者，自殺念慮，または自殺企図の既往のある患者，自殺念慮のある患者，小児，高齢者.

おもな類似薬との使い分け

高齢者や合併症のあるうつ病患者では，SSRIやSNRIなどの副作用の少ない薬を用いたほうがよい．認知機能低下，せん妄などを起こす可能性があり，高齢者への使用は避けたほうがよい．本剤は最近はあまり用いられない．

服薬指導のポイント

様々な副作用が生じ得ることを処方時に説明したほうがよい．

《《《 専門医からのアドバイス 》》》

SSRIやSNRIが発売されている現在では，大うつ病性障害の第一選択薬にはならない．最近の国内外の治療ガイドラインでもほとんどとりあげられることのない抗うつ薬である．セロトニン再取り込み阻害作用もノルアドレナリン再取り込み阻害作用も非常に弱いのに，どのように抗うつ作用をもたらすのか，薬理学的作用機序が不明な抗うつ薬である．

（井上　猛）

抗うつ薬 | 再取り込み阻害・受容体作動薬（multimodal drug）

トラゾドン 塩酸塩

trazodone

レスリン［MSD］錠25mg, 50mg/ デジレル［ファイザー］錠25mg, 50mg

特徴・どんな薬剤か？

1991年より国内で用いられている二環系抗うつ薬．

薬理作用

弱いセロトニン再取り込み阻害作用を有する．ノルアドレナリン再取り込み阻害作用，抗コリン作用はほとんどない．抗ヒスタミン作用は弱い．抗α_1作用，抗セロトニン5-HT_{2A}作用は強く，それぞれ起立性低血圧，深睡眠増加をもたらす．

適応となる疾患・病態，どんなときに使うか？

大うつ病性障害が第一の適応である．添付文書では「うつ病・うつ状態」に対する効能または効果が認められている．

躁うつ病患者のうつ病相には必ずしも適応外とはならないが，躁転，自殺企図が現れることがあるため，同病態には慎重投与となっている．

処方の実際，どのように使うか？

・軽症の大うつ病性障害に対して

添付文書では，1日75～100mgを初期用量として，1日200mgまで増量し，1～数回分割経口与薬すると書かれている．

禁忌，併用禁忌，注意すべき副作用，慎重投与など

禁忌：抗HIV薬サキナビル投与中の患者．

注意すべき副作用：QT延長，心室頻拍・心室細動・心室性期外収縮，持続性勃起，起立性低血圧（転倒し骨折，脳内血腫が発生することがある），眠気，鎮静作用，肝機能障害．

相互作用：抗HIV薬のサキナビル（商品名インビラーゼ）はトラゾドンの血中濃度上昇によるQT延長等の副作用を起こすおそれがあり併用禁忌，CYP3A4阻害薬併用（抗HIV薬のリトナビル，インジナビル）で血中濃度上昇のおそれがあり併用注意，カルバマゼピン（CYP3A4誘導）併用による血中濃度低下のおそれがあり併用注意．

慎重投与：心筋梗塞回復初期の患者および心疾患の患者またはその既往歴のある患者，緑内障，排尿困難または眼内圧亢進のある患者，てんかん等のけいれん性疾患またはこれらの既往歴のある患者，躁うつ病の患者，脳の器質障害または統合失調症の素因のある患者，衝動性が高い併存障害を有する患者，自殺念慮または自殺企図の既往のある患者，自殺念慮のある患者，小児等，高齢者．

おもな類似薬との使い分け

　臨床試験では抗うつ効果は他の三環系抗うつ薬と同等といわれるが，鎮静作用のために海外のガイドラインでは第一選択ではなく第二選択薬として取り扱われている．抗コリン作用がほとんどないため，高齢者で物忘れ，認知機能障害を起こしづらいが，一方で起立性低血圧による転倒，鎮静作用に注意を要する．セロトニン 5-HT$_{2A}$ 受容体遮断作用により深睡眠が増加するため，就寝前に与薬して不眠改善に用いられることが多い．血中半減期は約 6 時間と短いので，抗うつ作用を目指すときは 1 日 3 回服用が望ましい．

服薬指導のポイント

　様々な副作用が生じ得ることを処方時に説明したほうがよい．

《《《 専門医からのアドバイス 》》》

　SSRI や SNRI が発売されている現在では，大うつ病性障害の第一選択薬にはならない．睡眠改善作用，鎮静作用から就寝前少量を他の抗うつ薬に併用して与薬されることが多い．非常に弱いセロトニン再取り込み阻害作用と強いセロトニン 5-HT$_{2A}$ 受容体遮断作用が特徴であるが，これらの薬理作用が抗うつ作用とどのように関係するのかは，はっきりしない．

(井上　猛)

抗うつ薬　再取り込み阻害・受容体作動薬（multimodal drug）

ボルチオキセチン
vortioxetine

トリンテリックス［武田］錠 10mg, 25mg

特徴・どんな薬剤か？

2019年に日本で発売開始となった新規抗うつ薬．新しいカテゴリーの抗うつ薬で，セロトニン再取り込み阻害・セロトニン受容体調節剤と呼ばれる．欧米では2013年から発売されている．

薬理作用

セロトニン再取り込み阻害，セロトニン3受容体遮断が主作用である．その他，セロトニンの7，1D受容体遮断，1B受容体部分アゴニスト，1A受容体アゴニストの作用を有する．これらの作用により，脳内で細胞外のセロトニンのみならず，ドパミン，ノルアドレナリン，アセチルコリン，ヒスタミン濃度を増加させる．ただし，臨床用量ではセロトニン再取り込み阻害作用は低く設定されているため，性機能障害や中止後症候群などの副作用は少ない．

抗ヒスタミン作用，抗コリン作用，抗α_1アドレナリン作用は有さないので，これらの薬理作用に基づく副作用は生じない．

適応となる疾患・病態，どんなときに使うか？

大うつ病性障害が第一の適応である．添付文書では「うつ病・うつ状態」に対する効能または効果が認められている．副作用が少ないため，高齢者を含めて広く大うつ病性障害に第一選択で使用できる．特にSSRIやSNRI治療中に，性機能障害が問題となる症例には好適応である．認知機能改善効果も期待される．

双極性障害患者のうつ病相には必ずしも適応外とはならないが，躁転，自殺企図が現れることがあるため，同病態には慎重投与となっている．

処方の実際，どのように使うか？

・高齢者を含めた大うつ病性障害に対して

トリンテリックス（10mg）1回1錠で開始し，1週ごとに徐々に増量し，副作用が軽度で効果も不十分であれば1日量20mgまで増量する．錠剤には割線があり，5mg刻みの増減調節も可能である．

禁忌，併用禁忌，注意すべき副作用，慎重投与など

禁忌：MAO阻害薬服用中あるいは投与中止2週間以内の患者．

慎重投与：自殺念慮のある患者，自殺念慮または自殺企図の既往のある患者，双極性障害患者，脳の器質的障害または統合失調症の素因のある患者，衝動性が高い併存障害を有する患者，てんかん等のけいれん性疾患またはこれらの既往歴のある患者，出血傾向または出血性素因のある患者，緑内障または眼内圧亢進の患者，高齢者，小児．

注意すべき副作用：吐き気，嘔吐，傾眠，頭痛．

相互作用：MAO阻害薬（併用禁忌）．パロキセチンとの併用で本剤の血中濃度上昇．カルバマゼピン，フェニトイン，リファンピシンとの併用で血中濃度低下．出血傾向が増強する薬剤との併用は避けたほうがよい．

おもな類似薬との使い分け

セロトニン再取り込み阻害作用による副作用は低くおさえられており，性機能障害・中止後症候群が問題となる症例では，SSRIやSNRIよりも適応となる．不安症への有効性はあまり報告されていないので，SSRIに比べると不安症の併存例には効果は期待できないかもしれない．

認知機能改善効果が期待できるので，認知機能低下がみられるうつ病患者も適応であり，休職中で復職を目指している患者，高齢者には他剤よりも好ましいと思われる．

服薬指導のポイント

新薬であり，今後日本での臨床経験を積んでいく必要がある．様々な副作用が生じうることを処方時に説明したほうがよい．

《《《 専門医からのアドバイス 》》》

2019年に発売された新しい作用機序の抗うつ薬である．セロトニンの再取り込み部位，受容体サブタイプに作用する点がユニークである．副作用が少ない点は高く評価できる．認知機能障害改善効果も期待できる．セロトニン再取り込み阻害作用により出血傾向が増強するため，他のSSRI，SNRIと同様に出血傾向のある患者には使用しないほうがよい．

（井上　猛）

抗うつ薬 | ノルアドレナリン作動性・特異的セロトニン作動性薬（NaSSA）

ミルタザピン

mirtazapine

レメロン［MSD］錠 15mg, 30mg/ リフレックス［Meiji Seika ファルマ］錠 15mg, 30mg/ ジェネリック多数あり

特徴・どんな薬剤か？

三環系抗うつ薬，SSRI，SNRI とは異なるノルアドレナリン作動性・特異的セロトニン作動性抗うつ薬（noradrenergic and specific serotonergic antidepressant：NaSSA）という新しいカテゴリーの抗うつ薬である．

薬理作用

シナプス前 α_2 アドレナリン自己受容体，セロトニン神経終末部のシナプス前 α_2 ヘテロ受容体を遮断することにより，脳内でのノルアドレナリン，およびセロトニンの遊離を促進する．また，シナプス後部の $5\text{-}HT_{2A}$，$5\text{-}HT_{2C}$ および $5\text{-}HT_3$ 受容体遮断作用により，遊離促進されたセロトニンが特異的に $5\text{-}HT_{1A}$ 受容体を刺激し，抗うつ効果を増強させるとされている．SSRI で問題になる性機能障害や消化器症状が少ないことは，それぞれ $5\text{-}HT_{2A}$ 受容体遮断作用，$5\text{-}HT_3$ 受容体遮断作用のためと考えられている．

適応となる疾患・病態，どんなときに使うか？

うつ病・うつ状態に適応がある．SSRI，SNRI とともに第一選択薬と考えてよいと思われる．

処方の実際，どのように使うか？

成人には 1 日 15mg を初期用量とし，15〜30mg を 1 日 1 回就寝前に経口与薬する．年齢，症状に応じ 1 日 45mg を超えない範囲で適宜増減するが，増量は 1 週間以上の間隔をあけて 1 日用量として 15mg ずつ行う．

リフレックス（15mg）1 回 2 錠　就寝前

禁忌，併用禁忌，注意すべき副作用，慎重投与など

禁忌：本剤の成分に対して過敏症の既往歴のある患者．

注意すべき副作用：ヒスタミン H_1 受容体遮断作用による眠気，過鎮静およびヒスタミン H_1 受容体遮断作用，セロトニン $5\text{-}HT_{2C}$ 受容体遮断作用による食欲亢進とそれによる体重増加が最も問題となる．

重大な副作用：セロトニン症候群，無顆粒球症，好中球減少症，けいれん，肝機能障害，黄疸，抗利尿ホルモン不適合分泌症候群（SIADH），スティーブンス・ジョンソン症候群，多形紅斑，QT延長，心室頻拍

出現しやすい副作用：体重増加，倦怠感，傾眠，めまい，頭痛，口渇，便秘．

併用禁忌：MAO阻害薬（与薬中止後2週間以内も含めて）．

相互作用：主として肝代謝酵素CYP1A2, CYP2D6およびCYP3A4で代謝される．SSRI, 炭酸リチウム，セイヨウオトギリソウ含有食品でセロトニン症候群などを生じるおそれがあり，ワルファリンにてプロトロンビン時間が増加する可能性がある．

おもな類似薬との使い分け

不安，不眠，意欲低下が顕著であるうつ病患者に対して使用することを考える．高齢者に対しても使用しやすい（眠気が出づらい）．効果発現が早いといわれている．

服薬指導のポイント

眠気による服薬中止を避けるために，風邪薬など抗ヒスタミン作用で眠気があるかを確認したり，就労している患者には週末から服用開始を勧めるとよい．また，眠気は数日間で収まる場合が多いことを伝える．

≪≪≪ 専門医からのアドバイス ≫≫≫

オランダ・オルガノン社（現米国メルク・アンド・カンパニー）により合成された．1994年のオランダに続いてドイツ（1995年），米国（1996年），日本では2009年に承認されたが，本邦で初めてプラセボ群に対する優越性が検証された．2018年よりジェネリック医薬品も発売されている．

（中川　伸）

抗うつ薬　シナプス前α₂遮断薬

ミアンセリン 塩酸塩

mianserin

テトラミド［MSD/第一三共］錠 10mg, 30mg

特徴・どんな薬剤か？

1日1回与薬が可能であり，抗コリン性副作用や心循環器への影響が小さい．鎮静作用や食欲亢進作用は比較的強い．

薬理作用

おもにシナプス前$α_2$アドレナリン受容体を遮断することにより，シナプス間隙へのノルアドレナリン遊離を促進するとともに，脳内ノルアドレナリンの代謝回転を亢進させる．また，セロトニン5-HT_{2A}受容体遮断作用やヒスタミンH_1受容体遮断作用も有している．

適応となる疾患・病態，どんなときに使うか？

うつ病・うつ状態に適応がある．精神運動抑制，不眠や食思不振が顕著であるうつ病患者に用いる場合が多い．以前はせん妄の治療によく用いられていた．

処方の実際，どのように使うか？

通常，成人1日30mgを初期用量とし，1日60mgまで増量し，分割経口与薬する．上記用量は1日1回夕食後あるいは就寝前に与薬できる．用量比較は，ミアンセリン10mgに対してイミプラミン20～30mgである．24歳以下の患者で自殺念慮，自殺企図のリスクが増加するとの報告があり，本剤もリスクとベネフィットを考慮し与薬する．また，妊婦に対する安全性も確立されておらず，乳汁中への移行もあるため，授乳は避けたほうがよい．耐糖能を低下させることがあるため，コントロールが不良な糖尿病患者には慎重に与薬する．

テトラミド（30mg）　1回1錠　就寝前

禁忌，併用禁忌，注意すべき副作用，慎重投与など

禁忌：本剤の成分に対して過敏症の既往歴のある患者．

注意すべき副作用：眠気が最も多く，徐脈，関節痛が発現頻度5％以上である．眠気，鎮静，注意力・集中力低下は特に注意するべきものであり，添

付文書上では「本剤投与中の患者には自動車の運転等危険を伴う機会の操作に従事させないように注意すること」と表記されている．与薬量の急激な減少ないし投与中止により，振戦，焦燥感，不安などの離脱症状が現れることがある．2014年2月改訂の添付文書ではQT延長またはその既応歴のある患者，QT延長を起こすことが知られている薬剤を投与中の患者，著明な徐脈や低カリウム血症などがある患者への慎重投与が追加された．

重大な副作用：悪性症候群，無顆粒球症，QT延長，心室頻拍，心室細動，肝機能障害，黄疸，けいれん．

併用禁忌：MAO阻害薬（中止2週間以内含む）．

相互作用：本剤は，おもに肝代謝酵素CYP1A2, CYP2D6, CYP3A4により代謝される．カルバマゼピン，フェニトインなどとの併用で，本剤の血中濃度が低下し，作用が減弱するおそれがある．アルコールは本剤の肝代謝を阻害し，相互に作用を増強することがある．

おもな類似薬との使い分け

心循環系への影響や抗コリン性の副作用が少ないために，老年期うつ病の治療に適している．また，抗ヒスタミン効果による催眠作用もあり，睡眠薬により改善しない不眠の症状に対して用いる価値はある．

服薬指導のポイント

「睡眠薬ではないが，眠りをよくする薬」と説明することで，導入が容易になる．

《《《 専門医からのアドバイス 》》》

1972年にオランダ・オルガノン社（現米国メルク・アンド・カンパニー）で開発されたピペラジノアゼピン系の四環系抗うつ薬である．当初は片頭痛薬として開発されたが，脳波上，三環系抗うつ薬に類似した変化（健常者に与薬した場合，α波を減らす一方，速波と徐波を増加させる）をもたらすため，抗うつ薬としての作用を期待された．躁転の出現頻度は0.1〜0.5%となっている．

（中川　伸）

抗うつ薬　シナプス前α₂遮断薬

セチプチリン マレイン酸塩
setiptiline

テシプール［持田］錠 1mg/ セチプチリンマレイン酸塩「サワイ」［沢井］錠 1mg

特徴・どんな薬剤か？

抗コリン性副作用および心循環器への影響が比較的少ない四環系抗うつ薬である．抗うつ作用は強くはないが，比較的安全に使用できる．

薬理作用

おもにシナプス前 $α_2$ アドレナリン受容体を遮断することにより，シナプス間隙へのノルアドレナリン遊離を促進するとともに，脳内ノルアドレナリンの代謝回転を亢進させることにより，中枢ノルアドレナリン作動性神経活動を増強すると考えられている．ラットによる *in vivo* の実験では脳内モノアミン取り込み阻害作用は示されていない．

適応となる疾患・病態，どんなときに使うか？

うつ病・うつ状態に適応がある．臨床的には抑うつ気分，不安・焦燥，意欲低下，睡眠障害やうつ病に伴う身体症状に有効性が認められている．

処方の実際，どのように使うか？

通常，成人1日3mgを初期用量として，1日6mgまで漸増し，分割与薬する．年齢および症状により適宜増減する．用量比較はセチプチリン 1mg に対してミアンセリンでは 10mg，アミトリプチリンでは 25mg である．本剤の幼少児に対する安全性は確立されていない．24歳以下の患者で自殺念慮，自殺企図のリスクが増加するとの報告がある．また，妊婦に対する安全性も確立されておらず，乳汁中への移行もあるため，授乳は避けたほうがよい．

テシプール（1mg）1回1錠　1日3回

禁忌，併用禁忌，注意すべき副作用，慎重投与など

禁忌：禁忌対象患者はいない．しかし，緑内障，排尿困難または眼圧亢進などのある患者などは慎重投与になる．

注意すべき副作用：眠気（発現頻度は4.5％程度）が最も多い副作用であるが，睡眠障害の治療に用いることができる．めまい，ふらつきも低頻度ながらある．重大な副作用として，悪性症候群，無顆粒球症は頻度不明ながら

報告されている．

併用禁忌：MAO 阻害薬（中止 2 週間以内含む）．

相互作用：中枢神経抑制薬（フェノチアジン誘導体，バルビツール誘導体など）やアルコールの併用は眠気，脱力感，倦怠感，ふらつきなどが現れやすい．降圧薬（クロニジン，グアンファシン，グアナベンズなど）との併用は，降圧作用を減弱させることがある．

おもな類似薬との使い分け

ミアンセリンとよく似た化学構造式と薬理作用がある．ミアンセリンよりも低用量で効果を示し，高齢者に適している．

服薬指導のポイント

副作用が出やすい患者，状態の場合にでも使用できることが多い．

《《《 専門医からのアドバイス 》》》

1974 年にオランダ・オルガノン社（現米国メルク・アンド・カンパニー）で合成され，持田製薬が世界に先駆けて 1989 年に発売したピペリジノ誘導体である．比較的速効性ともいわれているが，効果は強くはない．副作用が少ないために老年期うつ病の治療には適している．

(中川　伸)

| 抗うつ薬 | ドパミン系薬物 |

スルピリド

sulpiride

ドグマチール［アステラス］細粒 10％，50％，錠 50mg, 100mg, 200mg, カプセル 50mg, 注射液 50mg/2mL, 100mg/2mL／ミラドール［バイエル］細粒 10％，50％，錠 50mg, 100mg, 200mg, カプセル 50mg／アビリット［大日本住友］錠 50mg, 100mg, 200mg／ジェネリック多数あり

特徴・どんな薬剤か？

副作用が比較的少なく，胃・十二指腸潰瘍，統合失調症，うつ病・うつ状態など幅広い病態に適応がある．

薬理作用

ドパミン D_2 受容体を特異的に遮断する作用を有する．黒質線条体よりも中脳辺縁系で抗ドパミン作用が強いため，抗幻覚妄想作用は強いが錐体外路症状は発症しにくいと推測される．また，前シナプスの D_2 受容体を阻害することにより，ドパミン放出を促進し，抗うつ作用に関与すると考えられている．

適応となる疾患・病態，どんなときに使うか？

経口薬および注射薬の適応は，統合失調症ならびに胃・十二指腸潰瘍の治療であり，うつ病・うつ状態は，経口薬のみの適応である．

処方の実際，どのように使うか？

うつ病・うつ状態に対して，通常，成人には1日150～300mgを分割与薬で開始し，最高1日600mgまで増量することができる．増量法には明確な基準はないが，急激に増量した場合に心電図に変化がみられる場合がある．主として腎臓で排出されるため，高齢者など腎機能が低下している場合には注意を要する．また，本剤の幼少児に対する有効性と安全性は確立されていない．妊娠中の投与に関する安全性は確立しておらず，母乳中へは移行することが報告されている．

・うつ病・うつ状態，胃・十二指腸潰瘍
  ドグマチール（50mg）1回1錠　1日3回
・高齢者のうつ病・うつ状態（低用量で効果を示す場合がある）
  ドグマチール（50mg）1回1錠　1日1回

禁忌，併用禁忌，注意すべき副作用，慎重投与など

禁忌：プロラクチン分泌性の下垂体腫瘍（プロラクチノーマ）の患者，褐色細胞腫の疑いのある患者．

併用禁忌：なし．

注意すべき副作用：錐体外路症状，遅発性ジスキネジア（長期投与時には注意が必要である），内分泌機能異常（プロラクチン値上昇），眠気，めまい（添付文章上では「本剤投与中の患者には自動車の運転等危険を伴う機会の操作に従事させないように注意すること」と表記されている），悪性症候群（発現頻度は 0.1％未満）．

相互作用：ジギタリス薬（ジギタリス薬飽和時の指標になる嘔吐症状を不顕在化することがある），他のベンザミド系薬剤（内分泌機能異常または錐体外路症状が出現しやすくなる）．

おもな類似薬との使い分け

臨床現場では軽症うつ病，いわゆるうつ型神経症（うつ状態），高齢者の身体症状が前景に出ているうつ病等に好まれて使用される．一方，重症うつ病ではあまり用いられない．

服薬指導のポイント

「胃薬から開発された薬」と説明すると，患者にとっては受け入れやすい．

専門医からのアドバイス

スルピリドは 1967 年にフランスの Delagrange 社で開発されたベンザミド系の向精神薬であり，低用量と高用量で臨床的効果が異なる，非常にユニークな薬物である．作用機序がいまだに不明瞭な部分が多いが，SSRI や SNRI 等おもにセロトニン，ノルアドレナリンの細胞外液濃度を上昇させる抗うつ薬で，効果がみられない症例には試してみる価値がある．また，躁状態の発現頻度は 0.1～0.5％未満とされ，躁転は起こしにくいと思われる．

（中川　伸）

Ⅲ
抗精神病薬

章編集：神庭　重信
　　　　鬼塚　俊明

抗精神病薬

■はじめに（特徴・どんな薬剤か？）

抗精神病薬（antipsychotics）は精神科領域で使用される薬剤の一群を指し，おもに統合失調症の治療薬として用いられている．かつて神経弛緩薬（neuroleptics）やメジャートランキライザー（major tranquilizer）と呼ばれたこの薬剤の歴史は，1952年Delayらがクロルプロマジンに精神病に対する鎮静効果があることを発見したことに始まる．1958年にはJanssenらによって強力な抗幻覚妄想作用を有するハロペリドールが開発されるが，統合失調症に対する抗精神病薬の作用機序は依然として不明であった．1963年Carlsonはマウスにクロルプロマジンおよびハロペリドールを投与するとカテコラミンの代謝産物が増加することを発見し，抗精神病薬の薬理作用は脳内カテコラミン受容体，特にドパミン受容体の遮断作用であると考えた．この発見により統合失調症の発病メカニズムとして「ドパミン過剰説」が提唱される．以後，数多くの抗精神病薬がドパミン受容体遮断作用を主眼として開発され，本邦においては30種類以上の抗精神病薬が認可されている．

■分類と薬の使い分け

抗精神病薬は，従来使用されていた第一世代抗精神病薬（定型抗精神病薬）と比較的最近開発された第二世代抗精神病薬（非定型抗精神病薬）に大別される．定型抗精神病薬はドパミンD_2受容体遮断作用の強弱によってハロペリドールなどの高力価薬と，クロルプロマジンなどの低力価薬に便宜上分けられることがある．抗精神病薬の力価はクロルプロマジン等価換算を用いて比較される．定型抗精神病薬には強力な抗幻覚妄想作用および鎮静作用があるが，錐体外路症状（EPS）をはじめとする強い副作用を伴い，統合失調症治療における第一選択薬の座を非定型抗精神病薬に奪われている．しかし定型抗精神病薬には注射剤や時効性注射剤（デポ剤）など多様な剤型があり，急性期治療においてはいまだに使用されることがある．定型抗精神病薬は化学構造によってフェノチアジン系，ブチロフェノン系，チエピン系，イミノベンジル系，インドール系，ベンズアミド系などに分類される．

一方，非定型抗精神病薬の特徴はEPSをはじめとする副作用が少ない点である．これは薬理作用の特徴として，ドパミンD_2受容体遮断作用に加えてセロトニン$5-HT_{2A}$受容体遮断作用を有するためであり，黒質-線条体系においてセロトニン$5-HT_{2A}$受容体遮断がドパミンの放出抑制を解除するためと考えられている．非定型抗精神病薬はその薬理作用からセロトニン・ドパミン遮断薬（serotonin-dopamine antagonist：SDA），多元受容体作用抗

精神病薬（multi-acting receptor targeted antipsychotics：MARTA），そして部分作動薬（partial agonist）に分類される．代表的な抗精神病薬の特徴を**表1**に示す．

表1 おもな抗精神病薬の比較

分類		一般名	CP換算量	内服使用量（mg）	EPS	高PRL血症	体重増加	低血圧	本邦における主な適応疾患
定型抗精神病薬	フェノチアジン系	クロルプロマジン	100	50~450	+	+	++	++	統合失調症，躁病，神経症における不安・緊張・抑うつ，悪心嘔吐，吃逆など
		レボメプロマジン	100	25~200	+	+	+	++	統合失調症，躁病，うつ病における不安・緊張
		ペルフェナジン	10	6~48	+	+	+	+	統合失調症，術前術後の悪心嘔吐，メニエール症候群
		フルフェナジン	2	1~10	++	++	+	+	統合失調症
	ブチロフェノン系	ハロペリドール	2	0.75~6	++	++	+	−	統合失調症，躁病
	ベンズアミド系	スルピリド	200	150~1,200	−	++	++	−	統合失調症，うつ病・うつ状態，胃・十二指腸潰瘍
非定型抗精神病薬	SDA	リスペリドン	1	2~12	+	++	++	+	統合失調症
		パリペリドン	1.5	6~12	+	++	++	+	統合失調症
		ペロスピロン	8	12~48	+	+	+	+	統合失調症
		ブロナンセリン	4	8~24	+	+	+	+	統合失調症
	MARTA	クエチアピン	66	50~750	−	−	++	++	統合失調症
		オランザピン	2.5	5~20	−	−	+++	+	統合失調症，双極性障害（躁症状，うつ状態）
		クロザピン	50	12.5~600	−	−	+++	+++	治療抵抗性統合失調症
		アセナピン	2.5	10~20	+	+	+	+	統合失調症
	部分作動薬	アリピプラゾール	4	6~30	−	−	+	−	統合失調症，双極性障害における躁症状，うつ病・うつ状態，小児期の自閉スペクトラム症に伴う易刺激性
		ブレクスピプラゾール	*	1~2	−	−	+	−	統合失調症

SDA: serotonin-dopamine antagonist, MARTA: multi-acting receptor targeted antipsychotics, CP換算量：クロルプロマジン換算量, 高PRL血症：高プロラクチン血症, EPS：維体外路症状. ＊: 2019年9月現在データなし.（大森哲郎：抗精神病薬. 樋口輝彦 他（編）：抗精神病薬. 今日の精神科治療指針, 医学書院, 2012, 稲田 中, 稲田俊也：第26回新規抗精神病薬の等価換算（その7）Asenapine. 臨床精神薬理 20: 89-97, 2017. Taylor D, Paton C, Kapur S：内田裕之，鈴木健文，三村 將（監訳）：モーズレイ処方ガイドライン, 第12版. ワイリー・ジャパン, 2016 を参考に作成）

■**適応疾患（効能・効果）**

1. 統合失調症

全ての抗精神病薬で統合失調症が適応疾患に挙げられているが，例外としてチアプリドのみ統合失調症の保険適応がない．

2. 躁病・躁症状

急性期の興奮状態に対して抗精神病薬が用いられる．躁病（あるいは双極性障害の躁状態）に対して保険適応があるのはクロルプロマジン，レボメプロマジン，チミペロン（注射のみ），ハロペリドール，スルトプリド，オランザピン，アリピプラゾールである．

3. うつ病・うつ状態

スルピリド，アリピプラゾールはうつ病・うつ状態に対して保険適応をもっているがアリピプラゾールは「既存治療で十分な効果が認められない場合に限る」と条件が限定されている．オランザピン，クエチアピンは「双極性障害のうつ症状」の保険適応をもつ．レボメプロマジンは「うつ病に伴う不安・緊張」に関して保険適応が認められている．

4. 不安障害

クロルプロマジンは神経症における不安・緊張・抑うつに対して保険適応をもつ．また保険適応はないが，SSRIに反応しない強迫性障害に対して非定型抗精神病薬との併用が有効であることがわかっている．

5. 認知症の精神症状

認知症に伴う幻覚妄想状態や不穏興奮状態に対して抗精神病薬が用いられるが，本邦においてこれらの症状に対して保険適応をもつ抗精神病薬はない．チアプリドのみが攻撃的行為・徘徊への保険適応を認められるが，脳梗塞後遺症に伴う場合に限る．近年の研究報告で高齢者への抗精神病薬の投与は死亡率を増加させるとの報告があり，投与には慎重な判断を要する．

6. せん妄

注射薬があるハロペリドールは精神科に限らず各診療科でせん妄治療に使用されている．最近では内服可能な症例に対しては非定型抗精神病薬を使用することが多い．しかし本邦においてせん妄の保険適応を有する抗精神病薬は存在せず，実地臨床との乖離が指摘されている（前述のチアプリドは「脳梗塞後遺症におけるせん妄」が保険適応になっている）．

7. 小児の自閉症および知的障害

ピモジドに小児自閉症と知的障害に伴う異常行動や常同行動に対して保険適応がある．アリピプラゾールに小児期の自閉スペクトラム症に伴う易刺激性に対して保険適用が認められている．

8. その他の疾患

クロルプロマジンには悪心・嘔吐，吃逆，破傷風に伴うけいれん，スルピリドには胃・十二指腸潰瘍，ペルフェナジンにはメニエール症候群が保険適応となっている．チアプリドは遅発性ジスキネジア，パーキンソニズムに伴うジスキネジアの保険適応をもつ．オランザピンには，抗悪性腫瘍剤（シスプラチンなど）投与に伴う消化器症状（悪心・嘔吐）への保険適応がある．また保険適応はないがハンチントン病等の不随意運動に対してハロペリドールが用いられている．

■副作用

1. 錐体外路症状

錐体外路症状（extrapyramidal symptoms：EPS）は発病時期によって急性期および慢性期症状に分類されることがある．急性期EPSとしてはパーキンソニズム（筋固縮，振戦，無動，仮面様顔貌，流涎，脂漏），急性ジストニア，急性アカシジアがある．慢性期EPSとしては遅発性ジスキネジア，遅発性ジストニア，遅発性アカシジア，遅発性ミオクローヌスがある．EPSに対する治療法としては，抗精神病薬の減量，低力価薬への変更，抗コリン性抗パーキンソン薬の投与などがあるが，遅発性EPSの多くは難治性である．

2. 精神症状

過鎮静は低力価薬で出現しやすく，主に抗ヒスタミン作用に起因すると考えられている．薬剤性抑うつは統合失調症治療の治療過程でしばしばみられる副作用であり，パーキンソニズムの無動や精神病後抑うつとの鑑別が重要となる．その他に認知機能障害や強迫症状も抗精神病薬で惹起されることが知られている．

3. 悪性症候群

悪性症候群は高熱，EPS，自律神経症状（頻脈，発汗，高血圧など），意識障害を伴う副作用である．検査所見としては血清CKの上昇や白血球の増加，尿中ミオグロビンなどが認められる．悪性症候群による死亡率は10〜20%とされ，抗精神病薬によって生じる副作用の中で最も注意すべき症状である．治療としてはまず原因薬物の中止，全身管理を行う．薬物療法に関しては筋弛緩作用のあるダントロレンの投与，ドパミン作動薬であるブロモクリプチンの投与などが挙げられるが，後者は本邦において保険適応はない．

4. 自律神経症状

自律神経症状は低力価薬で出現しやすい．抗コリン性副作用として頻度の多い症状は口渇，鼻閉，かすみ目，便秘，麻痺性イレウス，尿閉などがあり，

抗ノルアドレナリン性副作用においては低血圧，たちくらみ，めまい，失神などが挙げられる．なお抗精神病薬投与中に昇圧目的でアドレナリンを投与すると，β受容体刺激作用が優位となり血圧低下が増強されるため併用禁忌となっている．

5. 心循環器系の症状

フェノチアジン系薬物がもつキニジン様作用は心筋細胞にあるカルシウムチャネル阻害によりQT延長をひき起こす．QT延長はTorsades de Point型心室頻拍を惹起し，心室細動に至ることによって突然死のリスクを高める．

6. 内分泌障害と代謝障害

抗精神病薬による内分泌障害として高プロラクチン血症が挙げられる．高プロラクチン血症は短期的には乳汁漏出，性機能障害（勃起障害，射精障害，月経異常）をひき起こし，長期的には骨代謝異常，乳癌や子宮体癌のリスクを上昇させる．また抗精神病薬の抗ヒスタミン作用や抗セロトニン作用は食欲を増進させるため体重増加をひき起こす．さらに作用機序は不明だが抗精神病薬はインスリン抵抗性を高め耐糖能異常を惹起する．特にオランザピンやクエチアピンは高血糖，糖尿病性ケトアシドーシスが報告され，糖尿病患者への投与が禁忌となっている．抗精神病薬を長期間投与されている患者が水中毒を起こすことがある．これは抗コリン作用による口渇が原因となることが多いが，ADH不適合分泌症候群（SIADH）を伴うこともある．

7. その他の副作用

ゾテピンやクロザピンなどの低力価薬によってけいれん発作や脳波異常が生じる．またフェノチアジン系薬物は肝障害をひき起こしやすい．血液・造血器官障害としてはクロザピンによる無顆粒球症がよく知られている．

■新規薬

1. **SDA**：2019年ブロナンセリンの貼付剤が本邦で発売された．Lurasidoneは本邦で統合失調症と双極性障害のうつ症状の改善を適応で発売予定である（2019年現在）．
2. **ドパミン受容体部分作動薬**：ブレクスピラゾールは統合失調症だけでなく，既存の抗うつ剤への上乗せ薬（add-on薬）として本邦で治験中である（2019年，Phase Ⅲ）．

【文献】
1) 樋口輝彦, 小山　司（監），神庭重信, 大森哲郎, 加藤忠史（編）：臨床精神薬理ハンドブック　第2版. 医学書院, 2009
2)「精神科治療学」編集委員会：精神科治療薬の副作用：予防・早期発見・治療ガイドライン. 星和書店, 2007
3) 樋口輝彦, 市川宏伸, 神庭重信 他（編）：今日の精神科治療指針. 医学書院, 2012

（鬼塚俊明・神庭重信）

| 抗精神病薬 | 非定型 | セロトニン・ドパミン拮抗薬 |

リスペリドン

risperidone

リスパダール［ヤンセン］錠 1mg, 2mg, 3mg, OD錠（口腔内崩壊錠）0.5mg, 1mg, 2mg, 細粒 1%, 内用液 1mg/mL（0.5mL, 1mL, 2mL, 3mL, 30mL, 100mL）/ ジェネリック多数あり

特徴・どんな薬剤か？

ドパミン D_2 受容体への高い親和性により，統合失調症をはじめせん妄等にも広く用いられ，ハロペリドールの後継となった薬剤．クロザピンやその類似薬に比して受容体選択性が高く，代謝障害や過鎮静をきたしにくいことが特徴とされるが，用量を上げるほど錐体外路症状が増えるため，「非定型性」を発揮するのは低用量に限られるとみる向きもある．

薬理作用

ドパミン D_2 受容体およびセロトニン $5-HT_{2A}$ 受容体を遮断するが，後者に対する親和性が前者よりも高いために，いわゆる非定型の特性，つまり錐体外路症状のリスクがより低い抗精神病効果をもつと考えられている．α_1 受容体の遮断は興奮や不眠を改善させると考えられている．

適応となる疾患・病態，どんなときに使うか？

統合失調症．小児期の自閉スペクトラム症に伴う易刺激性．

処方の実際，どのように使うか？

統合失調症：1回 1mg，1日 2回より始め，徐々に増量する．維持用量は通常 1日 2〜6mg を原則として 1日 2回に分けて経口投与する．年齢，症状により適宜増減する．1日用量は 12mg を超えないこと．

・小児期の自閉スペクトラム症に伴う易刺激性

体重 20kg 以上の患者：1日 1回 0.5mg より開始し，4日目より 1日 1mg を 2回に分けて投与する．症状により適宜増減するが，増量する場合は 1週間以上の間隔をあけて 0.5mg ずつ増量する（体重 15〜20kg の患者は上記の半分の量から開始し，調整する）．1日量の上限は体重 15〜20kg で 1mg，20〜45kg で 2.5mg，45kg 以上で 3mg．

禁忌，併用禁忌，注意すべき副作用，慎重投与など

禁忌：昏睡状態，中枢神経抑制薬の強い影響下，アドレナリン投与中（アナフィラキシーの救急治療に使用の場合は除く），本薬およびパリペリドンに対する過敏症の既往をもつ患者．

重大な副作用：悪性症候群，遅発性ジスキネジア，麻痺性イレウス，抗利尿ホルモン不適合分泌症候群，肝機能障害，黄疸，横紋筋融解症，不整脈，脳血管障害，高血糖，糖尿病性ケトアシドーシス，糖尿病性昏睡，低血糖，無顆粒球症，白血球減少，肺塞栓症，深部静脈血栓症，持続勃起症．

頻度の高い副作用：アカシジア，不眠症，振戦，便秘，易刺激性，傾眠，流涎過多，不安，倦怠感，筋固縮．その他，構音障害，ふらつき，嚥下障害，鼻閉，月経障害等．

併用注意：中枢神経抑制薬，ドパミン作動薬，降圧薬，アルコール，CYP2D6を阻害する薬剤，肝代謝酵素誘導作用を有する薬剤．

おもな類似薬との使い分け

ある程度の鎮静を伴う抗精神病効果を目指すケースはよい適応となる．代謝障害や体重増加のリスクも，非定型抗精神病薬の中では高いほうではない．錐体外路症状はある程度は出現するため，その苦痛が強いケースでは変更が必要となる．

服薬指導のポイント

過鎮静：起立性低血圧は特に高齢者で転倒の原因となりやすい．自動車の運転等危険を伴う機械の操作に従事させないよう注意する．

賦活：興奮，誇大性，敵意等の症状を悪化させ得るため，特に投与初期には十分に観察をする．

代謝障害：高血糖症状（口渇，多飲，多尿，頻尿等），低血糖症状（脱力感，倦怠感，冷汗，振戦，傾眠，意識障害等）に注意する．

《《《 専門医からのアドバイス 》》》

1958年にハロペリドールを開発したヤンセン社が，クロザピンの作用機序に関するセロトニン・ドパミン仮説をもとにして1984年に開発した薬剤．同社開発のピパンペロンがもとになっている．

（本村啓介）

| 抗精神病薬 | 非定型 | セロトニン・ドパミン拮抗薬 |

パリペリドン錠

paliperidone

インヴェガ［ヤンセン］錠 3mg, 6mg, 9mg

特徴・どんな薬剤か？

リスペリドンから活性代謝産物パリペリドンを抽出し，浸透圧による放出制御方式を採用して徐放薬にしたもの．リスペリドンに匹敵する効果を保ちながら，錐体外路症状や過鎮静は生じにくくなっており，副作用のためにリスペリドンが継続できなかったケースでパリペリドンが奏効することも経験されている．

薬理作用

ドパミン D_2 受容体およびセロトニン $5-HT_{2A}$ 受容体を遮断するが，後者に対する親和性が前者よりも高いために，いわゆる非定型の特性，つまり錐体外路症状のリスクがより低い抗精神病効果をもつと考えられている．リスペリドンとの最大の違いは $α_1$ 受容体の拮抗作用が弱いことであり，起立性低血圧や過鎮静を生じにくい反面，急性期の興奮に対する作用はより弱くなっている．

適応となる疾患・病態，どんなときに使うか？

統合失調症．

処方の実際，どのように使うか？

6mg を1日1回朝食後に経口投与する．年齢，症状により1日12mgを超えない範囲で適宜増減．増量は5日間以上の間隔をあけて1日用量として3mgずつ行うこと．

禁忌，併用禁忌，注意すべき副作用，慎重投与など

禁忌：昏睡状態，中枢神経抑制薬の強い影響下，アドレナリン投与中（アナフィラキシーの救急治療に使用の場合は除く），本薬およびリスペリドンに対する過敏症の既往，および中等度から重度の腎機能障害患者をもつ患者．

重大な副作用：悪性症候群，遅発性ジスキネジア，肝機能障害，黄疸，横紋筋融解症，不整脈，脳血管障害，高血糖，糖尿病性ケトアシドーシス，糖尿病性昏睡，低血糖，無顆粒球症，白血球減少，肺塞栓症，深部静脈血栓症，

持続勃起症.

　頻度の高い副作用：血中プロラクチン濃度上昇，原疾患の悪化，体重増加，錐体外路障害，便秘.

　併用注意：中枢神経抑制薬，ドパミン作動薬，降圧薬，アルコール，カルバマゼピン，バルプロ酸ナトリウム.

おもな類似薬との使い分け

　鎮静効果が弱い分，基本的には維持療法に適した薬剤であり，急性期症状にリスペリドンが奏効した後に切り替えるのが最もスムーズなパターンと考えられる．しかし副作用の出やすいケースでは急性期から選択肢に挙がるであろう．リスペリドンや他の薬剤で，錐体外路症状等のために十分に増量できなかったケースもよい適応となる．

服薬指導のポイント

　過鎮静：起立性低血圧は特に高齢者で転倒の原因となりやすい．自動車の運転等危険を伴う機械の操作に従事させないよう注意する．

　賦活：興奮，誇大性，敵意等の症状を悪化させ得るため，特に投与初期には十分に観察をする．

　代謝障害：高血糖症状（口渇，多飲，多尿，頻尿等），低血糖症状（脱力感，倦怠感，冷汗，振戦，傾眠，意識障害等）に注意する．

　用法：腸管内での滞留時間と作用が相関するため，朝食後に服用するのが基本である．

専門医からのアドバイス

　パリペリドンとは，リスペリドンの活性代謝産物 9-hydroxy-risperidone のことで，これを Alza 社が特許を有する Osmotic controlled-Release Oral delivery System を用いて商品化したものが本薬剤である．この方式はメチルフェニデートにも用いられており（商品名コンサータ），理想的にもみえる薬物動態が実現されているが，価格への影響も無視できないところである．2013年，持効性水懸筋注が市販されたが，当初死亡症例が多数報告された．慎重に使用するためには，経口剤の効果を評価済みの，安定した患者に使用を限定すべきである．

（本村啓介）

抗精神病薬 | 非定型 | セロトニン・ドパミン拮抗薬

ペロスピロン 塩酸塩
perospirone hydrochloride

ルーラン［大日本住友］錠 4mg, 8mg, 16mg／ペロスピロン塩酸塩「アメル」［共和］錠 4mg, 8mg, 16mg

特徴・どんな薬剤か？

抗不安薬ブスピロン，タンドスピロンと同様に，アサピロン系誘導体から合成された抗精神病薬．セロトニン・ドパミン拮抗薬の基本的なプロフィールをふまえながら，セロトニン 5-HT_{1A} 受容体への部分作動薬としての効果を併せもつことからか，独特の情動安定化効果をもつという印象を受ける．

薬理作用

ドパミン D_2 受容体およびセロトニン 5-HT_{2A} 受容体を遮断するが，後者に対する親和性が前者よりも高いために，いわゆる非定型の特性，つまり錐体外路症状のリスクがより低い抗精神病効果をもつと考えられている．a_1 受容体の遮断は興奮や不眠を改善させると考えられている．a_2 受容体の遮断は抗うつ効果をもたらすかもしれないが，先述の効果ほど明らかではない．（クロザピン，クエチアピン，アリピプラゾールと同様に）セロトニン 5-HT_{1A} 受容体に対して部分作動薬として作用することから，抗不安効果も示唆されている．

適応となる疾患・病態，どんなときに使うか？

統合失調症．

処方の実際，どのように使うか？

1回 4 mg，1日 3 回食後経口投与より始め，徐々に増量する．維持用量として 1 日 12〜48mg を 3 回に分けて食後経口投与する．年齢，症状により適宜増減する．1 日用量は 48mg を超えないこと．

禁忌，併用禁忌，注意すべき副作用，慎重投与など

禁忌：昏睡状態，中枢神経抑制薬の強い影響下，本薬に対する過敏症の既往，アドレナリン投与中の患者．

重大な副作用：悪性症候群，遅発性ジスキネジア，麻痺性イレウス，抗利尿ホルモン不適合分泌症候群，けいれん，横紋筋融解症，無顆粒球症，白血球減少，高血糖，糖尿病性ケトアシドーシス，糖尿病性昏睡，肺塞栓症，深

部静脈血栓症.

頻度の高い副作用:アカシジア,振戦,筋強剛,構音障害等の錐体外路症状,不眠,眠気等の精神神経症状,および血中プロラクチン濃度上昇,CK上昇,AST上昇,ALT上昇.

併用注意:中枢神経抑制薬,ドパミン作動薬,降圧薬,ドンペリドン,メトクロプラミド,アルコール,H_2受容体遮断薬,CYP3A4で代謝される薬剤およびその選択的阻害薬.

おもな類似薬との使い分け

セロトニン$5-HT_{1A}$受容体の部分作動薬としての作用を通じてか,興奮を和らげながら情動を賦活する薬剤という印象を受ける.不安,抑うつ,焦燥などが顕著であるが,耐糖能障害や過鎮静,体重増加のためにオランザピン,クエチアピンが使いづらいケースでは候補に挙がるであろう.しかし,鎮静効果の弱い他の非定型抗精神病薬と同様に,相性のよいケースと悪いケースとにわかれる印象も受ける.

服薬指導のポイント

過鎮静:自動車の運転等危険を伴う機械の操作に従事させないよう注意する.

賦活:興奮,非協調性,衝動性等の症状を悪化させ得るため,特に投与初期には十分に観察をする.

代謝障害:高血糖症状(口渇,多飲,多尿,頻尿等),低血糖症状(脱力感,倦怠感,冷汗,振戦,傾眠,意識障害等)に注意する.

《《《 専門医からのアドバイス 》》》

大日本住友製薬が同系統の抗不安薬タンドスピロンに続いて開発した抗精神病薬であるが,海外で市販されておらず,研究データが乏しいこともあり,この薬の位置づけは明確になったとは言い難い.しかし抗精神病薬をめぐっては,代謝障害をはじめとする副作用への関心が高まり続けているのが現状であり,代謝障害を生じにくくユニークな特性をもつ本剤のポテンシャルは,あらためて注目する価値があるかもしれない.

(本村啓介)

抗精神病薬 | **非定型** | **セロトニン・ドパミン拮抗薬**

ブロナンセリン
blonanserin

ロナセン［大日本住友］錠 2mg, 4mg, 8mg, 細粒 2％, テープ 20mg, 30mg, 40mg／ジェネリック多数あり

特徴・どんな薬剤か？

ドパミン D_2 受容体に高い親和性をもちながら，過鎮静や高プロラクチン血症などの副作用は生じにくいという薬剤である．錐体外路症状もリスペリドンと同等またはそれ以下にとどまっているとされる．

薬理作用

ドパミン D_2 受容体およびセロトニン $5-HT_{2A}$ 受容体を遮断するが，他のセロトニン・ドパミン拮抗薬とは異なり，後者への親和性は前者よりも低い．にもかかわらず，定型抗精神病薬に比べて錐体外路症状やプロラクチン血症をきたしにくい性質を有しているが，その機序は不明である．受容体選択性の高い薬剤であり，$α_1$ 受容体，ヒスタミン H_1 受容体，ムスカリン M_1 受容体への親和性は低く，このことが過鎮静や起立性低血圧などの副作用をきたしにくい性質に関連していると考えられている．（クロザピン，オランザピン，アリピプラゾールと同様に）ドパミン D_3 受容体への親和性を有しているが，その臨床的意義は不明である．

適応となる疾患・病態，どんなときに使うか？

統合失調症．

処方の実際，どのように使うか？

1回 4mg，1日2回朝夕食後経口投与より開始し，徐々に増量する．維持用量として1日 8〜16mg を2回に分けて食後経口投与する．年齢，症状により適宜増減する．1日用量は 24mg を超えないこと．

禁忌，併用禁忌，注意すべき副作用，慎重投与など

禁忌：昏睡状態，中枢神経抑制薬の強い影響下，アドレナリン投与中，CYP3A4 を強く阻害する薬剤を投与中（アゾール系抗真菌薬等），本薬に対する過敏症の既往をもつ患者．

重大な副作用：悪性症候群，遅発性ジスキネジア，麻痺性イレウス，抗利尿ホルモン不適合分泌症候群，横紋筋融解症，無顆粒球症，白血球減少，肺

塞栓症，深部静脈血栓症，肝機能障害，高血糖，糖尿病性ケトアシドーシス，糖尿病性昏睡．

頻度の高い副作用：振戦・運動緩慢・流涎過多等のパーキンソン症候群，アカシジア，不眠，血中プロラクチン濃度上昇，ジスキネジア，眠気，不安，焦燥感，易刺激性等．

併用注意：中枢神経抑制薬，アルコール，ドパミン作動薬，降圧薬，エリスロマイシン，グレープフルーツジュース，CYP3A4阻害作用を有する薬剤（クラリスロマイシン，シクロスポリン，ジルチアゼム等），CYP3A4誘導作用を有する薬剤．

おもな類似薬との使い分け

副作用をきたしにくいことが最大の特徴であり，他の薬剤が副作用のために増量できなかったり，アドヒアランスが不良となったりしたケースはよい適応となる．急性期から鎮静を要さないケースでは，初期から選択肢に挙がってくるであろう．

服薬指導のポイント

吸収：本剤の吸収は食事の影響を受けやすいので，食後に服用するよう指導する．

過鎮静：自動車の運転等危険を伴う機械の操作に従事させないよう注意する．

賦活：興奮，誇大性，敵意等の症状を悪化させ得るため，特に投与初期には十分に観察をする．

代謝障害：高血糖症状（口渇，多飲，多尿，頻尿等），低血糖症状（脱力感，倦怠感，冷汗，振戦，傾眠，意識障害等）に注意する．

専門医からのアドバイス

大日本住友製薬の研究所において，リスペリドンよりもさらに受容体選択性の高い化合物を目指す中で見いだされたものである．臨床研究上の知見は多いとはいえないものの，抗精神病薬をめぐってより多くの関心が副作用に向きつつある現状では，受容体選択性が高く代謝障害を起こしにくい本剤の特性は，今後より重視されていくかもしれない．

（本村啓介）

| 抗精神病薬 | 非定型 | セロトニン・ドパミン拮抗薬 |

アセナピン マレイン酸塩
Asenapine maleate

シクレスト ［Meiji Seika ファルマ］舌下錠 5mg, 10mg

特徴・どんな薬剤か？

後述の薬理作用の通り，幅広い神経伝達物質受容体に対する作用を有していることから，統合失調症患者における陽性症状および陰性症状のみならず，認知機能や随伴症状の不安やうつ等に対しても効果が期待される．そのうえ，体重増加や血中プロラクチンに対する影響が少ないといった安全性の観点でも特徴を有している．

薬理作用

in vitro においてドパミン D_2 受容体およびセロトニン $5\text{-}HT_{2A}$ 受容体への拮抗作用に加えて，他のセロトニン受容体（$5\text{-}HT_{1A}$, $5\text{-}HT_{1B}$, $5\text{-}HT_{2B}$, $5\text{-}HT_{2C}$, $5\text{-}HT_6$, $5\text{-}HT_7$），他のドパミン受容体（D_1, D_3），α アドレナリン受容体（α_1, α_2）およびヒスタミン受容体（H_1, H_2）の各サブタイプへの拮抗作用を有する．一方でムスカリン性アセチルコリン受容体に対する親和性は低い．また $5\text{-}HT_{1A}$ 受容体については *in vivo* では受容体を刺激する可能性が示唆されている．

適応となる疾患・病態，どんなときに使うか？

本邦での適応は統合失調症である．海外では双極Ⅰ型障害への適応で承認されている．

処方の実際，どのように使うか？

通常，成人にはアセナピンとして1回5mgを1日2回舌下投与から投与を開始する．なお，維持用量は1回5mgを1日2回，最高用量は1回10mgを1日2回までとする．年齢，症状に応じ適宜増減する．

禁忌，併用禁忌，注意すべき副作用・相互作用，慎重投与など

投与が禁忌となるのは昏睡状態の患者，中枢神経抑制剤の強い影響下にある患者，アドレナリンを投与中の患者，本剤の成分に対し過敏症の既往歴のある患者，重度の肝機能障害（Child-Pugh 分類 C）のある患者である．

併用禁忌の薬剤はアドレナリン（アナフィラキシー使用時は除く）である．

頻度にかかわらず重大な副作用としては，悪性症候群，遅発性ジスキネジア，肝機能障害，ショック，アナフィラキシー，舌腫脹，咽頭浮腫，高血糖，糖尿病性ケトアシドーシス，糖尿病性昏睡，低血糖，横紋筋融解症，無顆粒球症，白血球減少，肺塞栓症，深部静脈血栓症，けいれん，麻痺性イレウスの発生が報告されている．また比較的頻度の高い副作用はアカシジア，浮動性めまい，錐体外路障害，傾眠，口の感覚鈍麻，体重増加である．

併用注意となるのは中枢神経抑制剤，アルコール，降圧薬，抗コリン作用を有する薬剤，ドパミン作動薬，CYP1A2阻害作用を有する薬剤，パロキセチンである．

おもな類似薬との使い分け

アセナピン同様に幅広い神経伝達物質受容体に対し拮抗作用を有する非定形抗精神病薬であるオランザピンの経口製剤やクエチアピンは糖尿病の患者もしくは糖尿病の既往歴のある患者に対しては投与禁忌であるが，アセナピンは投与可能である．

服薬指導のポイント

舌下錠であり，患者によっては苦味やしびれ，辛味などの口腔内違和感が出現することがあること，バイオアベイラビリティが低下する可能性があるため，本剤の舌下投与後10分間は飲食を避けることが必要であることを十分に説明する．

《《《 専門医からのアドバイス 》》》

服薬指導にもある通り，現在舌下錠が本邦唯一の剤形であるため，患者によっては苦手さを感じる者がいる．しかし，体重増加や血中プロラクチンに対する影響が少ないといった長期の投与継続に有利な特徴を有しているため，アセナピンで治療を継続するためにはメリットとデメリットについて患者と十分に情報共有をしておくことが重要だと考えられる．

（平野昭吾）

| 抗精神病薬 | 非定型 | クロザピンとその類似薬 |

クロザピン

clozapine

クロザリル［ノバルティス］錠 25mg, 100mg

（＊ CPMS：クロザリル患者モニタリングサービス．添付文書では，CPMS に準拠した投与が義務付けられている．）

特徴・どんな薬剤か？

錐体外路症状を生じずに抗精神病効果をもつことから，非定型抗精神病薬のプロトタイプとなった薬剤．多数の重篤な副作用を生じ得るが，これを上回る効果をもつ薬剤がないことから，切り札としての地位を現在も維持．

薬理作用

ドパミン D_2 受容体およびセロトニン 5-HT_{2A} 受容体を遮断するが，後者に対する親和性が前者よりも高いために，いわゆる非定型の特性，つまり錐体外路症状のリスクがより低い抗精神病効果をもつと考えられている．しかしその他にも多くの受容体に親和性をもっており，作用機序ははるかに複雑であると思われる．ドパミン $D_{1,3,4}$ 受容体，セロトニン 5-$HT_{2C,3,6,7}$ 受容体，$α_1$ 受容体，$α_2$ 受容体，ヒスタミン H_1 受容体，ムスカリン $M_{1,3}$ 受容体などを遮断する他，セロトニン 5-HT_{1A} 受容体には部分作動薬として作用する．

適応となる疾患・病態，どんなときに使うか？

治療抵抗性統合失調症．米国では他に，統合失調症・統合失調感情障害患者の頻繁な自殺行動に対しても承認されている．

処方の実際，どのように使うか？

初日は 12.5mg（25mg 錠の半分），2 日目は 25mg を 1 日 1 回経口投与する．3 日目以降は症状に応じて 1 日 25mg ずつ増量し，原則 3 週間かけて 1 日 200mg まで増量するが，1 日用量が 50mg を超える場合には 2～3 回に分けて経口投与する．維持用量は 1 日 200～400mg を 2～3 回に分けて経口投与することとし，症状に応じて適宜増減する．1 回の増量は 4 日以上の間隔をあけ，増量幅としては 1 日 100mg を超えないこととし，最高用量は 1 日 600mg までとする．

禁忌，併用禁忌，注意すべき副作用，慎重投与など

禁忌：本薬の成分に対する過敏症の既往，CPMS＊登録前の検査で白血球数が 4,000/mm^3 未満または好中球数が 2,000/mm^3 未満，CPMS の規定を遵守できないこと，CPMS の血液検査の基準による本剤中止の既往，無顆粒

球症または重度の好中球減少症の既往,骨髄機能障害,骨髄抑制を起こす可能性のある治療中,持効性抗精神病薬投与中,重度のけいれん性疾患,アルコールまたは薬物による急性中毒・昏睡状態,循環虚脱状態,中枢神経抑制状態,重度の心疾患・腎機能障害・肝機能障害,麻痺性イレウス,アドレナリン作動薬投与中(アナフィラキシー使用時は除く)の患者.

原則禁忌:糖尿病またはその既往のある患者.

重大な副作用:無顆粒球症,白血球減少症,好中球減少症,心筋炎,心筋症,心膜炎,心嚢液貯留,胸膜炎,高血糖,糖尿病性ケトアシドーシス,糖尿病性昏睡,悪性症候群,てんかん発作,けいれん,ミオクローヌス発作,起立性低血圧,失神,循環虚脱,肺塞栓症・深部静脈血栓症,劇症肝炎,肝炎,胆汁うっ滞性黄疸,腸閉塞,麻痺性イレウス,腸潰瘍,腸管穿孔.

頻度の高い副作用:傾眠,悪心・嘔吐,流涎過多,便秘,頻脈,振戦,体重増加等.おもな臨床検査値異常は,白血球数増加,ALT 増加,白血球数減少,AST 増加,γ-GTP 増加,トリグリセリド増加,ALP 増加等.

併用注意:アルコール,モノアミン酸化酵素(MAO)阻害薬,中枢神経抑制薬,抗コリン作用を有する薬剤,降圧薬,呼吸抑制作用を有する薬剤,リチウム製剤,バルプロ酸ナトリウム,CYP3A4 を誘導する薬剤,CYP1A2 を誘導する薬剤,CYP1A2 を阻害する薬剤,CYP3A4 を阻害する薬剤,セルトラリン,パロキセチン.

おもな類似薬との使い分け

本剤は,他の抗精神病薬治療に抵抗性を示す統合失調症の患者(下記の反応性不良または耐容性不良の基準を満たす場合)にのみ投与する.[反応性不良の基準] 2種類以上の十分量の抗精神病薬を十分な期間(4週間以上,定型抗精神病薬については1年以上)投与しても反応がみられなかった患者(GAF 評点が41点以上に相当する状態になったことがない).[耐容性不良の基準] 非定型抗精神病薬のうち,2種類以上による単剤治療を試みたが,遅発性錐体外路症状等により十分に増量できず,十分な治療効果が得られなかった患者.

服薬指導のポイント

無顆粒球症:感染の徴候(発熱,咽頭痛等の感冒様症状)に注意する.

心疾患:安静時の持続性頻脈,動悸,不整脈,胸痛,原因不明の疲労,呼吸困難等に注意する.

代謝障害:口渇,多飲,多尿,頻尿等の症状の発現に注意する.

(本村啓介)

抗精神病薬 | 非定型 | クロザピンとその類似薬

オランザピン

olanzapine

ジプレキサ［イーライリリー］錠 2.5mg, 5mg, 10mg, ザイディス錠（口腔内崩壊錠）2.5mg, 5mg, 10mg, 細粒 1%, 注射液 10mg/ジェネリック多数あり

特徴・どんな薬剤か？

クロザピンに類似した化合物として開発され，急性期の統合失調症，躁病および双極性うつ病に対して，最も幅の広い効果を示す薬剤である．

薬理作用

ドパミン D_2 受容体およびセロトニン $5-HT_{2A}$ 受容体を遮断するが，後者に対する親和性が前者よりも高いために，いわゆる非定型の特性，つまり錐体外路症状のリスクがより低い抗精神病効果をもつと考えられている．クロザピンと同様に，他の多くの受容体にも親和性をもつ．

適応となる疾患・病態，どんなときに使うか？

統合失調症，および双極性障害（躁症状，うつ症状）．抗悪性腫瘍剤（シスプラチンなど）投与に伴う消化器症状（悪心・嘔吐）．

処方の実際，どのように使うか？

- 統合失調症：5〜10mg を 1 日 1 回経口投与により開始する．維持用量として 1 日 1 回 10mg 経口投与する．年齢，症状により適宜増減する．1 日用量は 20mg を超えないこと．
- 双極性障害における躁症状の改善：10mg を 1 日 1 回経口投与により開始する．年齢，症状により適宜増減する．1 日用量は 20mg を超えないこと．
- 双極性障害におけるうつ症状の改善：5mg を 1 日 1 回経口投与により開始し，その後 1 日 1 回 10mg に増量する．なお，いずれも就寝前に投与することとし，年齢，症状に応じ適宜増減するが，1 日用量は 20mg を超えないこと．
- 注射：1 回 10mg，筋注．効果不十分の場合は，前回投与から 2 時間以上あけて 1 回 10mg まで追加可．追加含め 1 日 2 回まで．
- 抗悪性腫瘍剤投与に伴う消化器症状：他の制吐剤との併用において，通常 5mg を 1 日 1 回投与する（10mg を超えないこと）．

禁忌，併用禁忌，注意すべき副作用，慎重投与など

禁忌：昏睡状態，中枢神経抑制薬の強い影響下，本薬の成分に対する過敏

症の既往，アドレナリン投与中，糖尿病もしくはその既往歴のある患者．

重大な副作用：高血糖，糖尿病性ケトアシドーシス，糖尿病性昏睡，低血糖，悪性症候群，肝機能障害，黄疸，けいれん，遅発性ジスキネジア，横紋筋融解症，麻痺性イレウス，無顆粒球症，白血球減少，肺塞栓症，深部静脈血栓症，薬剤性過敏症候群．

頻度の高い副作用：体重増加，傾眠，不眠，便秘，アカシジア，食欲亢進，トリグリセリド上昇，口渇，倦怠感，鎮静等．

併用注意：中枢神経抑制薬，アルコール，抗コリン作用を有する薬剤，ドパミン作動薬，L-ドパ製剤，フルボキサミン，シプロフロキサシン塩酸塩（CYP1A2阻害作用を有する），カルバマゼピン，オメプラゾール，リファンピシン，喫煙（CYP1A2を誘導する）．

おもな類似薬との使い分け

クロザピンに類似した受容体親和性プロフィールもあってか，強い鎮静効果をもっており，興奮や感情症状の顕著なケースは特によい適応となる．代謝障害や体重増加も起こしやすいため，ケースに合わせた選択が重要である．

服薬指導のポイント

代謝障害：高血糖症状（口渇，多飲，多尿，頻尿等），低血糖症状（脱力感，倦怠感，冷汗，振戦，傾眠，意識障害等）に注意する．体重増加の際には食事療法，運動療法などを指導する．

賦活：双極性うつ病に投与する場合，不安，焦燥，興奮，不眠，敵意，衝動性等が出現し得るため，投与初期には十分に観察をする．

過鎮静：高齢者は特に転倒しないよう注意が必要である．高所での作業や自動車の運転等危険を伴う機械の操作に従事させないよう注意する．

専門医からのアドバイス

クロザピンをもとに，無顆粒球症を生じない類似化合物として，イーライリリー社が1982年に開発した薬剤．統合失調症についてはCATIE studyで最も低い脱落率を示し，双極性障害では躁症状およびうつ症状ともに効果が認められる等，最も幅の広い効果が実証されてきた．反面，代謝障害や体重増加等の副作用も顕著であり，米国では訴訟が繰り返されていることについても知っておく必要がある．

(本村啓介)

| 抗精神病薬 | 非定型 | クロザピンとその類似薬 |

クエチアピン フマル酸塩
quetiapine fumarate

セロクエル［アステラス］錠 25mg, 100mg, 200mg, 細粒 50% / ビプレッソ［アステラス］徐放錠 50g, 150g/ ジェネリック多数あり

特徴・どんな薬剤か？

非定型抗精神病薬の中でもドパミン D_2 受容体への親和性は最低であるが，双極性うつ病には最も強いエビデンスがあり，気分安定化効果もみられることから，力価の高い抗精神病薬とはかなり異なる機序で奏効すると考えられる薬剤である．

薬理作用

他の非定型抗精神病薬と同様に，多くの受容体に親和性をもつものの，ドパミン D_2 受容体への親和性がかなり低いことが特徴的である．セロトニン 5-HT_{2A} 受容体，$α_1$ 受容体，$α_2$ 受容体，ヒスタミン H_1 受容体等を遮断し，セロトニン 5-HT_{1A} 受容体には部分作動薬として作用する．代謝産物として同定されたノルクエチアピンにはノルアドレナリン取り込み阻害作用があり，この薬剤の顕著な抗うつ効果と関連しているかもしれない．

適応となる疾患・病態，どんなときに使うか？

非徐放錠：統合失調症．
徐放錠：双極性障害のうつ症状．

処方の実際，どのように使うか？

統合失調症：1回 25mg，1日 2～3回より投与を開始し，患者の状態に応じて徐々に増量する．通常，1日投与量は 150～600mg とし，2～3回に分けて経口投与する．投与量は年齢・症状により適宜増減する．1日用量として 750mg を超えないこと．

双極性障害の抑うつ症状：1日1回 50mg より投与を開始し，2日以上の間隔をあけて 150mg へ増量する．その後，さらに2日以上の間隔をあけて 300mg に増量する（1日1回就寝前，食後2時間以上あけて投与）．

禁忌，併用禁忌，注意すべき副作用，慎重投与など

禁忌：昏睡状態，中枢神経抑制薬の強い影響下，アドレナリン投与中，本

薬の成分に対する過敏症の既往, 糖尿病もしくはその既往歴のある患者.

重大な副作用：高血糖, 糖尿病性ケトアシドーシス, 糖尿病性昏睡, 低血糖, 悪性症候群, 横紋筋融解症, けいれん, 無顆粒球症, 白血球減少, 肝機能障害, 黄疸, 麻痺性イレウス, 遅発性ジスキネジア, 肺塞栓症, 深部静脈血栓症, 中毒性表皮壊死融解症, 皮膚粘膜眼症候群.

頻度の高い副作用：不眠, 神経過敏, 傾眠, 倦怠感, 体重増加, 不安, 便秘, アカシジア, 構造障害など. 臨床検査値の異常変動は, 高血糖, ALT 上昇, CK 上昇, T4 減少, AST 上昇, 血中プロラクチン濃度上昇, LDH 上昇, 血中コレステロール増加, γ-GTP 上昇等.

併用注意：中枢神経抑制薬, アルコール, CYP3A4 誘導作用を有する薬剤, CYP3A4 阻害作用を有する薬剤（エリスロマイシン, イトラコナゾール等）.

おもな類似薬との使い分け

双極性うつ病に強い効果をもつことから, 統合失調症に用いる際にも, 抑うつや引きこもり傾向の目立つケースはよい適応になる. ドパミン D_2 受容体への親和性が低いことから, 錐体外路症状の出やすいケースにも用いやすい. 反面, 糖尿病には禁忌であり, またオランザピンと並んで体重増加や食欲亢進をきたしやすい.

服薬指導のポイント

代謝障害：高血糖症状（口渇, 多飲, 多尿, 頻尿等）, 低血糖症状（脱力感, 倦怠感, 冷汗, 振戦, 傾眠, 意識障害等）に注意する. 体重増加の際には食事療法, 運動療法等を行うよう指導する.

過鎮静：高齢者は特に転倒しないよう注意が必要である. 高所での作業あるいは自動車の運転等危険を伴う機械の操作に従事させないよう注意する.

専門医からのアドバイス

1980 年代初頭にゼネカ社（現アストラゼネカ）が, クロザピンの類似化合物から, 無顆粒球症や錐体外路症状を生じにくい薬剤として開発した. この薬剤はむしろ双極性うつ病の治療に新時代をもたらしたことが最大の特徴といえようが, 医療観察法病棟からは攻撃性の高いケースでクロザピンに準じる作用が報告されるなど, 病状や用量に応じて全く異なった効果をみせ, まさに非定型抗精神病薬の非定型性を体現する薬剤といえる.

（本村啓介）

| 抗精神病薬 | 非定型 | ドパミン受容体部分作動薬 |

アリピプラゾール

aripiprazole

エビリファイ［大塚］錠 1mg, 3mg, 6mg, 12mg, 口腔内崩壊（OD）錠 3mg, 6mg, 12mg, 24mg, 散 1% 内用液 1mg/mL（3mL, 6mL, 12mL）／ジェネリック多数あり

特徴・どんな薬剤か？

ドパミン D_2 受容体の部分作動薬として，受容体の単なる遮断ではなくドパミン系全体を安定させるという，抗精神病薬の理想形を目指した薬剤である．

薬理作用

ドパミン D_2 受容体の部分作動薬（partial agonist）として作用する．つまり，内在性のドパミンの濃度が高ければ拮抗薬に近づき，低ければ作動薬に近づくという性質をもっており，このために統合失調症の陽性症状と，陰性症状・認知機能をともに改善すると考えられている．セロトニン 5-HT_{2A} 受容体を遮断する一方，セロトニン 5-HT_{1A} 受容体には部分作動薬として作用する．$α_1$ 受容体，ヒスタミン H_1 受容体，ムスカリン M_1 受容体には作用しない．

適応となる疾患・病態，どんなときに使うか？

統合失調症，双極性障害（躁症状），うつ病・うつ状態（既存治療で十分な効果が認められない場合）．小児期自閉スペクトラム症に伴う易刺激性．

処方の実際，どのように使うか？

・統合失調症：1日 6〜12mg を開始用量，1日 6〜24mg を維持用量とし，1回または2回に分けて経口投与する．年齢，症状により適宜増減するが，1日用量は 30mg を超えないこと．
・双極性障害における躁症状の改善：12〜24mg を1日1回経口投与する．開始用量は 24mg とし，年齢，症状により適宜増減するが，1日用量は 30mg を超えないこと．
・うつ病・うつ状態：3mg より開始．増量幅は 3mg，1回量は 15mg を超えないこと．
・小児期の自閉スペクトラム症に伴う易刺激性：1日 1mg を開始用量．1日 1〜15mg を維持用量とし，1日1回経口投与する．症状により適宜増減するが，増量幅は最大 3mg，1日量は 15mg を超えないこと．

禁忌，併用禁忌，注意すべき副作用，慎重投与など

禁忌：昏睡状態，中枢神経抑制薬の強い影響下，アドレナリン投与中，本剤の成分に対し過敏症の既往歴のある患者．

重大な副作用：悪性症候群，遅発性ジスキネジア，麻痺性イレウス，アナフィラキシー様症状，横紋筋融解症，糖尿病性ケトアシドーシス，糖尿病性昏睡，低血糖，けいれん，無顆粒球症，白血球減少，肺塞栓症，深部静脈血栓症，肝機能障害．

頻度の高い副作用：不眠，神経過敏，アカシジア，振戦，不安，体重減少，筋強剛，傾眠，寡動，流涎，不眠，体重増加，悪心・嘔吐．

併用注意：中枢神経抑制薬，降圧薬，抗コリン作用を有する薬剤，ドパミン作動薬・L-ドパ製剤，アルコール，CYP2D6 阻害作用を有する薬剤，CYP3A4 阻害作用を有する薬剤，肝代謝酵素誘導作用を有する薬剤．

おもな類似薬との使い分け

急性の統合失調症や躁症状に対し，他の薬剤よりも錐体外路症状，過鎮静および代謝障害を生じにくい薬剤として選択され得る．高用量を用いることで適度な鎮静が得られるといわれているが，興奮の強いケースでは時に作用が不十分である．アカシジアが起きやすいケースでは変更したほうがよい．

服薬指導のポイント

過鎮静：自動車の運転等危険を伴う機械の操作に従事させない．
賦活：興奮，敵意，誇大性等の精神症状の悪化に注意する．
代謝障害：高血糖症状（口渇，多飲，多尿，頻尿，多食，脱力感等），低血糖症状（脱力感，倦怠感，冷汗，振戦，傾眠，意識障害等）に注意する．
内分泌：本剤への切り替えにより血中プロラクチン濃度が低下して月経が再開し，月経過多，貧血，子宮内膜症をきたすことがあるため注意する．

専門医からのアドバイス

大塚製薬は当初シナプス前ドパミン D_2 受容体を刺激する抗精神病薬を開発していたが，その過程でシナプス後の同受容体遮断も不可欠とわかり，両面の作用をもつ化合物として 1988 年に本剤を合成した．様々な精神症状に奏効し，錐体外路症状も代謝障害も生じにくいが，アカシジアや精神症状の増悪も稀でない．

(本村啓介)

| 抗精神病薬 | 非定型 | ドパミン受容体部分作動薬 |

ブレクスピプラゾール

brexpiprazole

レキサルティ［大塚］錠 1mg, 2mg

特徴・どんな薬剤か?

ドパミン D_2 受容体の部分作動薬(partial agonist)として,遮断ではなく,ドパミン系全体を安定させる.また,セロトニン 5-HT_{1A} および 5-HT_{2A} 受容体に対しても強く結合し,5-HT_{1A} 部分作動作用および 5-HT_{2A} アンタゴニスト作用を有する.

薬理作用

セロトニン 5-HT_{1A} 受容体およびドパミン D_2 受容体に対して部分アゴニスト作用を,セロトニン 5-HT_{2A} 受容体に対してアンタゴニスト作用を有する「セロトニン-ドパミン アクティビティ モデュレーター(SDAM)」である.内在性のドパミンの濃度が高ければアンタゴニストとして作用し,低ければアゴニストとして作用する性質を有し,統合失調症の陽性症状や陰性症状,認知機能をバランスよく改善すると考えられている.また,これらの作用により,錐体外路症状や高プロラクチン血症を生じさせにくいと考えられる.ヒスタミン H_1 受容体,ムスカリン M_1 受容体に対する親和性は低い.

適応となる疾患・病態,どんなときに使うか?

統合失調症.

処方の実際,どのように使うか?

・統合失調症:通常,成人にはブレクスピプラゾールとして1日 1mg から開始した後,4日以上の間隔をあけて増量し,1日1回 2mg を経口投与する.

禁忌,併用禁忌,注意すべき副作用,慎重投与など

①昏睡状態,②中枢神経抑制薬の強い影響下にある患者,③アドレナリンを投与中(救急治療時を除く),④本剤の成分に対し過敏症の既往歴のある患者に対しては禁忌である.重大な副作用として,悪性症候群,遅発性ジスキネジア,麻痺性イレウス,横紋筋融解症,高血糖,糖尿病性ケトアシドーシス,糖尿病性昏睡,けいれん,無顆粒球症,白血球減少,肺塞栓症,深部静脈血栓症がある.頻度の高い副作用は,アカシジア,高プロラクチン血症,

頭痛，不眠である．**慎重投与が必要な併用薬として**，中枢神経抑制薬，降圧薬，ドパミン作動薬，L-ドパ製剤，アルコール（飲酒）．CYP2D6 阻害作用を有する薬剤，強い CYP3A4 阻害作用を有する薬剤，肝代謝酵素誘導作用を有する薬剤，があげられる．

おもな類似薬との使い分け

優れた有効性と忍容性プロファイルをもち合わせた合理的な薬理作用を有する本剤は，急性および慢性期の統合失調症治療の第一選択薬になり得る．特に忍容性の面から，他の抗精神病薬よりも錐体外路症状，過鎮静および代謝障害を生じにくい薬剤として選択され得る．また，アリピプラゾールが有効だがアカシジアで中止せざるを得ない症例の置換にも向いている．

服薬指導のポイント

副作用は比較的少ないが，過鎮静や賦活，衝動制御障害，代謝性障害に留意する必要がある．本剤投与に伴う，有効性と忍容性，リスクとベネフィットを見極め，それらを患者に説明したうえで，共同意思決定により薬剤選択を行う必要性がある．

《《《 専門医からのアドバイス 》》》

本剤は，世界で2番目の D_2 受容体部分アゴニスト系の薬剤であり，アリピプラゾールよりも D_2 受容体への固有活性が低く，5-HT_{1A}, 5-HT_{2A} 受容体への作用を併せもつことで，アカシジアや不眠，焦燥感などの副作用が少ない．また，最近のメタ解析（Lancet 2019）でも，他の抗精神病薬に比べ，錐体外路症状や QTc 延長，体重増加，抗コリン作用などが有意に少ないことが示されている．海外では 4mg まで使用できるが，日本では原則 2mg が上限であるため，時に併用薬等の工夫も要す．急性期にも効くが，効果判定には 4 週間程度要し，辛抱強く待つことが必要である．

（平野羊嗣）

| 抗精神病薬 | 定型 高力価群 | ブチロフェノン誘導体 |

ハロペリドール

haloperidol

セレネース［大日本住友］錠 0.75mg, 1mg, 1.5mg, 3mg, 細粒 1%, 液剤 2mg/mL, 注 5mg/mL / ジェネリック多数あり

特徴・どんな薬剤か？

ブチロフェノン系第一世代抗精神病薬の代表的な薬剤であり，高力価抗精神病薬の代表的な薬剤でもある．低力価抗精神病薬と比較して，鎮静効果が弱く，抗幻覚妄想作用が強い反面，錐体外路系副作用発現頻度が高いという特徴をもつ．

薬理作用

中脳辺縁系におけるドパミン D_2 受容体遮断作用により，抗精神病作用を発揮すると考えられている．

適応となる疾患・病態，どんなときに使うか？

統合失調症における幻覚，妄想などの急性期陽性症状に加え，その維持療法，急性躁病エピソードが適応となる．また，しばしばせん妄に対しても使用されることがある．

処方の実際，どのように使うか？

・統合失調症の急性エピソードおよび急性躁病エピソード時
　セレネース錠（1mg）　1回1～2錠　1日3回　毎食後
・錐体外路系副作用出現時，以下を追加してもよい
　アキネトン錠（1mg）　1回1錠　1日3回　毎食後
・せん妄に対して
　セレネース錠（1mg）　1回1～3錠　1日1回　就寝前，もしくは不穏時頓用

禁忌，併用禁忌，注意すべき副作用，慎重投与など

昏睡状態，中枢神経抑制状態，重症心不全患者，パーキンソン病の患者，アドレナリン投与中の患者，妊婦には禁忌である．したがって，アドレナリンは併用禁忌である．バルビツール酸誘導体やアルコール等，中枢抑制作用を有する薬剤との併用は，作用が増強する可能性があるため注意が必

要である.また,本薬剤は,CYP3A4およびCYP2D6で代謝されるため,CYP3A4を誘導もしくは阻害する薬剤,およびCYP2D6を阻害する薬剤と併用する場合には,注意が必要である.**重篤な副作用として**,悪性症候群や横紋筋融解症,QT延長を含む心電図異常から致死性の不整脈の出現,麻痺性イレウス,抗利尿ホルモン不適合分泌症候群(SIADH),遅発性ジスキネジアを含む遅発性の錐体外路症状,無顆粒球症を含む造血異常,深部静脈血栓症および肺塞栓症,肝機能障害等がある.**出現しやすい副作用として**,パーキンソン症状,アカシジア,不眠,神経過敏,眠気,めまいがある.

おもな類似薬との使い分け

統合失調症や急性躁病エピソードに対しては,第二世代抗精神病薬が第一選択薬として用いられる場合が多くなっており,使用される機会が減少してきている.しかし,幻覚妄想等の急性期陽性症状に対する有効性は高く,第二世代抗精神病薬を副作用その他の理由で用いることが困難な場合に使用される.また,静脈内投与可能な抗精神病薬であり,コンサルテーション・リエゾンや身体合併症病棟では,経口摂取不可能な患者に対して用いられることが多い.

服薬指導のポイント

錐体外路系の副作用出現頻度が高いため,それらの出現が治療へのアドヒアランスを低下させる可能性がある.あらかじめ十分に詳細な情報を提供し,必要に応じて,薬剤性パーキンソン症候群に対する薬剤の投与を検討する.

≪≪ 専門医からのアドバイス ≫≫

クロルプロマジン塩酸塩が低力価第一世代抗精神病薬のプロトタイプであるならば,ハロペリドールは高力価第一世代抗精神病薬のプロトタイプとなる薬剤である.WHOのessential medicines listにも含まれており,その強力な抗幻覚妄想作用は,現在でも有用性は高いが,副作用の発現には十分に注意を払う必要がある.

(三浦智史)

| 抗精神病薬 | 定型 高力価群 | ブチロフェノン誘導体 |

スピペロン

spiperone

スピロピタン［サンノーバ，エーザイ］錠 0.25mg，1mg

特徴・どんな薬剤か？

ブチロフェノン系第一世代抗精神病薬であり，高力価抗精神病薬に分類される．ハロペリドールの誘導体である．フェノチアジン系抗精神病薬と比較して，口渇や便秘，眠気など抗コリン作用性の副作用出現頻度が少ない．ハロペリドールと比較するとやや鎮静作用が強いようである．

薬理作用

中脳辺縁系におけるドパミン D_2 受容体遮断作用により抗精神病作用を発揮すると考えられている．ハロペリドールと比較して，抗セロトニン 5-HT_{2A} 受容体遮断作用が強い．

適応となる疾患・病態，どんなときに使うか？

統合失調症における幻覚，妄想等の急性期陽性症状に加え，その維持療法が適応となる．

処方の実際，どのように使うか？

・統合失調症の急性エピソードおよびその維持療法として
　スピロピタン錠（1mg）　1回2〜4錠　1日2〜3回　食後
・錐体外路系副作用出現時，以下を追加してもよい
　アキネトン錠（1mg）　1回1錠　1日3回　毎食後

禁忌，併用禁忌，注意すべき副作用，慎重投与など

昏睡，中枢神経抑制状態，重症心不全患者，パーキンソン病の患者，アドレナリン投与中の患者には禁忌である．したがって，アドレナリンは併用禁忌である．妊婦および授乳婦への投与は禁忌とはなっていないが，投与しないことが望ましい．バルビツール酸誘導体やアルコール等，中枢抑制作用を有する薬剤と併用する場合は，作用が増強する可能性があるため注意が必要である．また，他のドパミン遮断作用を有する薬剤との併用は，副作用を増強する恐れがあるため注意が必要である．重篤な副作用として，悪性症候群や横紋筋融解症，QT 延長を含む心電図異常から致死性の不整脈の出現，抗

利尿ホルモン不適合分泌症候群（SIADH），無顆粒球症を含む造血異常，深部静脈血栓症および肺塞栓症がある．出現しやすい副作用として，錐体外路症状（アカシジア，ジスキネジア等），不眠，眠気，倦怠感，めまい，頭痛がある．

おもな類似薬との使い分け

統合失調症に対しては，第二世代抗精神病薬が第一選択薬として用いられる場合が多くなっており，使用される機会が減少してきている．

服薬指導のポイント

錐体外路系の副作用出現頻度が高いため，それらの出現が治療へのアドヒアランスを低下させる可能性がある．あらかじめ十分に詳細な情報を提供し，必要に応じて，薬剤性パーキンソン症候群に対する薬剤の投与を検討する．

《《《 専門医からのアドバイス 》》》

近年は統合失調症に対しては，積極的に選択される機会が減少している薬剤である．

（三浦智史）

抗精神病薬 | 定型 高力価群 | ブチロフェノン誘導体

チミペロン

timiperone

トロペロン［アルフレッサ］錠 0.5mg, 1mg, 3mg, 細粒 1%, 注 4mg/2mL/ **チミペロン「アメル」**［共和］錠 0.5mg, 1mg, 3mg, 細粒 1%

特徴・どんな薬剤か？

ブチロフェノン系第一世代抗精神病薬であり，高力価抗精神病薬に分類される．ハロペリドールの誘導体である．

薬理作用

中脳辺縁系におけるドパミン D_2 受容体遮断作用により抗精神病作用を発揮すると考えられている．ハロペリドールと比較して，ドパミン D_2 受容体遮断作用，セロトニン 5-HT_{2A} 受容体遮断作用ともに強い．

適応となる疾患・病態，どんなときに使うか？

統合失調症における幻覚，妄想等の急性期陽性症状に加え，その維持療法が適応となる．また，注射製剤もあるため，急性期症状において緊急を要する場合や経口投与が困難な場合にも用いられる．

処方の実際，どのように使うか？

- 統合失調症の急性エピソードおよびその維持療法として
  トロペロン錠（3mg）　1回1〜4錠　1日1〜3回　食後
- 錐体外路系副作用出現時，以下を追加してもよい
  アキネトン錠（1mg）　1回1錠　1日3回　毎食後
- 統合失調症の急性期もしくは躁病に対して
  トロペロン注（4mg）　1日1回もしくは2回　筋肉内または静脈内注射

禁忌，併用禁忌，注意すべき副作用，慎重投与など

昏睡，もしくはバルビツレート酸誘導体等，中枢抑制作用薬の強い影響下にある患者，重症心不全患者，パーキンソン病の患者，アドレナリン投与中の患者，妊婦には禁忌である．したがって，アドレナリンは併用禁忌である．また，けいれん性疾患をもつ患者では，けいれん閾値を低下させることがあるので，投与には注意が必要である．**重篤な副作用**として，悪性症候群や遅発性ジスキネジアを含む遅発性の錐体外路症状，無顆粒球症を含む造血

異常，深部静脈血栓症および肺塞栓症，腸管麻痺等がある．出現しやすい副作用として，錐体外路症状（アカシジア，パーキンソン症候群，ジスキネジア等），口渇，食欲不振，便秘，睡眠障害，不安・焦燥，眠気がある．

おもな類似薬との使い分け

統合失調症に対しては，第二世代抗精神病薬が第一選択薬として用いられる場合が多くなっており，使用される機会が減少してきている．ハロペリドールと比較して情動安定作用と鎮静催眠作用が強いといわれている．

服薬指導のポイント

錐体外路系の副作用出現頻度が高いため，それらの出現が治療へのアドヒアランスを低下させる可能性がある．あらかじめ十分に詳細な情報を提供し，必要に応じて，薬剤性パーキンソン症候群に対する薬剤の投与を検討する．

専門医からのアドバイス

近年は統合失調症に対して，積極的に選択される機会が減少している薬剤である．

（三浦智史）

| 抗精神病薬 | 定型 高力価群 | フェノチアジン誘導体 |

フルフェナジン マレイン酸
fluphenazine maleate

フルメジン ［田辺三菱, 吉富］糖衣錠 0.25mg, 0.5mg, 1mg, 散 0.2%

特徴・どんな薬剤か?
フェノチアジン系, 高力価, 第一世代抗精神病薬である. 強力な抗幻覚妄想作用が特徴である.

薬理作用
中脳辺縁系におけるドパミン D_2 受容体遮断作用により抗精神病作用を発揮すると考えられている. ドパミン D_2 受容体遮断作用は, ハロペリドールよりも弱く, クロルプロマジンよりも強い.

適応となる疾患・病態, どんなときに使うか?
統合失調症における幻覚, 妄想等の急性期陽性症状に加え, その維持療法が適応となる.

処方の実際, どのように使うか?
・統合失調症の急性エピソードおよびその維持療法として
  フルメジン錠1mg　1回1～3錠　1日1～3回　食後
・錐体外路系副作用出現時, 以下を追加してもよい
  アキネトン錠（1mg）　1回1錠　1日3回　毎食後

禁忌, 併用禁忌, 注意すべき副作用, 慎重投与など
昏睡, もしくはバルビツレート酸誘導体等, 中枢抑制作用薬の強い影響下にある患者, アドレナリン投与中の患者には禁忌である. したがって, アドレナリンは併用禁忌である. また, 脳炎, 脳腫瘍, 頭部外傷後遺症等, 皮質下部の脳障害がある患者では, 高熱反応が認められることがあるので, 原則禁忌となっている. さらに, 肝障害や血液障害, 褐色細胞腫, 心疾患の疑いのある患者, 重症喘息, 肺気腫等の呼吸器疾患, けいれん性疾患, 脱水や低栄養状態の患者, 高温環境にある患者, 幼児, 小児, 高齢者では慎重投与が望ましい. 重篤な副作用として, 悪性症候群や遅発性ジスキネジアを含む遅発性の錐体外路症状, 無顆粒球症を含む造血異常, 深部静脈血栓症および肺塞栓症, 腸管麻痺, 抗利尿ホルモン不適合分泌症候群等がある. また, 長期

大量投与により角膜・水晶体の混濁，角膜の色素沈着等，眼症状をきたすことがある．出現しやすい副作用として，血圧降下，頻脈，食欲不振，悪心・嘔吐，便秘，パーキンソン症候群，不眠，めまい，頭痛，過敏症状，口渇がある．

おもな類似薬との使い分け

統合失調症に対しては，第二世代抗精神病薬が第一選択薬として用いられる場合が多くなっており，使用される機会が減少してきている．抗幻覚妄想作用に優れ，鎮静作用は弱い．

服薬指導のポイント

錐体外路系の副作用出現頻度が高いため，それらの出現が治療へのアドヒアランスを低下させる可能性がある．あらかじめ十分に詳細な情報を提供し，必要に応じて，薬剤性パーキンソン症候群に対する薬剤の投与を検討する．

専門医からのアドバイス

近年は統合失調症に対しては，積極的に選択される機会が減少している薬剤である．

（三浦智史）

抗精神病薬　定型 高力価群　フェノチアジン誘導体

ペルフェナジン
perphenazine

ピーゼットシー ［田辺三菱, 吉富］ 糖衣錠 2mg, 4mg, 8mg, 散 1%, 注 2mg/mL

特徴・どんな薬剤か？

フェノチアジン系, 高力価, 第一世代抗精神病薬である.

薬理作用

中脳辺縁系におけるドパミン D_2 受容体遮断作用により抗精神病作用を発揮すると考えられている. フルフェナジンよりもドパミン D_2 受容体遮断作用は弱い.

適応となる疾患・病態, どんなときに使うか？

統合失調症における幻覚, 妄想等の急性期陽性症状に加え, その維持療法, および術前・術後の悪心・嘔吐, メニエール症候群のめまい・耳鳴が適応となる.

処方の実際, どのように使うか？

・統合失調症の急性エピソードおよびその維持療法として
　ピーゼットシー糖衣錠 (2mg) 　1回1〜4錠　1日1〜3回　食後
・錐体外路系副作用出現時, 以下を追加してもよい
　アキネトン錠 (1mg) 　1回1錠　1日3回　毎食後

禁忌, 併用禁忌, 注意すべき副作用, 慎重投与など

昏睡, もしくはバルビツレート酸誘導体等, 中枢抑制作用薬の強い影響下にある患者, アドレナリン投与中の患者には禁忌である. したがって, アドレナリンは併用禁忌である. また, 脳炎, 脳腫瘍, 頭部外傷後遺症等, 皮質下部の脳障害がある患者では, 高熱反応が認められることがあるので, 原則禁忌となっている. さらに, 肝障害や血液障害, 褐色細胞腫, 心疾患の疑いのある患者, 重症喘息, 肺気腫等の呼吸器疾患, けいれん性疾患, 脱水や低栄養状態の患者, 高温環境にある患者, 幼児, 小児, 高齢者では慎重投与が望ましい. 重篤な副作用として, 悪性症候群やQT延長を含む心電図異常から致死性の不整脈の出現, 遅発性ジスキネジアを含む遅発性の錐体外路症

状，無顆粒球症を含む造血異常，深部静脈血栓症および肺塞栓症，腸管麻痺等のほか，他のフェノチアジン系化合物でSLE様症状が現れることが報告されており注意が必要である．また，長期大量投与により角膜・水晶体の混濁，角膜の色素沈着等，眼症状をきたすことがある．

出現しやすい副作用として，血圧降下，頻脈，食欲不振・亢進，悪心・嘔吐，下痢，便秘，パーキンソン症候群，不眠，めまい，頭痛，過敏症状がある．

おもな類似薬との使い分け

統合失調症に対しては，第二世代抗精神病薬が第一選択薬として用いられる場合が多くなっており，使用される機会が減少してきている．

服薬指導のポイント

錐体外路系の副作用出現頻度が高いため，それらの出現が治療へのアドヒアランスを低下させる可能性がある．あらかじめ十分に詳細な情報を提供し，必要に応じて，薬剤性パーキンソン症候群に対する薬剤の投与を検討する．

《《《 専門医からのアドバイス 》》》

近年は統合失調症に対しては，積極的に選択される機会が減少している薬剤である．

(三浦智史)

| 抗精神病薬 | 定型 高力価群 | フェノチアジン誘導体 |

プロクロルペラジン

prochlorperazine

ノバミン［共和］錠 5mg, 注 5mg/1mL

特徴・どんな薬剤か?

フェノチアジン系, 高力価, 第一世代抗精神病薬である.

薬理作用

中脳辺縁系におけるドパミン D_2 受容体遮断作用により抗精神病作用を発揮すると考えられている.

適応となる疾患・病態, どんなときに使うか?

統合失調症における幻覚, 妄想等の急性期陽性症状に加え, その維持療法, および術前・術後の悪心・嘔吐に適応がある. 近年は, 緩和ケアにおいて, オピオイド製剤による悪心・嘔吐に対して用いられることが多い.

処方の実際, どのように使うか?

・統合失調症の急性エピソードおよびその維持療法として
　ノバミン錠（5mg）　1回1～3錠　1日1～3回　食後
・錐体外路系副作用出現時, 以下を追加してもよい
　アキネトン錠（1mg）　1回1錠　1日3回　毎食後
・オピオイド製剤による悪心・嘔吐に対して
　ノバミン錠（5mg）　1回1錠　1日3回　毎食後

禁忌, 併用禁忌, 注意すべき副作用, 慎重投与など

昏睡, 循環虚脱状態もしくはバルビツレート酸誘導体等, 中枢抑制作用薬の強い影響下にある患者, アドレナリン投与中の患者には禁忌である. したがって, アドレナリンは併用禁忌である. また, 脳炎, 脳腫瘍, 頭部外傷後遺症等, 皮質下部の脳障害がある患者では, 高熱反応が認められることがあるので, 原則禁忌となっている. さらに, 肝障害や血液障害, 褐色細胞腫, 心疾患の疑いのある患者, 重症喘息, 肺気腫等の呼吸器疾患, けいれん性疾患, 脱水や低栄養状態の患者, 高温環境にある患者, 幼児, 小児, 高齢者では慎重投与が望ましい. 重篤な副作用として, 悪性症候群やQT延長を含む

心電図異常から致死性の不整脈の出現，遅発性ジスキネジアを含む遅発性の錐体外路症状，無顆粒球症を含む造血異常，深部静脈血栓症および肺塞栓症，腸管麻痺，抗利尿ホルモン不適合分泌症候群等がある．そのほか，他のフェノチアジン系化合物でSLE様症状が現れることが報告されており注意が必要である．また，長期大量投与により角膜・水晶体の混濁，角膜の色素沈着等，眼症状をきたすことがある．

出現しやすい副作用として，過敏症状，パーキンソン症候群，血圧降下，頻脈，食欲亢進・不振，悪心・嘔吐，下痢，便秘，錯乱，不眠，めまい，頭痛，口渇，倦怠感がある．

おもな類似薬との使い分け

統合失調症に対しては，第二世代抗精神病薬が第一選択薬として用いられる場合が多くなっており，使用される機会が減少してきている．むしろ緩和ケアにおける制吐作用目的での使用が多い．

服薬指導のポイント

錐体外路系の副作用出現頻度が高いため，それらの出現が治療へのアドヒアランスを低下させる可能性がある．あらかじめ十分に詳細な情報を提供し，必要に応じて，薬剤性パーキンソン症候群に対する薬剤の投与を検討する．

《《《専門医からのアドバイス》》》

近年は統合失調症に対しては，積極的に選択される機会が減少している薬剤である．がん治療，緩和ケア領域での使用頻度が高い．

（三浦智史）

抗精神病薬　定型　高力価群　ベンザミド誘導体

ネモナプリド
nemonapride

エミレース［LTL］錠 3mg, 10mg

特徴・どんな薬剤か？
ベンザミド系，高力価，第一世代抗精神病薬である．

薬理作用
中脳辺縁系におけるドパミン D_2 受容体遮断作用により抗精神病作用を発揮すると考えられている．ハロペリドールと比較して，ドパミン D_2 受容体遮断作用は強く，セロトニン 5-HT_{2A} 受容体遮断作用は同等もしくは若干弱い．

適応となる疾患・病態，どんなときに使うか？
統合失調症における幻覚，妄想等の急性期陽性症状に加え，その維持療法に適応がある．抗幻覚妄想作用以外に，陰性症状に対しても有効性が認められるとされている．

処方の実際，どのように使うか？
・統合失調症の急性エピソードおよびその維持療法として
　エミレース錠（3mg）　1回1～4錠　1日1～3回　食後
・錐体外路系副作用出現時，以下を追加してもよい
　アキネトン錠（1mg）　1回1錠　1日3回　毎食後

禁忌，併用禁忌，注意すべき副作用，慎重投与など
昏睡，もしくはバルビツレート酸誘導体等，中枢抑制作用薬の強い影響下にある患者，パーキンソン病のある患者には禁忌である．また，肝障害や血液障害，心疾患，低血圧の疑いのある患者，けいれん性疾患，脱水や低栄養状態の患者，高齢者では慎重投与が望ましい．重篤な副作用として，悪性症候群や無顆粒球症を含む造血異常，深部静脈血栓症および肺塞栓症，肝機能障害等がある．併用禁忌はない．出現しやすい副作用として，錐体外路症状，便秘，嘔気，食欲不振，血圧低下，口渇，尿閉がある．

おもな類似薬との使い分け

統合失調症に対しては，第二世代抗精神病薬が第一選択薬として用いられる場合が多くなっており，使用される機会が減少してきている．第二世代抗精神病薬が出現する以前は，陰性症状への有効性を期待して使用されることが多かった．

服薬指導のポイント

錐体外路系の副作用出現頻度が高いため，それらの出現が治療へのアドヒアランスを低下させる可能性がある．あらかじめ十分に詳細な情報を提供し，必要に応じて，薬剤性パーキンソン症候群に対する薬剤の投与を検討する．

専門医からのアドバイス

近年は統合失調症に対しては，積極的に選択される機会が減少している薬剤である．

(三浦智史)

抗精神病薬 | 定型 低力価群 | フェノチアジン誘導体

クロルプロマジン 塩酸塩　chlorpromazine hydrochloride

ウインタミン［共和］細粒 10%（100mg/g）/ コントミン［田辺三菱, 吉富］糖衣錠 12.5mg, 25mg, 50mg, 100mg, 注 10mg/2mL, 20mg/5mL, 50mg/5mL

特徴・どんな薬剤か？

フェノチアジン系, 低力価, 第一世代抗精神病薬である. 最初に抗精神病作用が確認された化合物であり, 以後の抗精神病薬開発のプロトタイプになった薬剤である.

薬理作用

中脳辺縁系におけるドパミン D_2 受容体遮断作用により抗精神病作用を発揮すると考えられている. その他, セロトニン $5-HT_{2A}$ 受容体遮断作用, ヒスタミン H_1 遮断作用, $α_1$ 受容体遮断作用など, 各種受容体への幅広い活性をもっている. 抗幻覚妄想作用に加え比較的鎮静作用が強く, ハロペリドールと比較して錐体外路系副作用の発現頻度が低い. また, 肥満や代謝系の副作用発現に注意をする必要がある.

適応となる疾患・病態, どんなときに使うか？

統合失調症における幻覚, 妄想等の急性期陽性症状に加え, その維持療法, 躁病, 神経症における不安・緊張・抑うつ, 悪心・嘔吐, 吃逆, 破傷風に伴うけいれん, 麻酔前投薬, 人工冬眠, 催眠・鎮静・鎮痛薬の効力増強等, 幅広い適応を有している.

処方の実際, どのように使うか？

・統合失調症の急性エピソードおよびその維持療法として
　コントミン錠（25mg）　1回1～4錠　1日1～3回　食後
・錐体外路系副作用出現時, 以下を追加してもよい
　アキネトン錠（1mg）　1回1錠　1日3回　毎食後

禁忌, 併用禁忌, 注意すべき副作用, 慎重投与など

昏睡, もしくはバルビツレート酸誘導体等, 中枢抑制作用薬の強い影響下にある患者, アドレナリン投与中の患者には禁忌である. したがって, アドレナリンは併用禁忌である. また, 脳炎, 脳腫瘍, 頭部外傷後遺症等, 皮質

下部の脳障害がある患者では，高熱反応が認められることがあるので，原則禁忌となっている．さらに，肝障害や血液障害，褐色細胞腫，心疾患の疑いのある患者，重症喘息，肺気腫等の呼吸器疾患，けいれん性疾患，脱水や低栄養状態の患者，高温環境にある患者，幼児，小児，高齢者では慎重投与が望ましい．**重篤な副作用として**，悪性症候群や横紋筋融解症，QT 延長を含む心電図異常から致死性の不整脈の出現，遅発性ジスキネジアを含む遅発性の錐体外路症状，無顆粒球症を含む造血異常，深部静脈血栓症および肺塞栓症，肝機能障害，腸管麻痺，抗利尿ホルモン不適合分泌症候群，SLE 様症状，眼症状等がある．**出現しやすい副作用として**，血圧降下，頻脈，食欲不振・亢進，悪心・嘔吐，下痢，便秘，パーキンソン症候群，錯乱，不眠，めまい，頭痛，口渇，倦怠感，尿閉がある．

おもな類似薬との使い分け

統合失調症に対しては，第二世代抗精神病薬が第一選択薬として用いられる場合が多くなっており，使用される機会が減少してきている．神経症やうつ病における不安や緊張に対しては，鎮静効果を期待して比較的少量用いる．

服薬指導のポイント

高力価定型抗精神病薬と比較すると錐体外路系副作用出現頻度は低いが，ひとたび出現すると治療へのアドヒアランスに影響するために，事前に十分な説明を行い，場合によっては予防的に薬剤性パーキンソン症候群治療薬の併用を行う．また，鎮静作用についても，事前に十分な説明を行っておくことが望ましい．

《《《 専門医からのアドバイス 》》》

ハロペリドールとともに，WHO の essential medicines list にも含まれている．近年は積極的に選択される機会が減少している薬剤であるが，その幅広い適応症から現在でもなお有効に活用できる場面は多い．

(三浦智史)

| 抗精神病薬 | 定型 低力価群 | フェノチアジン誘導体 |

レボメプロマジン

levomepromazine

ヒルナミン［共和］錠 5mg, 25mg, 50mg, 散 50%, 細粒 10%, 注 25mg/1mL／レボトミン［田辺三菱, 吉富］錠 5mg, 25mg, 50mg, 散 10%, 50%, 顆粒 10%, 注 25mg/1mL

特徴・どんな薬剤か？

フェノチアジン系, 低力価, 第一世代抗精神病薬である. 抗幻覚妄想作用に加え, 強力な鎮静作用を有する薬剤である.

薬理作用

中脳辺縁系におけるドパミン D_2 受容体遮断作用により抗精神病作用を発揮すると考えられている. さらに, ヒスタミン H_1 遮断作用, クロルプロマジンより強力なセロトニン 5-HT_{2A} 受容体遮断作用, $α_1$ 受容体遮断作用をもっている. 抗力価抗精神病薬と比較すると, 錐体外路系副作用の発現頻度は少ない.

適応となる疾患・病態, どんなときに使うか？

統合失調症における幻覚, 妄想等の急性期陽性症状に加え, その維持療法, 躁病, うつ病における不安・緊張に適応を有している.

処方の実際, どのように使うか？

・統合失調症の急性エピソードおよびその維持療法として
　ヒルナミン錠（25mg）　1回1～3錠　1日1～3回　食後
・錐体外路系副作用出現時, 以下を追加してもよい
　アキネトン錠（1mg）　1回1錠　1日3回　毎食後

禁忌, 併用禁忌, 注意すべき副作用, 慎重投与など

昏睡, 循環虚脱状態もしくはバルビツレート酸誘導体等, 中枢制作用薬の強い影響下にある患者, アドレナリン投与中の患者には禁忌である. したがって, アドレナリンは併用禁忌である. また, 脳炎, 脳腫瘍, 頭部外傷後遺症等, 皮質下部の脳障害がある患者では, 高熱反応が認められることがあるので, 原則禁忌となっている. さらに, 肝障害や血液障害, 褐色細胞腫, 心疾患の疑いのある患者, 重症喘息, 肺気腫等の呼吸器疾患, けいれん性疾患, 脱水や低栄養状態の患者, 高温環境にある患者, 幼児, 小児, 高齢

者では慎重投与が望ましい．重篤な副作用として，悪性症候群や横紋筋融解症，QT延長を含む心電図異常から致死性の不整脈の出現，遅発性ジスキネジアを含む遅発性の錐体外路症状，無顆粒球症を含む造血異常，深部静脈血栓症および肺塞栓症，肝機能障害，腸管麻痺，抗利尿ホルモン不適合分泌症候群，SLE様症状，眼障害等がある．出現しやすい副作用として，過敏症状，血圧降下，頻脈，食欲亢進・不振，悪心・嘔吐，下痢，便秘，パーキンソン症候群，錯乱，不眠，口渇，倦怠感がある．

おもな類似薬との使い分け

統合失調症に対しては，第二世代抗精神病薬が第一選択薬として用いられる場合が多くなっており，使用される機会が減少してきている．うつ病における不安・緊張に対しては，鎮静効果を期待して比較的少量用いる．また，鎮静効果を利用して就寝前に追加することで睡眠状態の改善が期待できる場合がある．

服薬指導のポイント

強力な鎮静効果は場合によっては重篤な副作用につながり，治療へのアドヒアランスを低下させる可能性がある．あらかじめ十分に詳細な情報を提供し，特に高齢者に大量に使用する場合には注意が必要である．高力価定型抗精神病薬と比較すると錐体外路系副作用出現頻度は低いが，ひとたび出現すると治療へのアドヒアランスに影響するために，事前に十分な説明を行い，必要に応じて，薬剤性パーキンソン症候群治療薬の併用を行う．

《《《 専門医からのアドバイス 》》》

近年は統合失調症に対して，主剤として積極的に選択される機会が減少している薬剤であるが，鎮静・催眠効果を期待して併用薬として使用されることが多い．また，幅広い適応疾患を有しており，うつ病に伴う強い焦燥に用いることがある．

(三浦智史)

抗精神病薬 | 定型 低力価群 | ブチロフェノン誘導体

ピパンペロン 塩酸塩
pipamperone hydrochloride

プロピタン［サンノーバ，エーザイ］錠 50mg，散 10%

特徴・どんな薬剤か？

ブチロフェノン系，低力価，第一世代抗精神病薬である．抗幻覚妄想作用よりも，感情調節，陰性症状改善等に対する作用が強いことが特徴である．また，錐体外路系副作用を含め，比較的副作用出現頻度が低い薬剤である．

薬理作用

中脳辺縁系におけるドパミン D_2 受容体遮断作用により抗精神病作用を発揮すると考えられている．加えて，セロトニン $5-HT_{2A}$ 受容体遮断作用も有しており，それらの相対的な力価は，いわゆる第二世代抗精神病薬のそれに類似している．

適応となる疾患・病態，どんなときに使うか？

統合失調症における幻覚，妄想等の急性期陽性症状，および維持療法に適応を有している．

処方の実際，どのように使うか？

・統合失調症の急性エピソードおよびその維持療法として
　プロピタン錠（50mg）　1回1～4錠　1日3回　毎食後
・錐体外路系副作用出現時，以下を追加してもよい
　アキネトン錠（1mg）　1回1錠　1日3回　毎食後

禁忌，併用禁忌，注意すべき副作用，慎重投与など

昏睡，もしくはバルビツレート酸誘導体等，中枢抑制作用薬の強い影響下にある患者，重症心不全患者，パーキンソン病のある患者，アドレナリン投与中の患者には禁忌である．したがって，アドレナリンは併用禁忌である．さらに，肝障害や血液障害，心疾患，低血圧の疑いのある患者，けいれん性疾患，高齢者，小児，薬物過敏症では慎重投与が望ましい．重篤な副作用として，悪性症候群や QT 延長を含む心電図異常から致死性の不整脈の出現，遅発性ジスキネジアを含む遅発性の錐体外路症状，無顆粒球症を含む造血異

常，深部静脈血栓症および肺塞栓症，腸管麻痺，抗利尿ホルモン不適合分泌症候群等がある．出現しやすい副作用として，血圧降下，パーキンソン症候群，眼の調節障害，倦怠感，口渇がある．

おもな類似薬との使い分け

統合失調症に対しては，第二世代抗精神病薬が第一選択薬として用いられる場合が多くなっており，使用される機会が減少してきている．第一世代抗精神病薬の中では，比較的陰性症状に効果がある薬剤として用いられることが多かった．

服薬指導のポイント

高力価第一世代抗精神病薬と比較すると錐体外路系副作用出現頻度は低いが，ひとたび出現すると治療へのアドヒアランスに影響するために，事前に十分な説明を行い，必要に応じて，薬剤性パーキンソン症候群治療薬の併用を行う．

《《《 専門医からのアドバイス 》》》

近年は統合失調症に対する主剤として積極的に選択される機会が減少している薬剤である．

（三浦智史）

| 抗精神病薬 | 中間／異型群 | フェノチアジン誘導体 |

プロペリシアジン

propericiazine

ニューレプチル ［高田］ 錠 5mg, 10mg, 25mg, 細粒 10%, 内服液 1%

特徴・どんな薬剤か？

フェノチアジン（phenothiazine）誘導体のピペリジン側鎖群（piperidine）である．抗幻覚妄想，感情調整，抗攻撃性に優れている．鎮静作用，自律神経遮断作用が強いが，錐体外路症状は比較的少ない．

薬理作用

ドパミン D_2 受容体遮断作用に加えて，強いセロトニン 5-HT_{2A} 受容体遮断作用と強いノルアドレナリン $α_1$ 受容体遮断作用がある．ムスカリン性 Ach 受容体遮断作用およびヒスタミン H_1 受容体遮断作用は弱い．

適応となる疾患・病態，どんなときに使うか？

統合失調症．幻覚妄想状態以外には，感情の不安定性，攻撃性に対して使用されることがある．

処方の実際，どのように使うか？

1日 10〜60mg を分割経口投与する．なお，年齢，症状により適宜増減する．
液剤は，誤用（過量を飲み込む等）の危険を避けるため，原液のままは避け，1回の服用量を水，ジュースまたは汁物等に混ぜて，コップ一杯くらいに，必ず希釈して使用すること．
ニューレプチル錠（5mg）　1回1錠　1日3回　毎食後　7日分

禁忌，併用禁忌，注意すべき副作用，慎重投与など

禁忌：①昏睡状態，循環虚脱状態の患者．②バルビツール酸誘導体，麻酔剤等の中枢神経抑制剤の強い影響下にある患者．③アドレナリンを投与中の患者．④フェノチアジン系化合物およびその類似化合物に対し過敏症の患者．
原則禁忌：皮質下部の脳障害（脳炎，脳腫瘍，頭部外傷後遺症等）の疑いがある患者．
併用禁忌：アドレナリン（アドレナリンをアナフィラキシーの救急治療に使用する場合を除く）（商品名 ボスミン）．

慎重投与：①肝障害または血液障害のある患者．②褐色細胞腫，動脈硬化症あるいは心疾患の疑いのある患者．③重症喘息，肺気腫，呼吸器感染症等の患者．④てんかん等の痙攣性疾患またはこれらの既往歴のある患者．⑤幼児，小児．⑥高齢者．⑦高温環境にある患者．⑧脱水・栄養不良状態等を伴う身体的疲弊のある患者

重大な副作用：悪性症候群，突然死，再生不良性貧血，無顆粒球症，白血球減少，麻痺性イレウス，遅発性ジスキネジア，抗利尿ホルモン不適合分泌症候群（SIADH），眼障害，SLE様症状，肺塞栓症，深部静脈血栓症．

出現しやすい副作用：過敏症状，血圧降下，頻脈，食欲不振・亢進，悪心・嘔吐，下痢，便秘，パーキンソン症候群，持続勃起，錯乱，不眠，めまい，口渇，尿閉がある．．

おもな類似薬との使い分け

抗精神病薬の中では，感情の不安定性，攻撃性に対して使用することがある．

クロルプロマジンを100とした場合，等力価量は20となる．

服薬指導のポイント

眠気，注意力・集中力・反射運動能力等の低下が起こることがあるので，本剤投与中の患者には，自動車の運転等危険を伴う機械の操作に従事させないように注意する．

《《《 専門医からのアドバイス 》》》

急性の鎮静を期待したいが，抗ヒスタミン作用を避けたい場合（レストレスレッグス症候群等）には，選択肢としてよいだろう．

ノルアドレナリンα_1受容体遮断作用が強いため，起立性低血圧，ふらつき，過鎮静に注意して使用する．

（光安博志）

| 抗精神病薬 | 中間／異型群 | チエピン誘導体 |

ゾテピン
zotepine

セトウス［高田］錠25mg, 50mg, 100mg, 細粒10%, 50%／ロドピン［LTLファーマ］錠25mg, 50mg, 100mg, 細粒10%, 50%／ゾテピン「アメル」［共和］錠25mg, 50mg, 100mg, 細粒10%, 50%／ゾテピン「タカタ」［高田］錠25mg, 50mg, 100mg, 細粒10%, 50%／ゾテピン「ヨシトミ」［田辺三菱, 吉富］錠25mg, 50mg, 100mg, 細粒10%, 50%

特徴・どんな薬剤か？

チエピン（thiepin）誘導体．本邦で開発された．ドパミンD_2受容体遮断以外にも，セロトニン$5-HT_{2A}$受容体遮断およびノルアドレナリン$α_1$受容体遮断作用が強く，非定型抗精神病薬に分類される．強力な鎮静効果，抗躁効果をもつ．

薬理作用

D_2受容体遮断により，陽性症状を軽減する．D_3遮断作用と弱いD_4遮断作用も有する．$5-HT_{2A}$受容体遮断により，特定の脳部位でのドパミン遊離を増強し，それによって運動系の副作用を軽減し，認知や感情症状を改善する．強い$α_1$受容体遮断作用およびAch受容体遮断作用がある．半減期は約8時間．

適応となる疾患・病態，どんなときに使うか？

統合失調症．治療抵抗性の統合失調症に有効とされる．また，保険適用はないが躁病にも有効である．

処方の実際，どのように使うか？

ゾテピンを1日用量75～150mgを分割投与する．なお，年齢，症状により適宜増減して，1日450mgまで増量できる．

300mg/日の大量では，緊張，興奮，気分易変性，幻覚妄想に有効であり，100mg/日以下の少量では，賦活作用が認められる．

ロドピン錠（25mg）1回1錠　1日4回　毎食後と就寝前　7日分

禁忌，併用禁忌，注意すべき副作用，慎重投与など

てんかん発作危険性が投与量に応じて（特に300mg/日以上で）増大する．用量依存性のQTc延長がある．

禁忌：①昏睡状態，循環虚脱状態の患者．②バルビツール酸誘導体，麻酔剤等の中枢神経抑制剤の強い影響下にある患者．③アドレナリンを投与中の

患者（アドレナリンをアナフィラキシーの救急治療に使用する場合を除く）．④本剤の成分，フェノチアジン系化合物およびその類似化合物に対し過敏症の既往歴のある患者．

　原則禁忌：皮質下部の脳障害（脳炎，脳腫瘍，頭部外傷後遺症等）の疑いがある患者．

　併用禁忌：アドレナリン（アドレナリンをアナフィラキシーの救急治療に使用する場合を除く）（商品名 ボスミン）．

　慎重投与：①肝障害または血液障害のある患者．②褐色細胞腫，動脈硬化症あるいは心疾患の疑いのある患者．③重症喘息，肺気腫，呼吸器感染症等の患者．④てんかん等の痙攣性疾患またはこれらの既往歴のある患者および過去にロボトミーや電撃療法を受けた患者．⑤高齢者．⑥高温環境にある患者．⑦脱水・栄養不良状態等を伴う身体的疲弊のある患者．

　併用注意：中枢神経抑制薬（バルビツール酸誘導体，麻酔薬等），降圧薬，抗コリン作用を有する薬剤（抗コリン性抗パーキンソン薬，三環系抗うつ薬等），メトクロプラミド，ドンペリドン，ドパミン作動薬(L-ドパ等)，アルコール．

　副作用：おもな副作用は眠気，脱力・倦怠感，不眠，口渇，便秘，めまい等．

　重大な副作用：悪性症候群，心電図異常，麻痺性イレウス，けいれん発作，無顆粒球症，白血球減少，肺塞栓症，深部静脈血栓症．

おもな類似薬との使い分け

鎮静作用が強く，抗躁効果もあるため，興奮，躁状態に選択される．
クロルプロマジンを 100 とした場合，等力価量は 66 となる．

服薬指導のポイント

高用量では，けいれん発作誘発の危険があることを患者と家族に説明しておく．
　眠気，注意力・集中力・反射運動能力等の低下が起こることがあるので，本剤投与中の患者には自動車の運転等危険を伴う機械の操作に従事させないよう注意する．

専門医からのアドバイス

抗躁作用，鎮静作用を要する患者に選択する．高用量での，てんかん発作および，用量依存性の QTc 延長の副作用に注意する．

（光安博志）

抗精神病薬　中間　異型群　イミノジベンジル誘導体

クロカプラミン 塩酸塩　clocapramine hydrochloride

クロフェクトン［田辺三菱, 吉富］錠 10mg, 25mg, 50mg, 顆粒 10%

特徴・どんな薬剤か？

統合失調症の情動面および行動面に対する賦活効果を目標に本邦で開発された。イミノジベンジル（iminodibenzyl）誘導体の薬物であり、三環系抗うつ薬のイミプラミン（imipramine）に構造は類似している。

薬理作用

ドパミン D_2 受容体遮断作用とともに、セロトニン $5-HT_{2A}$ 受容体遮断作用があり、ともに力価が強い。やや強いノルアドレナリン a_1 受容体遮断作用がある。半減期は約46時間。

適応となる疾患・病態，どんなときに使うか？

統合失調症。幻覚，妄想，抑うつ気分，不安，感情鈍麻，疎通性障害，意欲減退を標的症状とする。大量の使用では鎮静作用がみられる。

処方の実際，どのように使うか？

1日用量クロカプラミン塩酸塩水和物として 30～150mg を3回に分けて経口投与する。なお，症状，年齢に応じて適宜増減する。最大投与量に関しては 800mg/日の報告もある。

抗うつ作用や精神運動賦活作用を目的とする場合は，30～60mg/日の少量が用いられる。抗精神病作用，情動安定作用，鎮静作用を目的とする場合は，300mg/日前後の大量が必要である。

クロフェクトン錠（10mg）1回1錠　1日3回　毎食後　7日分

禁忌，併用禁忌，注意すべき副作用，慎重投与など

禁忌：①昏睡状態，循環虚脱状態の患者。②バルビツール酸誘導体，麻酔剤等の中枢神経抑制剤の強い影響下にある患者。③アドレナリンを投与中の患者（アドレナリンをアナフィラキシーの救急治療に使用する場合を除く）。④本剤の成分またはイミノジベンジル系化合物およびその類似化合物に対し過敏症の患者。

併用禁忌：アドレナリン（アドレナリンをアナフィラキシーの救急治療に

使用する場合を除く）（商品名 ボスミン）．

慎重投与：①心・血管疾患，低血圧，またはそれらの疑いのある患者．②肝障害のある患者．③血液障害のある患者．④てんかん等のけいれん性疾患，またはこれらの既往歴のある患者．⑤甲状腺機能亢進状態にある患者．⑥高齢者．⑦小児．⑧薬物過敏症の患者．⑨脱水・栄養不良状態等を伴う身体的疲弊のある患者．

併用注意：中枢神経抑制薬（バルビツール酸誘導体・麻酔薬等），アルコール，ドンペリドン，メトクロプラミド，リチウム，ドパミン作動薬（L-ドパ製剤，ブロモクリプチンメシル酸塩）．

重大な副作用：悪性症候群，無顆粒球症，白血球減少，遅発性ジスキネジア，麻痺性イレウス，抗利尿ホルモン不適合分泌症候群（SIADH），肺塞栓症，深部静脈血栓症．

その他の副作用：頻脈，胸内苦悶感等の心障害，血圧降下，血液障害，肝障害，パーキンソン症候群，ジスキネジア，ジストニア，アカシジア，不眠，幻覚の顕在化・妄想の顕在化，衝動性増悪，焦燥感，不穏，不安・興奮，眠気，めまい，頭痛・頭重，言語障害，立ちくらみ，食欲不振，悪心・嘔吐，便秘，胃部不快感，腹部膨満感，体重増加，乳汁分泌，性欲亢進，月経異常，発疹，掻痒感，複視，PBI上昇，倦怠感，口渇，発汗，乏尿．

おもな類似薬との使い分け

カルピプラミンと類似しているが，抗精神病効果が強化されているといわれている．カルピプラミンと比べて病的体験の活発化は少ないとされる．第二世代抗精神病薬が登場して以降は，本薬剤を積極的に使用することは少ない．

クロルプロマジンを100とした場合，等力価量は40となる．

服薬指導のポイント

眠気，注意力・集中力・反射運動能力等の低下が起こることがあるので，本剤投与中の患者には自動車の運転等危険を伴う機械の操作に従事させないように注意する．

《《《専門医からのアドバイス》》》

病的体験が活発化した場合は中止して他剤へ変更する．陰性症状の改善は5週間まで待って評価する．近年は，統合失調症の治療で積極的に選択されることは少ない．

（光安博志）

抗精神病薬 | 中間／異型群 | イミノジベンジル誘導体

モサプラミン 塩酸塩　mosapramine hydrochloride

クレミン［田辺三菱，吉富］錠 10mg，25mg，50mg，顆粒 10％

特徴・どんな薬剤か？

抗精神病薬の立体構造の研究から本邦で開発されたイミノジベンジル（iminodibenzyl）誘導体の薬物であり，三環系抗うつ薬のイミプラミン（imipramine）に構造は類似している．

薬理作用

強いドパミン D_2 受容体遮断作用（ハロペリドールの4倍）と強いセロトニン 5-HT_{2A} 受容体遮断作用がある（ハロペリドールの20倍）．ノルアドレナリン $α_1$ 受容体遮断作用は弱い．強いヒスタミン H_1 受容体遮断作用がある．半減期は約15時間．

適応となる疾患・病態，どんなときに使うか？

統合失調症．幻覚，妄想，自発性減退等を標的症状とする．大量の使用では鎮静作用がみられる．

処方の実際，どのように使うか？

1日用量は，モサプラミン塩酸塩として，30〜150mgを3回に分けて経口投与する．なお，年齢，症状により適宜増減するが，最大300mgまで使用可能．
クレミン錠（10mg）　1回1錠　1日3回　毎食後　7日分

禁忌，併用禁忌，注意すべき副作用，慎重投与など

禁忌：①昏睡状態，循環虚脱状態の患者．②バルビツール酸誘導体，麻酔剤等の中枢神経抑制剤の強い影響下にある患者．③アドレナリンを投与中の患者．④パーキンソン病の患者．⑤本剤の成分またはイミノジベンジル系化合物に対し過敏症の患者．⑥妊婦または妊娠している可能性のある婦人．

併用禁忌：アドレナリン（アドレナリンをアナフィラキシーの救急治療に使用する場合を除く）（商品名 ボスミン）．

慎重投与：①肝障害のある患者．②心・血管疾患，低血圧，またはそれらの疑いのある患者．③血液障害のある患者．④てんかん等のけいれん性疾患，またはこれらの既往歴のある患者．⑤甲状腺機能亢進状態にある患者．⑥高

齢者，⑦小児，⑧薬物過敏症の患者，⑨脱水・栄養不良状態等を伴う身体的疲弊のある患者．

併用注意：中枢神経抑制薬（バルビツール酸誘導体・麻酔薬等），アルコール（飲酒），ドンペリドン，メトクロプラミド，リチウム，ドパミン作動薬（L-ドパ製剤，ブロモクリプチンメシル酸塩）．

重大な副作用：悪性症候群，無顆粒球症，白血球減少，遅発性ジスキネジア，肺塞栓症，深部静脈血栓症．

その他の副作用：胸内苦悶感，心悸亢進，低血圧，心電図変化（QT 間隔延長，T 波変化等），顔面潮紅，眠気，睡眠障害，めまい・ふらつき，知覚異常，運動失調，性欲異常，焦燥感，頭痛・頭重，不安，幻覚の顕在化・妄想の顕在化，けいれん，過鎮静，意識障害，易刺激，肝機能異常，パーキンソン症候群，アカシジア，ジスキネジア，ジストニア，眼調節障害，掻痒感，発疹，便秘，口渇，食欲不振，悪心・嘔吐，食欲亢進，月経異常，乳汁分泌，女性化乳房，貧血（赤血球減少，ヘモグロビン減少，ヘマトクリット値低下），白血球減少，血小板減少，CK 上昇，尿閉，尿失禁，排尿障害，発汗，発熱，鼻閉，顔面浮腫，脱力倦怠感．

おもな類似薬との使い分け

クロカプラミン（1～5週間）と比べると，効果発現まで時間がかかる（1～6ヵ月）．第二世代抗精神病薬が登場して以降は，本薬剤を積極的に使用することは少ない．

クロルプロマジンを 100 とした場合，等力価量は 33 となる．

服薬指導のポイント

眠気，注意力・集中力・反射運動能力等の低下が起こることがあるので，本剤投与中の患者には自動車の運転等危険を伴う機械の操作に従事させないように注意する．

《《《 専門医からのアドバイス 》》》

鎮静作用は弱いため，精神運動興奮や攻撃性がみられず，陰性症状が主体となっている統合失調症患者に使用する．近年は，統合失調症の治療で積極的に選択されることは少ない．

（光安博志）

| 抗精神病薬 | 中間/異型群 | ブチロフェノン誘導体 |

ブロムペリドール

bromperidol

インプロメン［田辺三菱］錠 1mg, 3mg, 6mg, 細粒 1%

特徴・どんな薬剤か？

ハロペリドールと同等の抗幻覚妄想作用をもち，長時間作用し，鎮静作用が少ない．

薬理作用

ブチロフェノン誘導体の抗精神病薬．ムスカリン受容体遮断作用があり，$α_1$ 受容体遮断作用は弱い．抗幻覚妄想作用はハロペリドールと同等である．健康成人にブロムペリドール 3 mg を経口投与した場合，血中濃度は 4～6 時間後に最高に達する．血中濃度の半減期は 20.2～31.0 時間であった．

適応となる疾患・病態，どんなときに使うか？

ブロムペリドールは，1974 年に開発されたブチロフェノン系抗精神薬剤で，ハロペリドールと非常に類似した性質を有し，統合失調症の幻覚，妄想に対して優れた効果を有する．二重盲検比較試験によって統合失調症に対する本剤の有用性が確認されている．

ハロペリドールよりも効果発現が速く，効果も持続的で，1 日 1 回投与が可能となった．一方，鎮静作用はハロペリドールより弱く，慢性例に対しては若干の賦活効果が期待できる．錐体外路症状も比較的軽度となった．

適正投与量の決定・副作用発現の回避等の指標として，ブロムペリドール血中濃度モニタリングが有用である．

処方の実際，どのように使うか？

・統合失調症
 3～18mg を 1 日 1～2 回分服し，1 日 36mg まで増量可能
・認知症患者のせん妄や問題行動
 1mg 前後を就寝前に投与（保険適用外）

禁忌，併用禁忌，注意すべき副作用，慎重投与など

昏睡，中枢神経抑制状態，重症心不全，パーキンソン病，妊婦には禁忌である．アドレナリン（アドレナリンをアナフィラキシーの救急治療に使用する場合を除く）（商品名ボスミン）は併用禁忌である．循環器系・錐体外路系・内分泌系への副作用に注意する．

出現しやすい副作用として，錐体外路症状，眠気，脱力，倦怠感がある．重大な副作用として，悪性症候群，無顆粒球症，白血球減少，遅発性ジスキネジア，麻痺性イレウス，横紋筋融解症，抗利尿ホルモン不適合分泌症候群（SIADH），肺塞栓症，深部静脈血栓症がある．

おもな類似薬との使い分け

効果・副作用ともに同系統のハロペリドールより若干マイルドであり，症状の程度や副作用のリスク因子に応じて使い分ける．1日1回の服用であるため，内服に抵抗のある患者に対し治療効果が得やすい．興奮の強い場合は，鎮静効果が少ないため，鎮静効果の強い抗精神病薬（フェノチアジン系など）と併用することもある．

服薬指導のポイント

高齢者にはふらつきなどの副作用についてよく説明しておく．

専門医からのアドバイス

錐体外路症状や鎮静作用が少ないので，外来患者高齢者にも使いやすい．

（中尾智博・猪狩圭介）

抗精神病薬 | 中間／異型群 | ブチロフェノン誘導体

ピモジド
pimozide

オーラップ［アステラス］錠 1mg, 3mg, 細粒 1%

特徴・どんな薬剤か？

ブチロフェノン類似のブチルピペリジン誘導体であり，抗ドパミン作用はハロペリドールとともに抗精神病薬の中では最も強い．鎮静作用は比較的弱い．QT 延長等の副作用に注意が必要．

薬理作用

強いドパミン D_2 受容体遮断作用とカルシウムチャネルアンタゴニスト作用を有し，抗ドパミン作用はクロルプロマジンよりも強く，ハロペリドールと同等もしくはやや強い脳内移行性に優れ，内服後 6 〜 8 時間で最高血中濃度に達する．血中半減期が約 50 時間と作用時間も長く，統合失調症の長期維持療法に適している．

適応となる疾患・病態，どんなときに使うか？

低用量では統合失調症の陰性症状（無為，無欲，自発性の減退，自閉等）に対する賦活効果が期待でき，中〜高用量では陽性症状（幻覚・妄想等）の改善が期待できる．

小児の自閉症に伴う情動，意欲，対人関係等にみられる異常行動，睡眠，食事，排泄，言語等にみられる病的症状，常同症等に対して改善が期待できる．

皮膚科領域で，皮膚の異常感覚を伴う寄生虫妄想や，腎疾患・肝疾患に合併する皮膚掻痒感に対して低用量（2mg/日以下）で用いられることもある（保険適用外）．これはピモジドのオピオイド系への作用によるものと考えられている．

欧米ではトゥレット障害の運動および音声チックの抑制に対してハロペリドール等とともに用いられることがある．

処方の実際，どのように使うか？

・統合失調症

1 日 1 回 1 〜 3mg から投与開始し，症状に応じ 1 日 4 〜 6mg に漸増し効果をみる．維持用量は 6mg 以下であるが，1 日用量 9mg まで増量可能．必要に応じ 2 〜 3 回分割で投与する．

・小児の自閉症

1日1回0.05mg/kg/日から投与開始し，1日用量6mgまで増量可能．場合により1日2回に分割投与．安定した状態が得られた場合，適当な休薬期間を設け，その後の投薬継続の可否を決める．臨床的には，4.5mg/日以上のピモジドを漫然と投与しつづけることはあまり意味がなく，有害である．

禁忌，併用禁忌，注意すべき副作用，慎重投与など

①先天性QT延長症候群の既往，家族歴，不整脈またはその既往歴．②QT延長を起こしやすい薬剤投与中．③CYP3A4阻害薬（HIVプロテアーゼ阻害薬，アゾール系抗真菌薬，クラリスロマイシン，エリスロマイシン）パロキセチン，フルボキサミン，エスシタロプラム投与中．④昏睡状態またはバルビツール酸誘導体，麻酔薬等の中枢神経抑制薬の強い影響下．⑤内因性うつ病・パーキンソン病．⑥本剤の成分に過敏症の既往歴．これらの患者には禁忌である．

おもな類似薬との使い分け

非定型抗精神病薬が出現するまでは，賦活系の薬物は極めて限られていて，オーラップはその限られた薬物の1つであった．非定型抗精神病薬の登場により，本薬剤が使用されることも少なくなった．

服薬指導のポイント

グレープフルーツジュースではCYP3A4による薬物代謝が阻害され，本剤の血中濃度が上昇し，重篤な副作用（QT延長，心室性不整脈）が生じやすくなるので，同時服用しないよう指導する．

《《《 専門医からのアドバイス 》》》

先天性QT延長患者に不整脈・心電図異常をひき起こす可能性があり禁忌である．大量投与例において，治療中原因不明の突然死の報告があり，投与量に注意が必要である．小児の自閉症の場合，てんかんを合併していることも少なくない．その場合は抗けいれん薬等を併用し，観察を十分に行うこと．

（中尾智博・猪狩圭介）

| 抗精神病薬 | 中間/異型群 | インドール系薬物 |

オキシペルチン

oxypertine

ホーリット［アルフレッサ］錠 20mg, 40mg, 散 10%

特徴・どんな薬剤か？

脳内アミン類似の構造を有するインドール誘導体であり中枢神経系の抗ドパミン作用を有する抗精神病薬．統合失調症の自発性減退，疎通性減退，感情鈍麻等が強い患者において精神賦活効果を発揮する．

薬理作用

クロルプロマジンと作用スペクトラムは類似している．脳内アミン作動性神経終末に直接作用して再取り込みを阻害し，ノルアドレナリンを強力に枯渇させ，またノルアドレナリンほどではないが，ドパミン，セロトニンも低下させる．シナプス後膜のドパミン受容体の働きを遮断することも認められている．

適応となる疾患・病態，どんなときに使うか？

少量では統合失調症の自発性減退，疎通性減退，感情鈍麻などが前景に出ている症例に精神賦活効果を発揮し，また大量投与（240〜300mg）で，精神運動，衝動性に対して鎮静効果が認められている．錐体外路症状は少ない．コリン系やGABAに対する影響はない．保険適用外であるが，認知症患者の夜間せん妄や不眠に対して用いることもある．

処方の実際，どのように使うか？

1回20mgを1日2〜3回投与し，漸次増量して，維持用量として1回40〜80mgを1日2〜3回投与する．場合により1回100mgを1日3回投与する．年齢に応じて，適宜増減する．

禁忌，併用禁忌，注意すべき副作用，慎重投与など

重大な副作用として，悪性症候群，麻痺性イレウス，無顆粒球症，白血球減少，肺塞栓症，深部静脈血栓症等を惹起する可能性がある．併用禁忌はない．出現しやすい副作用として，錐体外路症状，起立性低血圧，不安・焦燥，食欲不振，倦怠感，不眠，肝機能障害，血圧降下または上昇，心悸亢進，肝機能障害等が生じ得る．MAO阻害薬とは相互に作用増強し，中枢神経系の

興奮および心悸亢進，血圧上昇等を生じ得る．時に陽性症状を賦活する．

おもな類似薬との使い分け

錐体外路症状が少なく，高齢等，副作用リスクの高い患者でも比較的使いやすい．抗精神病薬によって遅発性ジスキネジアやジストニアが生じた場合に本薬剤に変更する方法もある．

服薬指導のポイント

服用に際しては，必ず医師の指示に従い，勝手な減量や中止はしないことが重要である．患者が相談しやすいような普段からの関係づくりが必要であろう．

専門医からのアドバイス

眠気，注意力・集中力・反射運動能力等の低下が現れることがあるので，本剤投与中の患者には自動車の運転等危険を伴う機械の操作に従事させないよう注意すること．また，肺塞栓症，静脈血栓症等の血栓塞栓症が報告されているので，長期臥床，肥満，脱水状態等の危険因子を有する患者に投与する場合には注意すること．

(中尾智博・猪狩圭介)

| 抗精神病薬 | 中間/異型群 | ベンザミド誘導体 |

スルピリド

sulpiride

ドグマチール［アステラス］錠 50mg，100mg，200mg，カプセル 50mg，細粒 10%，50%，注 50mg/2mL/A，100mg/2mL/A／アビリット［大日本住友］錠 50mg，100mg，200mg／スルピリド［武田テバ］錠 50mg，100mg，200mg，カプセル 50mg，細粒 10%，50%／スルピリド「サワイ」［沢井］錠 50mg，100mg，200mg／ミラドール［バイエル］錠 50mg，100mg，200mg，カプセル 50mg，細粒 10%，50%

特徴・どんな薬剤か？

少量で抗うつ効果があり，大量で抗精神病効果がみられる．旧来の抗精神病薬に比べると錐体外路症状が少ないが，高プロラクチン血症の頻度が高い．

薬理作用

選択的ドパミン D_2 受容体遮断作用により，精神病の陽性症状を改善する．血液脳関門の通過性が低いため，漏斗下垂体経路に移行しやすく高 PRL 血症をきたしやすい．

適応となる疾患・病態，どんなときに使うか？

統合失調症の他，うつ状態・神経症性障害・消化性潰瘍等に幅広く用いられる．統合失調症の治療で第一選択薬となることは少なく，用いる場合は高用量でなければ効果が期待できない．

フェノチアジン系やブチロフェノン系薬物よりは効果発現が速い．過鎮静は少なく，慢性期統合失調症患者においては賦活作用を示す．

低用量では抗うつ効果があるが，その再発予防効果は三環系抗うつ薬に劣る．軽症のうつ病や老年期のうつ状態に使いやすい．効果発現は SSRI よりも速く制吐作用があるため，SSRI に併用される場合もある．

処方の実際，どのように使うか？

・内服：統合失調症

1 日 300 〜 600mg（2 〜 3 回分服）より開始し，1 日 1,200mg まで増量可能
うつ病・うつ状態
少量より開始し，1 日 150 〜 300mg（2 〜 3 回分服）で維持し，1 日 600mg まで増量可能

- 注射：統合失調症

    1回100〜200mg筋注する．1日600mgまで増量可能

禁忌，併用禁忌，注意すべき副作用，慎重投与など

　プロラクチン分泌性の下垂体腫瘍の患者，褐色細胞腫の疑いのある患者に対しては禁忌である．併用禁忌はない．出現しやすい副作用については，錐体外路症状・鎮静作用は少ないが，比較的少量であっても高プロラクチン血症を起こしやすく，特に若い女性では乳漏症・無月経・肥満がみられやすい．また高齢者では数ヵ月以上の連用によって，遅発性ジスキネジアを生じ得る．重大な副作用として，悪性症候群，けいれん，QT延長，心室頻拍，無顆粒球症，白血球減少，肝機能障害，黄疸，遅発性ジスキネジア，肺塞栓症，深部静脈血栓症がある．

おもな類似薬との使い分け

　統合失調症の治療で第一選択薬となることは少ない．効果不十分であれば，他の非定型抗精神病薬を試みるべきである．鎮静作用が少ないので，急性期の興奮状態には用いるべきでない．

服薬指導のポイント

　特に女性には投与開始前に月経異常・乳汁漏が起こり得ることを伝えておくべきである．急な服薬中断は反跳性の精神症状の悪化をひき起こす可能性があることも伝える．

　消化器疾患があって他科の診療を受けている患者では，本剤をすでに投与されている場合があるので注意が必要である．

《《《 専門医からのアドバイス 》》》

　統合失調症よりもうつ病患者に用いられることが多く，食欲不振，消化器症状のある軽症例において特に効果的かもしれない．乳漏症・無月経・肥満等の副作用のため，若年女性には使いにくいが，中高年層の軽症のうつ病や，心気的傾向の強い患者に有効な印象がある．

（中尾智博・猪狩圭介）

抗精神病薬 | 中間/異型群 | ベンザミド誘導体

スルトプリド 塩酸塩
sultopride hydrochloride

バルネチール［共和］錠 50mg, 100mg, 200mg, 細粒 50%／スルトプリド「アメル」［共和］細粒 50%, 錠 50mg, 100mg, 200mg／スルトプリド「ヨシトミ」［田辺三菱］錠 50mg, 100mg, 200mg,

特徴・どんな薬剤か？

スルピリド類似の化学構造をもつベンザミド系抗精神病薬で，他の抗精神病薬と異なり，ドパミン D_1 受容体遮断作用を欠き，より選択的なドパミン D_2 受容体遮断作用をもつ．

薬理作用

ベンザミド誘導体で抗アポモルヒネ作用，抗メタンフェタミン作用，抗ドパミン作用を示す．血中半減期の短い抗精神病薬で，低力価であるが，錐体外路症状が多く，自律神経症状が少ない．

成人に経口投与後の吸収は速く，最高血中濃度到達は約 1.5 時間後，消失半減期は約 4 時間．72 時間で約 90% が未変化体として尿中に排泄される．

適応となる疾患・病態，どんなときに使うか？

躁病および統合失調症の興奮・易刺激性および幻覚・妄想状態に有効．特に躁状態ならびに精神運動興奮に対する鎮静作用の発現は速やかである．躁病患者の急性期には炭酸リチウムとの併用にて，十分な鎮静効果が得られる．特に妄想を認める症例には効果的である．躁状態が改善した後は，統合失調症と異なり，漸減・中止していく．

処方の実際，どのように使うか？

・躁病統合失調症の興奮および幻覚・妄想状態に対し
  1 日 300 ～ 600mg　2 ～ 3 回分服．1 日 1,800mg まで増量可

禁忌，併用禁忌，注意すべき副作用，慎重投与など

①本剤の成分に過敏症の既往歴，②プロラクチン分泌性下垂体腫瘍の患者，③昏睡状態，④バルビツール酸誘導体等の中枢神経抑制薬の強い影響下，⑤重症心不全，⑥パーキンソン病，⑦脳障害．

以上の患者には禁忌である．

QT延長を起こすことが知られている薬剤（イミプラミン，ピモジド等）は併用禁忌である．

重大な副作用として悪性症候群，遅発性ジスキネジア，麻痺性イレウス，けいれん，QT延長，心室頻拍，無顆粒球症，白血球減少，肺塞栓症，深部静脈血栓症があり，その他のおもな副作用としては，錐体外路症状やアカシジア，眠気等がある．

おもな類似薬との使い分け

スルピリドと同じベンザミド系抗精神病薬であるが，スルピリドと異なり強力な鎮静作用があり，興奮の強い症例に適している．

服薬指導のポイント

服用に際しては，必ず医師の指示に従い，勝手な減量や中止はしないことが重要である．患者が相談しやすいような普段からの関係作りが必要であろう．

⋘ 専門医からのアドバイス ⋙

眠気，注意力・集中力・反射運動能力等の低下が現れることがあるので，本剤投与中の患者には自動車の運転等危険を伴う機械の操作に従事させないよう注意すること．

（中尾智博・猪狩圭介）

| 抗精神病薬 | 持効性製剤 |

ハロペリドール デカン酸エステル haloperidol decanoate

ハロマンス［ヤンセン，大日本製薬］注 50mg/mL，100mg/mL
ネオペリドール［ヤンセン，ジョンソン・エンド・ジョンソン］注 50mg/mL，100mg/mL

特徴・どんな薬か？

ブチロフェノン系の持続性抗精神病薬であり，1回の投与で効果は約4週間持続する．

薬理作用

ハロペリドールデカン酸エステルは，それ自体では薬理活性を示さず，筋肉内投与後に加水分解を受けてハロペリドールに変換された結果，薬理作用をもたらす．ハロペリドールは中枢神経系におけるドパミン作動性，およびノルアドレナリン作動性神経等に対する抑制作用によって効果を発現する．

適応となる疾患・病態，どんなときに使うか？

適応となる疾患は，統合失調症である．定型または非定型抗精神病薬を至適用量投与するものの，服用遵守できない場合にその使用が検討される．

処方の実際，どのように使うか？

・薬品名：ハロマンス，あるいはネオペリドール注 50mg（50mg/mL）または 100mg（100mg/mL）
・投与量：1回あたり 50〜150mg を筋肉内投与する．初回投与量は，1日あたりの経口ハロペリドール量の 10〜15 倍を目安とする．
・投与方法：4週間ごとに筋肉内注射を行う．
・処方例：ハロマンス，あるいはネオペリドール注 100mg　1回1本，4週間に1回の頻度で臀部に筋肉内注射（左右交互）．

禁忌，併用禁忌，注意すべき副作用，慎重投与など

以下の状態に該当する患者への投与は禁忌である．①昏睡状態の患者．②バルビツール酸誘導体等の中枢神経抑制薬の強い影響下にある患者．③重症の心不全の患者．④パーキンソン病の患者．⑤本剤の成分またはブチロフェノン系化合物に対し過敏症の患者．⑥アドレナリン，またはクロザピンを投与中の患者．⑦妊婦または妊娠の可能性のある患者．また，肝障害，循環器

疾患，けいれん性疾患，てんかん，甲状腺機能亢進症，薬物過敏症，脱水・栄養不良状態等を伴う身体的疲弊，高温環境下およびQT延長を起こしやすい患者や高齢者に対しては，慎重に投与する必要がある．

本剤による副作用は，経口ハロペリドール製剤に準ずる．特に注意すべき副作用として，悪性症候群，錐体外路症状，アカシジア，呼吸抑制，および遅発性ジスキネジア，心室細動，心室頻拍，麻痺性イレウス，抗利尿ホルモン不適合分泌症候群（SIADH），無顆粒球症，白血球減少，血小板減少，横紋筋融解症，肺塞栓症，深部静脈血栓症，肝機能障害等が挙げられる．

薬物相互作用の面では，中枢神経抑制薬，抗コリン作用や抗ドパミン作用を有する薬剤，リチウム等との併用は，各薬剤の効果を増強させるおそれがある．

おもな類似薬との使い分け

精神運動興奮，妄想等の陽性症状に対しては，フルフェナジンデカン酸エステルと比べると本剤のほうが使用される頻度が高い．一方，本剤は，リスペリドン持続性懸濁注射液と比べて副作用の面で劣るが，効果の持続期間が長いうえ，薬価も安価である．

服薬指導のポイント

4週に1度の定期注射が必要であることを繰り返し伝えて，理解と遵守を促す．

《《《 専門医からのアドバイス 》》》

本剤は1回の投与で臨床効果が4週間持続するため，統合失調症患者の維持療法に有用である．しかし，本剤は持続性製剤であることから，投与の是非は，患者の病状，既往歴，過去の抗精神病薬への反応等に基づいて判断すべきであり，安易に使用できる薬剤ではない．また，本剤を直ちに体外へ排除する方法がないため，本剤の副作用や相互作用だけでなく，有害作用発現時の処置などについても十分留意する必要がある．

（小原知之）

抗精神病薬　持効性製剤

フルフェナジン デカン酸エステル fluphenazine decanoate

フルデカシン ［田辺三菱］ 注 25mg/mL

特徴・どんな薬か？

フェノチアジン系の持続性抗精神病薬であり，1回の投与で効果は約4週間持続する．

薬理作用

フルフェナジンデカン酸エステルは筋肉内投与後，緩徐に血中へ移行し，フルフェナジンに変換されて薬理作用を発現する．その作用機序については諸説があり，完全には明らかにされていないが，中枢神経系におけるドパミン作動性，およびノルアドレナリン作動性神経等に対する抑制作用という考えが主流である．

適応となる疾患・病態，どんなときに使うか？

適応となる疾患は，統合失調症である．定型または非定型抗精神病薬を至適用量投与するものの，服用遵守できない場合にその使用が検討される．

処方の実際，どのように使うか？

・薬品名：フルデカシン注25mg（25mg/mL）
・投与量：1回あたり12.5〜75mgを投与する．投与量は経口フルフェナジンの1日用量を約5倍した値を目安とする．
・投与方法：4週間間隔で筋肉内注射を行う．
・処方例：フルデカシン注25mg　1回2本，4週間に1回の頻度で臀部に筋肉内注射（左右交互）．

禁忌，併用禁忌，注意すべき副作用，慎重投与など

以下の状態に該当する患者への投与は禁忌である．①昏睡状態の患者．②バルビツール酸誘導体・麻酔薬等の中枢神経抑制薬の強い影響下にある患者．③重症の心不全患者．④パーキンソン病の患者．⑤フェノチアジン系化合物およびその類似化合物に対し過敏症の既往がある患者．⑥アドレナリン，またはクロザピン投与中の患者．⑦妊婦または妊娠の可能性のある患者．⑧

クロザピンを投与中あるいは投与を検討されている患者，皮質下部の脳障害（脳炎，脳腫瘍，頭部外傷後遺症等）の疑いがある患者は原則禁忌である．また，肝臓，腎臓，循環器，および呼吸器疾患を有する患者や高齢者への投与は慎重に行う必要がある．

本剤による副作用は，経口フルフェナジン製剤の副作用と同様である．なかでも注意すべき副作用として，悪性症候群，錐体外路症状，アカシジア，呼吸抑制，および遅発性ジスキネジア，無顆粒球症，白血球減少，抗利尿ホルモン不適合分泌症候群（SIADH），麻痺性イレウス，肺塞栓症，深部静脈血栓症，不眠，倦怠感等が挙げられる．

薬物相互作用の面では，中枢神経抑制薬，降圧薬，抗コリン作用を有する薬剤，リチウム等の併用は，各薬剤の効果を増強させるおそれがある．

おもな類似薬との使い分け

本剤はハロペリドールデカン酸エステルやリスペリドン持続性懸濁注射液と比べて鎮静作用が強い．一方，リスペリドン持続性懸濁注射液と比べると，本剤は副作用の面で劣るものの，効果の持続期間が長いうえ，薬価も安価である．

服薬指導のポイント

4週に1度の定期注射が必要であることを繰り返し伝えて，理解と遵守を促す．

《《《 専門医からのアドバイス 》》》

本剤は1回の投与で臨床効果が4週間持続するため，統合失調症患者の維持療法に有用である．しかし，本剤は持続性製剤であることから，投与の是非は，患者の既往歴，病状，過去の抗精神病薬への反応等に基づいて判断すべきであり，安易に使用できる薬剤ではない．また，本剤を直ちに体外へ排除する方法がないため，本剤の副作用や相互作用だけでなく，有害作用発現時の処置等にも十分留意する必要がある．

（小原知之）

| 抗精神病薬 | 持効性製剤 |

リスペリドン持効性懸濁注射液　risperidone

リスパダール コンスタ［ヤンセン］筋注用 25mg, 37.5mg, 50mg

特徴・どんな薬剤か？

リスペリドンの徐放性製剤として開発された世界で最初の非定型抗精神病薬の持効性注射剤である．リスペリドンを，生体内分解性ポリマーを用いてマイクロスフェア（数μm 程度の球状粒子）としており，2週に1回の筋肉内注射で投与する．

薬理作用

筋肉内投与後，約3週間経過後からマイクロスフェアからリスペリドンが緩徐に放出される．おもにリスペリドンによるドパミン D_2 受容体拮抗作用およびセロトニン 5-HT_2 受容体拮抗作用に基づく中枢神経系の調節により，抗精神病作用を発揮する．単回投与では4～6週間後が血漿中薬物濃度のピークであり，8週間で生体内からほぼ排泄される．2週間隔の投与で血中濃度を維持することが可能である．

適応となる疾患・病態，どんなときに使うか？

適応は統合失調症のみである．本剤は，持効性注射剤という特殊な投与経路をもち，また薬剤が確実に体内に入るため，安定した血中濃度が維持でき，ひいては病状の安定につながることが期待できる．リスペリドンが奏功することがわかっているものの，服薬が乱れるなどして再発を繰り返してしまう患者などには，選択肢となり得る．

処方の実際，どのように使うか？

通常，成人には1回25mgを2週間隔で臀部筋肉内に投与する．導入に際しては，事前に経口リスペリドン製剤に忍容性があることを確認しておかねばならない．なお，初回量は25mgとし，増量が必要な場合は，少なくとも同一用量で4週間以上投与した後に，原則として12.5mgずつ増量すること．最大用量は50mgである．一般に，リスペリドン 2mg/日とリスパダールコンスタ 25mg/2週間が等価であることを参考に用量を検討する．

本剤は，投与3週間後より血中濃度が上昇するため，臨床効果もそれから現れることから，初回投与後3週間は経口抗精神病薬を併用する．

禁忌，併用禁忌，注意すべき副作用，慎重投与など

リスペリドンの項目を参照のこと．本製剤のみ頻度の高い副作用として，注射部位疼痛．また，単剤使用が原則であるクロザピンとは併用できない．アナフィラキシーが認められた場合は投与を中止する（過去に経口リスペリドンで忍容性が確認されている場合でも，アナフィラキシーを起こした症例の報告がある）．

重要な注意事項：本剤は直ちに薬物を体外に排除する方法がないため，副作用の予防，副作用発現時の処置，過量投与等について十分留意すること．

おもな類似薬との使い分け

リスペリドンの活性代謝物であるパリペリドンの持効性注射剤（ゼプリオン）は，4週に1回の投与で済む．施注に際しての取り扱いも，より簡便である．他に非定型抗精神病薬の持効性注射剤としては，エビリファイ持続性水懸筋注（4週に1回の投与）が使用できる．患者の病状に応じて，それぞれの成分のプロファイルを検討のうえ，経口製剤での効果や忍容性をふまえて選択することになると思われる．

服薬指導のポイント

持効性注射剤のため，治療導入がポイントになる．本剤の投与は臀部筋肉内のみに限られる．「お尻に注射」と説明すると抵抗感を示す患者でも，「腰の下」と表現を変えることで受け入れやすくなる可能性がある．長期的な再発予防効果に加え，日々の内服や周囲からの服薬確認といった煩わしさから解放されるといった，目に見えやすいメリットも提示できる．医療者側はリスクもふまえた十分な説明を行う必要がある．

《《《 専門医からのアドバイス 》》》

リスペリドンの経口投与では，肝代謝を受けるため生体内ではパリペリドンの割合が高くなる．一方，リスパダールコンスタではリスペリドンの割合が高い．どちらも薬効はほぼ同程度といわれるが，臨床上はリスパダールコンスタのほうが，経口リスペリドンよりも鎮静が少ないことを経験する．これは血中濃度の波が小さい持効性製剤の特徴から，最高血中濃度が低くて済むためと考えられる．

（平河則明）

抗精神病薬　持効性製剤

パリペリドン水懸筋注
paliperidone

ゼプリオン［ヤンセン］持効性水懸筋注用 25mg, 50mg, 75mg, 100mg, 150mg

特徴・どんな薬剤か？

本剤は，統合失調症に対して，4週に1回の投与で有効な血中濃度を維持することが可能なパリペリドンの持効性注射剤であり，再発予防やアドヒアランス向上に寄与できる薬剤である．また，導入レジメン（初回 150mg，1週間後に 100mg を三角筋内に投与）を用いることにより，投与開始期における経口抗精神病薬の併用を必要とせずに，血漿中薬物濃度が速やかに治療濃度域に到達する特性をもつ．

薬理作用

ゼプリオン水懸筋注は，パリペリドンパルミチン酸エステルの水性懸濁液であり，筋肉内に投与することにより投与部位で徐々に溶解し，おもにセリンエステラーゼにより加水分解され，活性本体であるパリペリドンとして吸収され，全身循環に移行し薬効を示す．パリペリドンはリスペリドンの主活性代謝物であり，セロトニン 5-HT_{2A} 受容体とドパミン D_2 受容体に高い親和性（拮抗作用）を有するセロトニン・ドパミンアンタゴニスト（SDA）に分類され，統合失調症の陽性症状と陰性症状に対する高い効果が認められている．

適応となる疾患・病態，どんなときに使うか？

統合失調症の治療では，急性期の症状緩和に加え，維持期の精神症状の再発予防，患者の社会生活機能の改善が目標である．近年，薬物治療のアドヒアランスの向上が治療成績や予後に深くかかわることが明らかになり，より投与回数が少なく，有効で安全な薬剤が求められている．その点，1回の投与で4週にわたり十分な効果を発揮する本剤は有用であると考えられる．

処方の実際，どのように使うか？

①経口抗精神病薬からゼプリオンに切り替える場合

通常，成人にはパリペリドンとして初回150mg，1週後に2回目100mgを三角筋内に投与し，その後は4週に1回の頻度で75mgを三角筋または臀部筋内に投与する．なお，患者の症状および忍容性に応じて，25～150mgの範囲で適宜増減するが，増量は1回あたり50mgを超えないこと．

②リスペリドン持効性懸濁注射液（商品名リスパダール コンスタ）からパリペリドンパルミチン酸エステル持効性懸濁注射液（商品名ゼプリオン）へ切替える場合

以下の投与方法が推奨されており，過量投与に注意を要す．

リスペリドン持効性懸濁注射液（商品名リスパダール コンスタ）→ パリペリドンパルミチン酸エステル持効性懸濁注射液（商品名ゼプリオン）

25mg（2週間に1回）→ 50mg（4週間に1回）

50mg（2週間に1回）→ 100mg（4週間に1回）

禁忌，併用禁忌，注意すべき副作用，慎重投与など

禁忌：昏睡状態や，バルビツール酸誘導体等の中枢神経抑制剤の強い影響下にある場合．パリペリドンおよびリスペリドンに対し過敏症の既往がある場合．中等度から重度の腎機能障害がある場合．

併用禁忌：アドレナリン（救急治療時は除く）（商品名ボスミン），クロザピン（商品名クロザリル）．

併用注意：中枢神経抑制剤，ドパミン作動薬，降圧薬，アルコール，カルバマゼピン．

頻度の高い副作用：高プロラクチン血症，注射部位疼痛，注射部位硬結，不眠症，精神症状，アカシジア．

重大な副作用：悪性症候群，遅発性ジスキネジア，麻痺性イレウス，抗利尿ホルモン不適合分泌症候群（SIADH），肝機能障害，横紋筋融解症，不整脈，脳血管障害，高血糖，糖尿病性ケトアシドーシス，低血糖，無顆粒球症，白血球減少，肺塞栓症，深部静脈血栓症，持続勃起症，アナフィラキシー．

注意事項（慎重投与）：パリペリドンの項参照．

- 著しい精神症状を呈する急性期治療や不安定な患者には使用しない．
- パリペリドンまたはリスペリドンでの治療経験がない場合は，まず一定期間経口パリペリドンまたは経口リスペリドンを投与し，症状が安定していることを確認した後に，本剤の単剤投与を開始する．

・症状の急激な悪化等により経口抗精神病薬等を併用する場合は，漫然と併用しないこと．
・持効性製剤である本剤は，投与中止後も体内に残存し効果が持続するため，投与中止後も患者の症状を慎重に観察し，副作用等の発現に十分注意する．

おもな類似薬との使い分け

4週に1回の投与で有効な本剤は，2週に1回の投与が必要なリスパダール コンスタに比べ，患者の負担を減らし，その社会参加を促す効果が期待できる．

エビリファイ持続性水懸筋注（2015年5月発売）も4週に1回の投与で有効な薬剤であるが，効果や副作用の面で両剤の成分特性（アリピプラゾール：ドパミン部分作動薬，パリペリドン：SDA）を考慮した使い分けが今後重要になると思われる．

服薬指導のポイント

本剤の持効性注射剤としてのメリット（再発予防効果の高さ，4週に1回の簡便な投与方法，アドヒアランスの向上など）とデメリット（施行時の痛み，高い薬価，副作用出現時にそれが持続する可能性など）を患者や家族に十分に提示し，当事者の意向をくみとったうえで有効な治療法の1つとして導入することが望まれる．

専門医からのアドバイス

　本剤は，2013年11月の発売日から2014年4月までの間に21例の死亡例が報告され，2014年4月に安全性速報（ブルーレター）が発出され，当初は患者や家族，現場の医療スタッフが不安に感じた薬剤である．ただし，注意事項に記載されたような適正な使用方法を厳守し，多剤大量処方を避け，副作用をモニターすることで，安全に使用でき，かつ有効な薬剤であることが再び浸透しつつある．なお，最近の調査結果において，2013年11月の発売日から2015年6月までの本剤による推定死亡患者率は4.35〜8.03/1,000人年との報告があり（製造メーカー），文献調査で得られた一般的な統合失調症患者の死亡率（10.4〜13.1/1,000人年）よりも低いことも示唆されている．

（平野羊嗣）

抗精神病薬　持効性製剤

アリピプラゾール水和物持続性注射剤
aripiprazole long-acting injection

エビリファイ持続性水懸筋注用［大塚］300 mgシリンジ，400mgシリンジ

特徴・どんな薬剤か？

ドパミンD_2受容体の部分作動薬であるアリピプラゾールの持効性薬剤であり，4週に1回の投与でアリピプラゾールの血漿中薬物濃度を維持することができる．また，注射部位反応を除き，経口アリピプラゾール製剤と同様の安全性プロファイルを有する．

薬理作用

経口アリピプラゾール製剤と同様に，ドパミンD_2受容体の部分作動薬として作用する．つまり，内在性のドパミンの濃度が高ければアンタゴニストとして作用し，低ければアゴニストとして作用するという性質をもっており，このため，統合失調症の陽性症状，陰性症状・認知機能を改善すると考えられている．また，この作用により，錐体外路症状や高プロラクチン血症を生じさせにくいと考えられる．セロトニン5-HT_{2A}受容体を遮断する一方，セロトニン5-HT_{1A}受容体には部分作動薬として作用する．$α_1$受容体，ヒスタミンH_1受容体，ムスカリンM_1受容体に対する親和性は低い．

適応となる疾患・病態，どんなときに使うか？

本邦での適応は統合失調症である．

処方の実際，どのように使うか？

通常，成人にはアリピプラゾールとして1回400mgを4週に1回臀部筋肉内または三角筋内に投与する．なお，症状，忍容性に応じて1回量300mgに減量する．

なお，本剤は初回投与後徐々に血漿中薬物濃度が上昇することから，初回投与後は2週間を目処に経口アリピプラゾール製剤の併用を継続するなどの適切な治療を行う．また，投与の際には，適切な注射針を用いる．

禁忌，併用禁忌，注意すべき副作用・相互作用，慎重投与など

投与が禁忌となるのは昏睡状態の患者，中枢神経抑制剤の強い影響下にあ

る患者，アドレナリンもしくはクロザピンを投与中の患者，本剤の成分に対し過敏症の既往歴のある患者である．

併用禁忌の薬剤はアドレナリン，クロザピンである．

頻度にかかわらず重大な副作用としては，悪性症候群，遅発性ジスキネジア，麻痺性イレウス，アナフィラキシー，横紋筋融解症，糖尿病性ケトアシドーシス，糖尿病性昏睡，低血糖，けいれん，無顆粒球症，白血球減少，肺塞栓症，深部静脈血栓症，肝機能障害の発生が報告されている．また比較的頻度の高い副作用は注射部位疼痛，注射部位紅斑，注射部位硬結，注射部位膨張，体重増加，アカシジアである．

併用注意となるのは中枢神経抑制剤，降圧剤，抗コリン作用を有する薬剤，ドパミン作動薬・レボドパ製剤，アルコール，CYP2D6阻害作用を有する薬剤，CYP3A4阻害作用を有する薬剤，肝代謝酵素誘導作用を有する薬剤である．

おもな類似薬との使い分け

経口アリピプラゾール製剤同様に，錐体外路症状や高プロラクチン血症，起立性低血圧，眠気や鎮静作用，口渇や便秘などの副作用が比較的少ないことが期待される．

服薬指導のポイント

血漿中薬物濃度を安定させることで，薬剤の効果が安定することを繰り返し説明し，4週に1回の薬剤投与を遵守するよう促す．

専門医からのアドバイス

過去にアリピプラゾールによる治療の経験がない場合には，まず経口アリピプラゾール製剤を投与し，忍容性を確認した後，本剤を投与する．また，過去にアリピプラゾールによる治療の経験がある場合であっても，現在，経口アリピプラゾール製剤以外の抗精神病薬を使用している患者では，原則として，経口アリピプラゾール製剤に切り替え，症状が安定した後に本剤を投与する．

（平野昭吾）

IV
催眠・鎮静薬

章編集：井上　雄一

催眠・鎮静薬

■特徴・どんな薬か？

現在，本邦の臨床現場で使われている催眠・鎮静薬（麻酔前投薬であるミダゾラム以外は，すべて睡眠薬）は，ほとんどがベンゾジアゼピン類ならびにベンゾジアゼピンアゴニスト（ベンゾジアゼピン系薬剤）であり，少ない例外はメラトニン受容体アゴニストであるラメルテオンとオレキシン受容体アンタゴニストであるスボレキサントであろう．歴史の古いバルビタール類やブロムワレリル尿素剤は，呼吸抑制作用や依存形成リスクの問題から，近年では一般臨床で使われることはほとんどない．睡眠薬服用中に生じるほぼ共通した現象として，入眠潜時短縮，夜間中途覚醒時間の減少，総睡眠時間の増加がみられる．ベンゾジアゼピン類では，レム睡眠量と深睡眠量を減少させ，睡眠段階2を増加させるが，ベンゾジアゼピンアゴニストないしラメルテオン，スボレキサントではこのような睡眠段階の変化は乏しい．

■作用機序

ベンゾジアゼピン類は，γ-アミノ酪酸（gamma-aminobutyric acid：GABA)$_A$受容体–ベンゾジアゼピン受容体–Cl^-チャネルの複合体を形成し（大脳辺縁系に多数分布する），これにより発揮される静穏・鎮静機能の延長線上で催眠効果を発揮する．$GABA_A$受容体–ベンゾジアゼピン受容体–Cl^-チャネル複合体には，α，β，γ，δ，ρの5種のサブユニットが存在するが，$GABA_A$受容体機能増強にはα，β，γの3種が必須であり，催眠効果にはα_1サブユニットが重要であることがわかっている[1]．ラメルテオンは，視床下部視交叉上核に存在するメラトニン受容体に作用することにより，催眠効果（メラトニンⅠ型受容体作用による）と概日リズム調整作用（メラトニンⅡ型受容体作用による）を示す[2]．スボレキサントは，視床下部外側野に存在するオレキシン1受容体ならびにオレキシン2受容体を遮断して夜間の覚醒状態を遮断することで効果を発揮する[3]．

■効果・効能

強力価で麻酔の導入・維持ならびに人工呼吸中の鎮静に用いられるミダゾラムを除くと，各論に記載されている催眠・鎮静薬の大半は，不眠症が適応対象になっている．これらのほとんどが，精神疾患に合併した不眠への投与が可能だが，本邦で使用頻度の高いゾルピデムは，精神疾患に随伴する不眠への使用についての適応は有していないので，注意したい．また，抗不安薬として不安緊張などの緩和についての適応を有するエチゾラムは，睡眠障害

にも適応可能である.

■治療のガイドライン

アメリカ睡眠学会では,不眠のマネージメントについての公式ガイドラインを作成しているが[4],本邦では公式のガイドラインは未だ作成されていない.しかしながら,厚生労働省 精神・神経疾患研究委託費による研究班が作成し,睡眠学会認定委員会ワーキンググループがまとめた「睡眠障害診療ガイド」[5]や,エキスパートコンセンサス[6]が,ガイドラインの性質を有するものとして用いられている.これらの中では,以下の諸点が重視されている.

・不眠症に対する睡眠薬投与は,睡眠衛生指導を補助する対症療法的位置づけであり(したがって,投薬終結後に再発するケースも散見される),必要最小限かつ十分量を用いるべきである.

・大原則として,眠前単剤常用量投与を遵守すべきである.

・作用特性(血中消失半減期あるいは受容体選択性)に関する知識に習熟して使い分ける.一般的には,主訴である不眠の症状構造と患者の年齢(例えば,エスゾピクロンでは通常の成人での半減期が6時間であるところが高齢者では9時間程度と,代謝が遅延がちであることに注意したい),不眠に対する不安の程度や身体状況を勘案して薬剤を選択すべきである.

・睡眠薬投与に際しては,その作用と副作用を十分に説明して,患者の不安を取り除くことが重要である.ベンゾジアゼピン系薬剤では,就床約30分前には服用させ,その後には大事な作業は行わないように指導する.ラメルテオンについては,就床直前よりも2時間程度前に服用するほうがよいとする意見も多い.

■薬の使い分け

入眠障害が主体の場合には,半減期が超短時間型,短時間型の薬剤が好適とされる.他方,中途覚醒,早朝覚醒には,中間型,長時間型の薬剤が適応と考えられている[7].しかし,半減期が長めの薬剤では,翌日への持ち越し効果が出やすくなるため,リスク・ベネフィットを考慮して薬剤を決定すべきであろう.

神経症傾向,肩こりなどがある場合には,抗不安・筋弛緩作用(ω_2受容体への作用)が安定した薬剤が選択肢となる.

ラメルテオンは,抗不安効果をもたないこと,現有の睡眠薬の中で唯一概日リズム調整作用を有することから,生活習慣の不規則化を含めた概日リズ

ムの障害に起因する不眠が最良の適応となるだろう．スボレキサントは，入眠促進効果も有するが，睡眠維持効果により優れている．ラメルテオン，スボレキサントは，ベンゾジアゼピン系薬剤のような依存形成リスクがなく，筋弛緩による転倒・骨折リスクがない点で大きな長所といえよう．

> **Point**
>
> 　睡眠薬使用時には，多剤併用による効果の増強ないし減弱の可能性に配慮すべきだし，各薬剤の代謝にかかわるCYP450に影響する物質の摂取に注意しなくてはいけない．
>
> 　ベンゾジアゼピン系睡眠薬は，単剤常用量の使用であれば，問題となる副作用の発現は少ないが，依存形成リスクの問題から，高用量，長期間の連用は好ましくないので，適宜，鎮静作用を有する抗うつ薬などとの併用を考慮したい．
>
> 　急速な中止は，反跳性不眠のリスクがあるので，半減期の短い薬剤では漸減法により，半減期が中間型以上の薬剤では徐々に休薬日を増やしていく方法により，時間をかけて中止することが望ましい．

【文献】
1) Williams M：Molecular aspects of the action of benzodiazepine and non-benzodiazepine anxiolytics: a hypothetical allosteric model of the benzodiazepine receptor complex. Prog Neuropsychopharmacol Biol Psychiatry 8：209-247, 1984
2) Rios ER, Venâncio ET, Rocha NF et al：Melatonin: pharmacological aspects and clinical trends. Int J Neurosci 120：583-590, 2010
3) Herring WJ, Snyder E, Budd K et al：Orexin receptor antagonism for treatment of insomnia : a randomized clinical trial of suvorexant. Neurology 79：2265-2274, 2012
4) Schutte-Rodin S, Broch L, Buysse D et al：Clinical guideline for the evaluation and management of chronic insomnia in adults. J Clin Sleep Med 4：487-504, 2008
5) 日本睡眠学会 認定委員会 睡眠障害診療ガイド・ワーキンググループ 編：睡眠障害診療ガイド．文光堂，pp22-31, 2011
6) Uchiyama M, Yuichi I, Uchimura N et al: Clinical significance and management of insomnia. Sleep and Biological Rhythms. 9：63-72, 2011
7) 内山　真 編：睡眠障害の対応と治療ガイドライン 第2版．じほう，pp131-153, 2012

（井上雄一）

催眠・鎮静薬　ベンゾジアゼピン系　超短時間型

トリアゾラム

triazolam

ハルシオン［ファイザー］錠 0.125mg，0.25mg

特徴・どんな薬剤か？

非ベンゾジアゼピンを除いたベンゾジアゼピン系で唯一の超短時間型薬剤である．ベンゾジアゼピン受容体への親和性が高く，優れた入眠促進作用をもつ．

薬理作用

$GABA_A$ 受容体 a_1 サブユニットにあるベンゾジアゼピン受容体（ω_1 受容体）に結合することにより，GABA の作用（Cl イオンの細胞内流入）を増強する．大脳辺縁系および視床下部における情動機構の抑制，大脳辺縁系賦活機構の抑制により催眠作用を示す．$GABA_A$ 受容体 $a_{2,3,5}$ サブユニット上の受容体（ω_2 受容体）にも結合するため，抗不安作用・筋弛緩作用も同時に示す．

適応となる疾患・病態，どんなときに使うか？

適応は不眠症，麻酔前投薬である．

最高血漿中濃度到達時間（T_{max}）1.2 時間，血漿中濃度消失半減期（$t_{1/2}$）2.9 時間であるため，入眠困難例に適している．$t_{1/2}$ が短いため，睡眠維持困難・早朝覚醒が強い例には適さない．$t_{1/2}$ が短いため，交代勤務者が勤務前後に眠る際にも使いやすい．

処方の実際，どのように使うか？

・不眠症（成人）では

ハルシオン錠　0.25mg　1回1錠　1日1回　就寝前　14日分

高度の不眠では 0.5mg/ 日まで投与する．

高齢者には 0.125mg から始め，0.25mg までに止める．

禁忌，併用禁忌，注意すべき副作用，慎重投与など

本剤に過敏症の既往，急性狭隅角緑内障，重症筋無力症がある患者は禁忌である．イトラコナゾール，フルコナゾール，ホスフルコナゾール，ボリコナゾール，ミコナゾール，HIV プロテアーゼ阻害薬（インジナビル，リトナビル等），エファビレンツ，テラプレビルを内服中の者も禁忌である（上記薬剤は CYP3A4 で代謝され，本剤の血中濃度が上昇する）．肺性心，肺気腫，気管支喘息・脳血管障害の急性期等で呼吸機能が高度に低下している患者は原則禁忌（特に必要とする場合は慎重に投与）となる．妊婦・授乳婦への投与は避ける．

おもな副作用はめまい・ふらつき，眠気，頭痛である．重大な副作用には，依存・離脱症状，精神症状（興奮など），呼吸抑制，一過性前向性健忘・もうろう状態，肝機能障害，ショックがある．

おもな類似薬との使い分け

$t_{1/2}$ が短いため，入眠困難例を中心に用いる．

服薬指導のポイント

継続的な内服は極力避け，内服は短期間にとどめる．いったん連用するに至った場合は，急な中断はせず，内服量を漸減する．

翌朝以後，眠気，注意力・集中力・反射運動能力等の低下があり得るので，自動車の運転等危険な作業は行わない．

《《《 専門医からのアドバイス 》》》

優れた入眠作用を示し，入眠困難を呈する例，交代勤務者の勤務前後の睡眠などに適する．消失半減期が短いことは利点でもあり，欠点でもある．眠気，注意力・集中力・反射運動能力等の低下は少ないと予測されるが，連用に至ると反跳性不眠は強い．継続的内服は極力避ける．連用に至った場合は漸減，他剤への変更など適切な対処をする．

（碓氷　章）

催眠・鎮静薬 | ベンゾジアゼピン系 | 超短時間型

ゾルピデム 酒石酸塩
zolpidem tartrate

マイスリー［アステラス］錠 5mg, 10mg

特徴・どんな薬剤か？

非ベンゾジアゼピン系の代表的な薬剤である．血漿中濃度消失半減期($t_{1/2}$)は短く，約2時間である．ベンゾジアゼピンω_2受容体への結合はほとんどなく，抗不安作用・筋弛緩作用は少ない．

薬理作用

$GABA_A$受容体α_1サブユニットにあるベンゾジアゼピン受容体(ω_1受容体)に結合することにより，GABAの作用（Clイオンの細胞内流入）を増強する．$\alpha_{2,3,5}$サブユニット（ω_2受容体）への結合は弱く，抗不安作用・筋弛緩作用はほとんどない．

適応となる疾患・病態，どんなときに使うか？

適応は不眠症である．統合失調症，気分（感情）障害に伴う不眠症には有効性が期待できない．

最高血漿中濃度到達時間（T_{max}）0.7〜0.9時間，$t_{1/2}$ 1.78〜2.30時間であるため，入眠困難例に適している．交代勤務者にも使いやすい．ω_1選択性が高く筋弛緩作用が少ないため，転倒の危険性が高い高齢者，閉塞性睡眠時無呼吸患者にも使いやすい．

処方の実際，どのように使うか？

マイスリー錠　5mg　1回1錠　1日1回　就寝前 14日
効果が不十分な場合は1日10mgまで用いる．

禁忌，併用禁忌，注意すべき副作用，慎重投与など

本剤に過敏症の既往，重篤な肝障害がある者，急性狭隅角緑内障，重症筋無力症がある患者は禁忌である．肺性心，肺気腫，気管支喘息・脳血管障害の急性期等で呼吸機能が高度に低下している患者は原則禁忌（特に必要とする場合は慎重に投与）となる．妊婦・授乳婦への投与は避ける．

おもな副作用はふらつき，眠気，頭痛，倦怠感，悪心である．重大な副作用には，依存・離脱症状，せん妄・夢遊症状，一過性前向性健忘・もうろう状態，呼吸抑制，肝機能障害が挙げられる．

肝薬物代謝酵素 CYP3A4，一部 CYP2C9，CYP1A2 で代謝される．3A4 阻害薬（アゾール系抗真菌薬など），誘導薬（リファンピシンなど）との併用には注意を要する．併用注意薬剤には，麻酔薬，中枢神経抑制薬，アルコール，リファンピシンが挙げられている．

おもな類似薬との使い分け

$t_{1/2}$ が短いため，入眠困難例を中心に用いる．ω_1 選択性が高いため筋弛緩作用は少ないが，抗不安作用も期待できない．非ベンゾジアゼピンは反跳性不眠が少ないとされる．

服薬指導のポイント

継続的な内服は極力避け，内服は短期間にとどめる．いったん連用するに至った場合は，急な中断はせず，内服量を漸減する．

翌朝以後，眠気，注意力・集中力・反射運動能力等の低下があり得るので，自動車の運転等危険な作業は行わない．

≪≪≪ 専門医からのアドバイス ≫≫≫

$t_{1/2}$ の短さと ω_1 選択性の高さが特徴的である．$t_{1/2}$ が短いので，眠気，注意力・集中力・反射運動能力等の低下は少ないと予測される．ω_1 選択性の高さは，筋弛緩作用が少ないことにつながる．抗不安作用は期待できない．

入眠困難を呈する例，交代勤務者の勤務前後の睡眠，高齢者や閉塞性睡眠時無呼吸を有する例などに適する．連用に至ってもベンゾジアゼピン系よりは反跳性不眠は少ない．

（碓氷　章）

| 催眠・鎮静薬 | ベンゾジアゼピン系 | 超短時間型 |

ゾピクロン

zopiclone

アモバン［サノフィ］錠 7.5mg, 10mg

特徴・どんな薬剤か？

非ベンゾジアゼピン系薬剤の中で最も以前から用いられている．ベンゾジアゼピン系よりも a_1 サブユニット（ω_1 受容体）選択性が高い．特徴的な副作用は苦味である．

薬理作用

$GABA_A$ 受容体 a_1 サブユニットにあるベンゾジアゼピン受容体（ω_1 受容体）に結合することにより，GABAの作用（Clイオンの細胞内流入）を増強する．$a_{2,3,5}$ サブユニット（ω_2 受容体）への結合は弱いが，ゾルピデムほど ω_1 選択性は高くない．

適応となる疾患・病態，どんなときに使うか？

・適応は不眠症，麻酔前投薬である．

最高血漿中濃度到達時間（T_{max}）約1時間，血漿中濃度消失半減期（$t_{1/2}$）4時間弱であるため，入眠困難例に適している．交代勤務者にも使いやすい．ω_1 選択性が高く筋弛緩作用が少ないため，転倒の危険性が高い高齢者にも使いやすい．

処方の実際，どのように使うか？

・不眠症（成人）には

アモバン錠　7.5mg　1回1錠　1日1回　就寝前　14日分

効果が不十分な場合は 10mg/日まで用いる．

高齢者では 3.75mg/日から始める．

禁忌，併用禁忌，注意すべき副作用，慎重投与など

本剤・エスゾピクロンに過敏症の既往，急性狭隅角緑内障，重症筋無力症がある患者は禁忌である．肺性心，肺気腫，気管支喘息・脳血管障害の急性期等で呼吸機能が高度に低下している患者は原則禁忌（特に必要とする場合は慎重に投与）となる．妊婦・授乳婦への投与は避ける．

他剤にはない副作用として苦味がある．おもな副作用はふらつき，眠気，

口渇，倦怠感，頭重である．重大な副作用には，依存性，呼吸抑制，肝機能障害，せん妄・夢遊症状，一過性前向性健忘・もうろう状態，アナフィラキシー症状が挙げられる．

薬物代謝酵素 CYP3A4，一部 CYP2C8 で代謝される．3A4 阻害薬（アゾール系抗真菌薬，マクロライド系抗生剤など），誘導薬（抗てんかん薬，リファンピシンなど）との併用には注意を要する．併用注意には他に，筋弛緩薬，アルコール，麻酔薬が挙げられている．

併用禁忌はない．

おもな類似薬との使い分け

$t_{1/2}$ が短いため，入眠困難例を中心に用いる．ω_1 選択性が比較的高く，筋弛緩作用は少ないと考えられる．非ベンゾジアゼピンは反跳性不眠が少ないとされる．

服薬指導のポイント

継続的な内服は極力避け，内服は短期間にとどめる．いったん連用するに至った場合は，急な中断はせず，内服量を漸減する．

翌朝以後，眠気，注意力・集中力・反射運動能力等の低下があり得るので，自動車の運転等危険な作業は行わない．

専門医からのアドバイス

ゾルピデムほどではないが $t_{1/2}$ が短く，ω_1 選択性も比較的高い．$t_{1/2}$ が短いので，眠気，注意力・集中力・反射運動能力等の低下は少ない．ω_1 選択性の高さは筋弛緩作用の少なさにつながる．連用に至ってもベンゾジアゼピン系よりは反跳性不眠は少ない．

入眠困難を呈する例，交代勤務者の勤務前後の睡眠，高齢者などに適する．独特の苦味を嫌う者もいるが，苦味で効果の始まりを感じる者もいる．

（碓氷　章）

催眠・鎮静薬　ベンゾジアゼピン系　超短時間型

エスゾピクロン

eszopiclone

ルネスタ［エーザイ］錠 1mg, 2mg, 3mg

特徴・どんな薬剤か？

ゾピクロンはR・S体の等量混合物であるが、R体はベンゾジアゼピン結合部位親和性を示さない。ゾピクロンの2倍の結合親和性をもつS体で構成されるのが本剤である。ω_1受容体選択性が高いが、ω_2受容体への親和性もある。併存疾患がある不眠（comorbid insomnia）に対する効果が多く報告されている。

薬理作用

GABA$_A$受容体 α_1 サブユニットにあるベンゾジアゼピン受容体（ω_1受容体）に結合することにより、GABAの作用（Clイオンの細胞内流入）を増強する。$\alpha_{2,3,5}$ サブユニット（ω_2受容体）への親和性もあり、抗不安作用も期待できる。

適応となる疾患・病態、どんなときに使うか？

適応は不眠症である。

最高血漿中濃度到達時間（T_{max}）約1時間、血漿中濃度消失半減期（$t_{1/2}$）約5時間である。非ベンゾジアゼピンの中で $t_{1/2}$ は最も長く、入眠困難だけでなく睡眠維持への効果も期待できる。comorbid insomnia にも効果が期待できる。

処方の実際、どのように使うか？

・成人では

ルネスタ錠　2mg　1回1錠　1日1回　就寝前　14日分
効果が不十分な場合は3mg/日まで用いる。
高齢者では1mg/日から始め、効果が不十分な場合2mg/日まで用いる。

禁忌，併用禁忌，注意すべき副作用，慎重投与など

本剤・ゾピクロンに過敏症の既往，急性狭隅角緑内障，重症筋無力症がある患者は禁忌である．肺性心，肺気腫，気管支喘息・脳血管障害の急性期等で呼吸機能が高度に低下している患者は原則禁忌（特に必要とする場合は慎重に投与）となる．妊婦・授乳婦への投与は避ける．

おもな副作用は味覚異常（苦味），傾眠である．重大な副作用には，ショック・アナフィラキシー，依存性，呼吸抑制，肝機能障害，せん妄・夢遊症状，一過性前向性健忘・もうろう状態が挙げられる．

薬物代謝酵素 CYP3A4 で代謝される．3A4 阻害薬（アゾール系抗真菌薬など），誘導薬（リファンピシンなど）との併用には注意を要する．併用注意には他に，筋弛緩薬，中枢抑制薬，アルコール，麻酔薬が挙げられている．

おもな類似薬との使い分け

入眠困難と睡眠維持困難の両者への効果，comorbid insomnia への効果が期待できる．

服薬指導のポイント

継続的な内服は極力避け，内服は短期間にとどめる．いったん連用するに至った場合は，急な中断はせず，内服量を漸減する．

翌朝以後，眠気，注意力・集中力・反射運動能力等の低下があり得るので，自動車の運転等危険な作業は行わない．

専門医からのアドバイス

ゾピクロンから無効な R 体を除き S 体で構成される薬剤である．ゾピクロンより少量で有効性を示す．超短時間型の中で $t_{1/2}$ は最も長く，入眠・睡眠維持の両面での効果が期待できる．comorbid insomnia への効果も多く報告されている．

味覚異常（苦味）は未変化体が唾液中に現れて生じるものであり，避けがたい副作用である．

（碓氷　章）

催眠・鎮静薬　ベンゾジアゼピン系　短時間型

ミダゾラム

midazolam

ドルミカム［丸石］注射液 10mg/2mL

特徴・どんな薬剤か？

ベンゾジアゼピン系薬剤だが，本邦では注射薬しかなく，麻酔前投薬・全身麻酔導入および維持・集中治療時人工呼吸中の鎮静を目的に使用される．

薬理作用

$GABA_A$ 受容体にあるベンゾジアゼピン結合部位に結合し，GABAの作用（Clイオンの細胞内流入）を増強する．$\omega_1 \cdot \omega_2$ 両受容体に結合するため，催眠作用・抗不安作用・筋弛緩作用などを同時に示す．

適応となる疾患・病態，どんなときに使うか？

適応は麻酔前投薬，全身麻酔導入および維持，集中治療における人工呼吸中の鎮静である．

静脈内投与時の血漿中濃度消失半減期（$t_{1/2}$）は 1.8～6.4 時間，筋肉内投与時の最高血漿中濃度到達時間（T_{max}）0.5 時間である．

処方の実際，どのように使うか？

・集中治療における人工呼吸中の鎮静導入（成人）

　ドルミカム注射液　0.03mg/kg　静脈内注射（1分以上の時間をかける）

　必要に応じて同量を5分以上の間隔をあけて追加投与する（総量 0.30mg/kg まで）．

・集中治療における人工呼吸中の鎮静維持（成人）

　ドルミカム注射液　0.03～0.06mg/kg/時　持続静脈内投与

　鎮静状態をみながら適宜増減する（0.03～0.18mg/kg/時）．

禁忌，併用禁忌，注意すべき副作用，慎重投与など

本剤に過敏症の既往・急性狭隅角緑内障・重症筋無力症がある患者，ショック・昏睡・バイタルサインの抑制がみられる急性アルコール中毒患者は禁忌である．HIVプロテアーゼ阻害薬（リトナビル等）・HIV逆転写酵素阻害薬（エファビレンツ等），エファビレンツ，コビシスタットを含有する薬剤およびオムビタスビル・パリタプレビル・リトナビル投与中の患者には併用禁忌

である．CYP3A4で代謝されるため，上記禁忌薬以外にも3A4阻害薬・誘導薬との併用には注意する．

呼吸抑制・停止をひき起こすことがあるため，呼吸・循環動態の連続的な観察ができる施設においてのみ用いる．低出生体重児・新生児に対して急速静脈内投与をしない．

高度重症患者，高齢者，肝障害・腎障害のある患者，衰弱患者，脳器質的障害患者，妊婦・授乳婦，低出生体重児・新生児・乳児・幼児・小児，重症心不全等のある患者，重症の水分または電解質障害のある急性期患者，手術中の出血量の多い患者，多量の輸液を必要とした患者，アルコール・薬物乱用の既往のある患者，睡眠時無呼吸症候群の患者，上気道閉塞に関連する疾患（高度の肥満症，小顎症，扁桃肥大等）を有する患者には慎重に投与する．

出現しやすい副作用には，嘔気・悪心，嘔吐，発汗，心電図異常がある．重大な副作用には，依存性，無呼吸，呼吸抑制，アナフィラキシーショック，心停止，心室頻拍，心室性頻脈，悪性症候群がある．

おもな類似薬との使い分け

ベンゾジアゼピン系催眠薬の注射薬は他にフルニトラゼパムがあるが，適応は全身麻酔導入，局所麻酔時鎮静である．フルニトラゼパム半減期は，第一相約8分,第二相約2時間,第三相約24時間であり消失までの時間が長い．

服薬指導のポイント

（医療者向け）作用に個人差があるので，投与量・投与速度に注意する．患者が完全に回復するまで管理下におく．事前に酸素吸入器，吸引器具，挿管器具，昇圧薬，フルマゼニル（ベンゾジアゼピン受容体拮抗薬）を準備しておく．人工呼吸中の鎮静では，本剤投与中は気管内挿管による気道確保を行う．

≪≪≪ 専門医からのアドバイス ≫≫≫

麻酔前投薬，全身麻酔導入および維持，集中治療時人工呼吸中の鎮静を目的に使用する．注射薬であるので効果は早い．呼吸抑制等が容易に生じるので，投与量・投与速度に注意する．完全に回復するまで管理下におく．あらかじめ酸素吸入器，吸引器具，挿管器具，昇圧薬，フルマゼニルを準備しておく．

（碓氷　章）

催眠・鎮静薬　ベンゾジアゼピン系　短時間型

ブロチゾラム

brotizolam

レンドルミン［ベーリンガーインゲルハイム］錠 0.25mg / レンドルミン D［ベーリンガーインゲルハイム］錠 0.25mg

特徴・どんな薬剤か？

短時間型薬剤の代表的な薬である．口腔内崩壊錠（レンドルミン D 錠）があるため，嚥下に問題がある例にも投与しやすい．

薬理作用

$GABA_A$ 受容体にあるベンゾジアゼピン受容体（$\omega_1 \cdot \omega_2$ 受容体）に結合することにより，GABA の作用（Cl イオンの細胞内流入）を増強する．大脳辺縁系および視床下部における情動機構の抑制，大脳辺縁系賦活機構の抑制により，催眠作用・抗不安作用・筋弛緩作用を示す．

適応となる疾患・病態，どんなときに使うか？

適応は不眠症，麻酔前投薬である．

最高血漿中濃度到達時間（T_{max}）約 1.5 時間，血漿中濃度消失半減期（$t_{1/2}$）約 7 時間である．短時間型といっても，翌朝血漿中濃度は最高値の 1/2 あることになる．不眠により日中の眠気がある例，高齢者（若年者より薬物代謝が遅い，筋力低下もある）への投与は注意を要する．

処方の実際，どのように使うか？

レンドルミン錠　0.25mg　1 回 1 錠　1 日 1 回　就寝前　14 日分
高齢者には 0.25mg 半錠など少量から投与する．

禁忌，併用禁忌，注意すべき副作用，慎重投与など

急性狭隅角緑内障，重症筋無力症がある患者は禁忌である．肺性心，肺気腫，気管支喘息・脳血管障害の急性期等で呼吸機能が高度に低下している患者は原則禁忌（特に必要とする場合は慎重に投与）となる．妊婦・授乳婦への投与は避ける．

おもな副作用は残眠感・眠気，ふらつき，頭重感，だるさ，めまい，頭痛である．重大な副作用には，肝機能障害，一過性前向性健忘・もうろう状態，依存性などが挙げられる．

CYP3A4により代謝されるため，3A4阻害薬（アゾール系抗真菌薬など），誘導薬（リファンピシンなど）との併用には注意を要する．他にアルコール，中枢神経抑制薬，モノアミン酸化酵素（MAO）阻害薬との併用にも注意する．
併用禁忌はない．

おもな類似薬との使い分け

超短時間型よりも$t_{1/2}$が長いので，超短時間型を使用しても睡眠維持困難・早朝覚醒が続く例に用いる．ω_2受容体にも作用するので，抗不安作用も期待できる．一方，筋弛緩作用には注意を要する．

服薬指導のポイント

継続的な内服は極力避け，内服は短期間にとどめる．いったん連用するに至った場合は，急な中断はせず内服量を漸減する．

翌朝以後，眠気，注意力・集中力・反射運動能力等の低下があり得るので，自動車の運転等危険な作業は行わない．

≪≪≪ 専門医からのアドバイス ≫≫≫

非ベンゾジアゼピン（ゾルピデム，ゾピクロン，エスゾピクロン）出現以前は，トリアゾラムに次いでよく投与された．非ベンゾジアゼピンは半減期が短い，筋弛緩作用が少ないなどの利点があり，現在は非ベンゾジアゼピンが無効な場合，抗不安作用を期待する場合に用いる．短時間型であるが，通常の長さの睡眠であれば，翌朝起床時に最高濃度の半分程度薬剤は残る．

（碓氷　章）

催眠・鎮静薬　ベンゾジアゼピン系　短時間型

リルマザホン 塩酸塩水和物 rilmazafone hydrochloride hydrate

リスミー［共和］錠 1mg, 2mg

特徴・どんな薬剤か？

精神科領域・心療内科領域の不眠症でも有用性が確認されている．他のベンゾジアゼピン系薬剤と比べて筋弛緩作用は弱い．

薬理作用

$GABA_A$ 受容体にあるベンゾジアゼピン受容体（$\omega_1 \cdot \omega_2$ 受容体）に結合することにより，GABA の作用（Cl イオンの細胞内流入）を増強する．後部視床下部の抑制を介して大脳辺縁系の活動を低下させることにより，鎮静・催眠作用を発揮する．

適応となる疾患・病態，どんなときに使うか？

適応は不眠症，麻酔前投薬である．

最高血漿中濃度到達時間（T_{max}）が 3.0 時間とやや遅い．血漿中濃度消失半減期（$t_{1/2}$）は 10.5 時間であり，内服後 12 時間経過しても血漿中濃度は最高値の 1/2 以上あることになる．筋弛緩作用が少ないのは利点であるが，眠気，精神作業能の低下には気をつけたい．

処方の実際，どのように使うか？

リスミー錠　1mg　1回1錠　1日1回　就寝前　14日分
効果が不十分で，副作用がない場合は 2mg/ 日まで投与する．

禁忌，併用禁忌，注意すべき副作用，慎重投与など

本剤に過敏症の既往がある例，急性狭隅角緑内障，重症筋無力症がある患者は禁忌である．肺性心，肺気腫，気管支喘息・脳血管障害の急性期等で呼吸機能が高度に低下している患者は原則禁忌（特に必要とする場合は慎重に投与）となる．妊婦・授乳婦への投与は避ける．

おもな副作用は眠気・残眠感，ふらつきである．重大な副作用には，呼吸抑制，依存性，興奮，錯乱，一過性前向性健忘・もうろう状態などが挙げられる．

併用注意薬にはアルコール，中枢神経抑制薬，MAO阻害薬が挙げられているが，他のベンゾジアゼピンと同様に，3A4阻害薬（アゾール系抗真菌薬など），誘導薬（リファンピシンなど）との併用にも注意を要する．

併用禁忌はない．

おもな類似薬との使い分け

超短時間型よりも T_{max} が遅く，$t_{1/2}$ が長いので，超短時間型を使用しても睡眠維持困難・早朝覚醒が続く例に用いる．筋弛緩作用が比較的少ないのは他のベンゾジアゼピンに勝る点であり，転倒を避けたい例にも用いやすい．

服薬指導のポイント

継続的な内服は極力避け，内服は短期間にとどめる．いったん連用するに至った場合は，急な中断はせず内服量を漸減する．

翌朝以後，眠気，注意力・集中力・反射運動能力等の低下があり得るので，自動車の運転等危険な作業は行わない．

≪≪≪ 専門医からのアドバイス ≫≫≫

ベンゾジアゼピンの中では半減期の短い薬ではあるが，T_{max} が遅いこともあり，内服後12時間経っても最高濃度の1/2以上の血中濃度が残る．眠気・残眠感などに注意しながら投与する必要がある．一方，筋弛緩作用がベンゾジアゼピンの中では少ない点は利点である．

（碓氷　章）

催眠・鎮静薬 | ベンゾジアゼピン系 | 短時間型

ロルメタゼパム

lormetazepam

エバミール［バイエル］錠 1mg/ **ロラメット**［あすか］錠 1mg

特徴・どんな薬剤か？

おもな代謝物はロルメタゼパムのグルクロン酸抱合体であり，投与24時間後までに投与量の70〜80％が尿中に排泄される．代謝がグルクロン酸抱合の1ステップであるため，肝機能障害がある例や高齢者に使いやすい．CYP3A4を介さないという点では，3A4阻害薬（アゾール系抗真菌薬など），誘導薬（リファンピシンなど）との相互作用も考慮しなくてよい．

薬理作用

$GABA_A$ 受容体にあるベンゾジアゼピン受容体（$\omega_1 \cdot \omega_2$ 受容体）に結合することにより，GABAの作用（Clイオンの細胞内流入）を増強する．大脳辺縁系や視床下部を抑制することにより，睡眠を導入する．

適応となる疾患・病態，どんなときに使うか？

適応は不眠症である．

代謝がグルクロン酸抱合のみで，肝機能が低下している例や高齢者においても作用持続時間の延長は認めない．これらの例に使いやすいが，最高血漿中濃度到達時間（T_{max}）1〜2時間，血漿中濃度消失半減期（$t_{1/2}$）約10時間であり，内服後12時間経過して血漿中濃度は最高値の1/2ある点には気をつけたい．

処方の実際，どのように使うか？

エバミール錠　1mg　1回1錠　1日1回　就寝前　14日分
効果が不十分で，副作用がない場合は2mg/日まで投与する．

禁忌，併用禁忌，注意すべき副作用，慎重投与など

急性狭隅角緑内障，重症筋無力症がある患者，本剤に過敏症の既往がある例は禁忌である．肺性心，肺気腫，気管支喘息・脳血管障害の急性期等で呼吸機能が高度に低下している患者は原則禁忌（特に必要とする場合は慎重に投与）となる．妊婦・授乳婦への投与は避ける．

おもな副作用は眠気，ふらつき，倦怠感，頭重感である．重大な副作用には，依存性，興奮，錯乱，呼吸抑制，炭酸ガスナルコーシス等が挙げられる．

併用注意薬には中枢神経抑制剤，MAO 阻害薬，アルコール，マプロチリン，ダントロレンが挙げられている．

併用禁忌はない．

おもな類似薬との使い分け

超短時間型よりも $t_{1/2}$ が長いので，超短時間型を使用しても睡眠維持困難・早朝覚醒が続く例に用いる．代謝の観点からは，肝機能が低下している例や高齢者，3A4 阻害薬，誘導薬を内服している例においても使いやすい．

服薬指導のポイント

継続的な内服は極力避け，内服は短期間にとどめる．いったん連用するに至った場合は，急な中断はせず内服量を漸減する．

翌朝以後，眠気，注意力・集中力・反射運動能力等の低下があり得るので，自動車の運転等危険な作業は行わない．

≪≪≪ 専門医からのアドバイス ≫≫≫

ベンゾジアゼピンの中では $t_{1/2}$ が短く，代謝も単純である．このため，肝機能が低下している例，高齢者，CYP3A4 阻害薬・誘導薬内服中の患者に用いることができる．一方，$t_{1/2}$ が短いといっても約 10 時間であり，内服翌日の眠気・ふらつき等には注意が必要である．

（碓氷　章）

催眠・鎮静薬　ベンゾジアゼピン系　中間型

フルニトラゼパム

flunitrazepam

サイレース［エーザイ］錠 1mg, 2mg, 静注 2mg/1mL

特徴・どんな薬剤か？

中間型薬剤の代表薬であり，作用持続があることから精神科領域で繁用されていた．静注は麻酔導入用に用いられる．

薬理作用

$GABA_A$ 受容体にあるベンゾジアゼピン受容体に結合することにより，GABA の作用（Cl イオンの細胞内流入）を増強する．

適応となる疾患・病態，どんなときに使うか？

内服適応は不眠症，麻酔前投薬である．

最高血中濃度到達時間（T_{max}）約 1 時間，投与後 12 時間までの血漿中濃度消失半減期（$t_{1/2}$）約 7 時間である（$α$ 相）．$t_{1/2}$ の $β$ 相は約 15 時間ある．作用持続があるため精神科領域で繁用された．日中の眠気，ふらつきに注意を要する．

静注の適応は，全身麻酔の導入・局所麻酔時の鎮静である．

血中濃度は 3 相性の減少を示し，各相 $t_{1/2}$ は第一相（0～30 分）で約 8 分，第二相（30 分～4 時間）で約 2 時間，第三相（4 時間以降）で約 24 時間である．

処方の実際，どのように使うか？

・不眠症に対して
　サイレース錠　1mg　1 回 1 錠　1 日 1 回　就寝前　14 日分
　用量は成人 0.5～2mg，高齢者には 1mg までである．

・全身麻酔の導入・局所麻酔時の鎮静として
　用時注射用蒸留水にて 2 倍以上に希釈し，できるだけ緩徐に（1mg/ 分以上かけて）静脈内注射する．

用量は成人で，全身麻酔導入 0.02～0.03mg/kg，局所麻酔時鎮静 0.01～0.03mg/kg，必要に応じて初期用量の半量～同量追加投与する．

患者の年齢，感受性，全身状態，手術術式，麻酔方法等に応じて適宜増減する．

禁忌，併用禁忌，注意すべき副作用，慎重投与など

本剤に過敏症の既往がある例，急性狭隅角緑内障，重症筋無力症がある患者は禁忌である．肺性心，肺気腫，気管支喘息・脳血管障害の急性期等で呼吸機能が高度に低下している患者は原則禁忌（特に必要とする場合は慎重に投与）となる．妊婦・授乳婦への投与は避ける．

おもな副作用はふらつき，眠気，倦怠感である．重大な副作用には，依存性，興奮，錯乱，呼吸抑制，炭酸ガスナルコーシス，肝機能障害，横紋筋融解症，悪性症候群，意識障害，一過性前向性健忘・もうろう状態等がある．

おもにCYP3A4により代謝される．3A4阻害薬（アゾール系抗真菌薬，シメチジンなど），誘導薬（リファンピシンなど）との併用には注意を要する．他にアルコール，中枢神経抑制薬，MAO阻害薬との併用にも注意する．

併用禁忌はない．

おもな類似薬との使い分け

$t_{1/2}$ が α 相 7 時間，β 相 15 時間と作用持続が長いので，睡眠維持困難・早朝覚醒が続く例に用いる．精神科領域の不眠にも有効である．

服薬指導のポイント

継続的な内服は極力避け，内服は短期間にとどめる．いったん連用するに至った場合は，急な中断はせず内服量を漸減する．

翌朝以後，眠気，注意力・集中力・反射運動能力等の低下があり得るので，自動車の運転等危険な作業は行わない．

米国への持込は禁止されている．

専門医からのアドバイス

作用持続があり，精神科領域で繁用されてきた．睡眠維持困難・早朝覚醒にも有効である．一方，半減期が長い（中間型以上）と日中にも血中濃度が維持される（本剤を連用した場合，定常状態に達するのに3～5日を要する．連用時，内服前にも血中濃度がある）．日中の眠気，作業能率の低下，ふらつき等には十分な注意が必要である．

（碓氷　章）

催眠・鎮静薬　ベンゾジアゼピン系　中間型

エスタゾラム

estazolam

ユーロジン［武田］錠 1mg, 2mg, 散 1%

特徴・どんな薬剤か？

中間型薬剤である．初の国内開発の睡眠導入薬である．

薬理作用

$GABA_A$ 受容体にあるベンゾジアゼピン受容体に結合することにより，GABA の作用（Cl イオンの細胞内流入）を増強する．大脳辺縁系および視床下部における情動機構・視床下部-脳幹覚醒維持機構の抑制により睡眠を発現する．

適応となる疾患・病態，どんなときに使うか？

適応は不眠症，麻酔前投薬である．

最高血中濃度到達時間（T_{max}）約 5 時間，血漿中濃度消失半減期（$t_{1/2}$）は約 24 時間である．作用持続が長いため睡眠維持困難・早朝覚醒に有効であるが，日中の眠気，ふらつきに注意を要する．

処方の実際，どのように使うか？

・不眠症に対して
　ユーロジン錠　1mg　1回1錠　1日1回　就寝前　14日分
　効果が不十分で副作用がなければ 4mg/ 日まで用いる．

禁忌，併用禁忌，注意すべき副作用，慎重投与など

重症筋無力症患者，リトナビル（HIV プロテアーゼ阻害薬）を投与中の患者は禁忌である．肺性心，肺気腫，気管支喘息・脳血管障害の急性期等で呼吸機能が高度に低下している患者は原則禁忌（特に必要とする場合は慎重に投与）となる．妊婦・授乳婦への投与は避ける．

おもな副作用は眠気，ふらつきである．重大な副作用には，依存，呼吸抑制，興奮，無顆粒球症が挙げられている．

併用注意には，中枢神経抑制薬，抗うつ薬，MAO 阻害薬，アルコール，マプロチリン，ダントロレンが挙げられている．CYP3A4 により代謝されるため，これらの阻害薬，誘導薬との併用にも注意を要する．

おもな類似薬との使い分け

T_{max} 約 5 時間と立ち上がりが遅く，$t_{1/2}$ は約 24 時間と作用持続が長い．睡眠維持困難・早朝覚醒が続く例に用いる．日中の眠気，作業能率の低下，ふらつき等には十分な注意が必要である．

服薬指導のポイント

継続的な内服は極力避け，内服は短期間にとどめる．いったん連用するに至った場合は，急な中断はせず内服量を漸減する．

翌朝以後，眠気，注意力・集中力・反射運動能力等の低下があり得るので，自動車の運転等危険な作業は行わない．

《《《 専門医からのアドバイス 》》》

T_{max} 約 5 時間と立ち上がりが遅く，$t_{1/2}$ は約 24 時間と作用持続が長い．睡眠維持困難・早朝覚醒への効果が期待されるとともに，日中の眠気，作業能率の低下，ふらつき等には十分な注意が必要である．

（碓氷　章）

催眠・鎮静薬　ベンゾジアゼピン系　中間型

ニトラゼパム

nitrazepam

ベンザリン［共和］錠 2mg，5mg，10mg，細粒 1% / ネルボン［アルフレッサ］錠 5mg，10mg，散 1%

特徴・どんな薬剤か？

中間型薬剤である．日本で最初のベンゾジアゼピン系睡眠薬であり，国内の睡眠導入薬開発時の基準薬となっていた．筋弛緩作用，抗けいれん作用が強く，抗てんかん薬としての適応もある．

薬理作用

$GABA_A$ 受容体にあるベンゾジアゼピン受容体に結合することにより，GABA の作用（Cl イオンの細胞内流入）を増強し，神経抑制性に働く．

適応となる疾患・病態，どんなときに使うか？

適応は不眠症，麻酔前投薬である．異型小発作群（点頭てんかん，ミオクロヌス発作，失立発作等）・焦点性発作（焦点性けいれん発作，精神運動発作，自律神経発作等）の適応もある．

最高血中濃度到達時間（T_{max}）1.6 時間，血漿中濃度消失半減期（$t_{1/2}$）は 27.1 時間である．作用持続が長いため睡眠維持困難・早朝覚醒に有効であるが，日中の眠気，ふらつきに注意を要する．

処方の実際，どのように使うか？

・不眠に対して
　ベンザリン錠　5mg　1回1錠　1日1回　就寝前　14日分
　効果が不十分で副作用がなければ 10mg/ 日まで用いる．

禁忌，併用禁忌，注意すべき副作用，慎重投与など

本剤に過敏症の既往がある例，急性狭隅角緑内障・重症筋無力症患者は禁忌である．肺性心，肺気腫，気管支喘息・脳血管障害の急性期等で呼吸機能が高度に低下している患者は原則禁忌(特に必要とする場合は慎重に投与)となる．妊婦・授乳婦への投与は避ける．

おもな副作用はふらふら感，眠気・残眠感，倦怠感，頭痛，悪心・嘔吐，口渇である．重大な副作用には，呼吸抑制，依存性，興奮，肝機能障害が挙げられている．

併用注意には，アルコール，中枢神経抑制薬，抗うつ薬，MAO阻害薬，シメチジンが挙げられている．おもにCYP3A4により代謝されるため，シメチジン以外にもこれらの阻害薬，誘導薬との併用にも注意を要する．

併用禁忌はない．

おもな類似薬との使い分け

T_{max} 1.6時間，$t_{1/2}$ 27.1時間と作用持続が長い．睡眠維持困難・早朝覚醒が続く例に用いる．日中の眠気，作業能率の低下，ふらつき等には十分な注意が必要である．抗てんかん薬としての適応があるため，てんかん患者への睡眠薬としてもよい．

服薬指導のポイント

継続的な内服は極力避け，内服は短期間にとどめる．いったん連用するに至った場合は，急な中断はせず内服量を漸減する．

翌朝以後，眠気，注意力・集中力・反射運動能力等の低下があり得るので，自動車の運転等危険な作業は行わない．

《専門医からのアドバイス》

日本で最もスタンダードな睡眠薬という位置づけであった．$t_{1/2}$ 27.1時間と作用持続が長く睡眠維持困難・早朝覚醒への効果が期待されるが，日中の眠気，作業能率の低下，ふらつき等には十分な注意が必要である．

(碓氷　章)

催眠・鎮静薬　ベンゾジアゼピン系　中間型

フルラゼパム 塩酸塩

flurazepam

ダルメート［共和］カプセル 15mg

特徴・どんな薬剤か？

活性代謝産物を含めた半減期が長く，長時間型に分類されることもある．日中の不安軽減効果もある．

薬理作用

$GABA_A$ 受容体にあるベンゾジアゼピン受容体に結合することにより，GABA の作用（Cl イオンの細胞内流入）を増強する．

適応となる疾患・病態，どんなときに使うか？

適応は不眠症，麻酔前投薬である．

フルラゼパムそのものは最高血中濃度到達時間（T_{max}）1 時間，血漿中濃度消失半減期（$t_{1/2}$）は 5.9 時間であるが，活性代謝産物である N-デスアルキルフルラゼパムの T_{max} が 1～8 時間，$t_{1/2}$ が 23.6 時間である．N-デスアルキルフルラゼパムの $t_{1/2}$ が平均 72 時間（40～103 時間）という報告もある．作用持続が長いため睡眠維持困難・早朝覚醒に有効であるが，日中の眠気，ふらつきに注意を要する．

処方の実際，どのように使うか？

・不眠症に対して

ダルメートカプセル　15mg　1 回 1 カプセル　1 日 1 回　就寝前　14 日分
効果が不十分で副作用がなければ 30mg/ 日まで用いる．

禁忌，併用禁忌，注意すべき副作用，慎重投与など

急性狭隅角緑内障患者，重症筋無力症患者，リトナビル投与中の患者，本剤またはベンゾジアゼピン系薬剤に過敏症の既往がある例は禁忌である．肺性心，肺気腫，気管支喘息・脳血管障害の急性期等で呼吸機能が高度に低下している患者は原則禁忌（特に必要とする場合は慎重に投与）となる．妊婦・授乳婦への投与は避ける．

おもな副作用は翌日の眠気，ふらふら感，倦怠感，頭重，口渇である．重大な副作用には，依存性，呼吸抑制が挙げられている．

併用禁忌は前述のリトナビル，併用注意には，アルコール，中枢神経抑制薬，MAO阻害薬，シメチジンがある．おもにCYP3A4により代謝されるため，上記以外にも3A4阻害薬，誘導薬との併用に注意を要する．

おもな類似薬との使い分け

中～長時間型であり作用持続が長い．睡眠維持困難・早朝覚醒に効果を示す．一方，日中の眠気，作業能率の低下，ふらつき等には十分な注意が必要である．

服薬指導のポイント

継続的な内服は極力避け，内服は短期間にとどめる．いったん連用するに至った場合は，急な中断はせず内服量を漸減する．

翌朝以後，眠気，注意力・集中力・反射運動能力等の低下があり得るので，自動車の運転等危険な作業は行わない．

《《《 専門医からのアドバイス 》》》

中～長時間型であり作用持続が長い．睡眠維持困難・早朝覚醒への効果が期待されるが，日中の眠気，作業能率の低下，ふらつき等には十分な注意が必要である．

（碓氷　章）

催眠・鎮静薬　ベンゾジアゼピン系　長時間型

ハロキサゾラム

haloxazolam

ソメリン［アルフレッサ］錠 5mg, 10mg, 細粒 1%

特徴・どんな薬剤か？

未変化体は速やかに代謝されるため血中には検出されないが，活性代謝産物の半減期が長い．

薬理作用

$GABA_A$ 受容体にあるベンゾジアゼピン受容体に結合することにより，GABA の作用（Cl イオンの細胞内流入）を増強する．大脳辺縁系（特に扁桃核，海馬），視床下部にその作用点があり，種々の情動障害を除去することによって，覚醒賦活系への余剰刺激の伝達を遮断し，催眠作用を誘発する．

適応となる疾患・病態，どんなときに使うか？

適応は不眠症である．

未変化体は速やかに代謝されるが，活性代謝物 No.574 の最高血中濃度到達時間（T_{max}）は 4 時間，さらに水酸化の進んだ活性代謝物 No.609 の T_{max} は 12 時間以後である．No.574 の血漿中濃度消失半減期（$t_{1/2}$）は 42 〜 123 時間である．作用持続が長いため睡眠維持困難・早朝覚醒に有効であるが，日中の眠気，ふらつきに注意を要する．

処方の実際，どのように使うか？

ソメリン錠　5mg　1 回 1 錠　1 日 1 回　就寝前　14 日分
効果が不十分で副作用がなければ 10mg/ 日まで用いる．

禁忌，併用禁忌，注意すべき副作用，慎重投与など

本剤に過敏症の既往がある例，急性狭隅角緑内障患者，重症筋無力症患者は禁忌である．肺性心，肺気腫，気管支喘息・脳血管障害の急性期等で呼吸機能が高度に低下している患者は原則禁忌（特に必要とする場合は慎重に投与）となる．妊婦・授乳婦への投与は避ける．

おもな副作用は眠気，ふらつき，頭重感，倦怠感である．重大な副作用には，呼吸抑制，依存性が挙げられている．

併用注意は，中枢神経抑制薬，アルコール，MAO阻害薬である．本剤の代謝酵素は不明であるが，本剤投与によりCYP2A6，2E1，3A4活性は阻害されない．念のため他のベンゾジアゼピンにならい，3A4阻害薬，誘導薬との併用に注意する．

併用禁忌はない．

おもな類似薬との使い分け

極めて作用持続が長い．睡眠維持困難・早朝覚醒に効果を示すが，日中の眠気，作業能率の低下，ふらつき等には十分な注意が必要である．

服薬指導のポイント

継続的な内服は極力避け，内服は短期間にとどめる．いったん連用するに至った場合は，急な中断はせず内服量を漸減する．

翌朝以後，眠気，注意力・集中力・反射運動能力等の低下があり得るので，自動車の運転等危険な作業は行わない．

≪≪≪ 専門医からのアドバイス ≫≫≫

極めて作用持続が長い．睡眠維持困難・早朝覚醒への効果が期待されるが，日中の眠気，作業能率の低下，ふらつき等には十分な注意が必要である．

（碓氷　章）

催眠・鎮静薬　ベンゾジアゼピン系　長時間型

クアゼパム

quazepam

ドラール［久光］錠 15mg, 20mg

特徴・どんな薬剤か？

ω_1 選択性が高く，催眠作用に比べ筋弛緩作用は弱い．半減期が長く，作用時間が長い．

薬理作用

中枢に存在するベンゾジアゼピン受容体サブタイプには，小脳や黒質などに多く分布し，おもに催眠鎮静作用に関与する ω_1 受容体と，脊髄や海馬などに多く分布し，筋弛緩作用に深く関与する ω_2 受容体が挙げられる．クアゼパムは，ω_1 受容体に高い親和性を有することから，催眠や睡眠維持の作用を示す．

適応となる疾患・病態，どんなときに使うか？

適応は不眠症，麻酔前投薬である．

最高血中濃度到達時間（T_{max}）は 3.4 時間，血漿中濃度消失半減期（$t_{1/2}$）は 36.6 時間である．食後に内服すると血中最高濃度，曲線下面積（AUC）が 2～3 倍に上昇する．作用持続が長いため睡眠維持困難・早朝覚醒に有効であるが，日中の眠気に注意を要する．筋弛緩作用は弱いと思われる．

処方の実際，どのように使うか？

・不眠症に対して

　ドラール錠　20mg　1回1錠　1日1回　就寝前　14日分
　効果が不十分で副作用がなければ 30mg/ 日まで用いる．

禁忌，併用禁忌，注意すべき副作用，慎重投与など

本剤に過敏症の既往がある例，急性閉塞隅角緑内障患者，睡眠時無呼吸症候群患者，リトナビル投与中の患者は禁忌である．肺性心，肺気腫，気管支喘息・脳血管障害の急性期等で呼吸機能が高度に低下している患者は原則禁忌（特に必要とする場合は慎重に投与）となる．妊婦・授乳婦への投与は避ける．

おもな副作用は眠気，ふらつき，頭重感，倦怠感である．重大な副作用には，依存性，興奮，呼吸抑制，炭酸ガスナルコーシス，幻覚妄想等，一過性前向性健忘・もうろう状態が挙げられている．

併用禁忌は，食物（血中濃度が2～3倍上昇する），リトナビルである．併用注意には，アルコール，中枢神経抑制薬，MAO阻害薬，シメチジンが挙げられている．本剤はCYP2C9，3A4で代謝されるので，こられの阻害薬，誘導薬との併用に注意する．

おもな類似薬との使い分け

半減期が長く作用持続が長いので，睡眠維持困難・早朝覚醒に効果を示す．非ベンゾジアゼピンを除いたベンゾジアゼピン系睡眠薬の中で唯一ω_1選択性が高い薬剤であるため，ふらつきは少ないと予測されるが，日中の眠気，作業能率の低下等に十分な注意が必要である．

服薬指導のポイント

継続的な内服は極力避け，内服は短期間にとどめる．いったん連用するに至った場合は，急な中断はせず内服量を漸減する．

翌朝以後，眠気，注意力・集中力・反射運動能力等の低下があり得るので，自動車の運転等危険な作業は行わない．

≪≪≪ 専門医からのアドバイス ≫≫≫

半減期が長く作用持続が長い．睡眠維持困難・早朝覚醒への効果が期待される．ω_1選択性が高いのでふらつきは少ないと思われるが，日中の眠気，作業能率の低下等には十分な注意が必要である．

(碓氷　章)

催眠・鎮静薬　メラトニン受容体作動薬

ラメルテオン

ramelteon

ロゼレム［武田］錠 8mg

特徴・どんな薬剤か？

ラメルテオンは，松果体ホルモンであるメラトニンの，概日リズム調整作用と入眠作用に着目した，メラトニン受容体作動薬である．

薬理作用

視交叉上核のメラトニン受容体には，覚醒促進信号を抑制し睡眠を促す作用をもつ MT_1 受容体と，生体リズムの位相変位をもたらす MT_2 受容体がある．また，メラトニンは深部体温を低下させることで入眠を促進する．ラメルテオンは，これらの MT_1 受容体および MT_2 受容体のみに選択的に作用することにより，睡眠中枢を賦活することで入眠を促進，および生体リズムの再同調を促進させる．

適応となる疾患・病態，どんなときに使うか？

ラメルテオンは，ベンゾジアゼピン受容体への作用を有さないため，ベンゾジアゼピン類のような依存形成，反跳現象，筋弛緩作用，認知機能への影響がない．したがって，高齢者や，身体疾患，特に閉塞性睡眠時無呼吸症候群などの呼吸器疾患や脳器質性疾患を有する患者の不眠に対して，より安全に投与できる．また，概日リズムの位相変異を主病態とする睡眠相後退症候群に対する効果も期待されている．

処方の実際，どのように使うか？

通常，就寝前にラメルテオン（商品名ロゼレム）8mg 錠を1錠服用する．ラメルテオンの血漿中濃度消失半減期は 1.2 時間と比較的短いが，活性代謝産物（M-Ⅱ）の半減期は 2〜4 時間とされている．この活性代謝産物（M-Ⅱ）が明け方にかけて MT_2 受容体に作用した場合，概日リズムを後退させ，起床困難感を誘発する可能性がある．なお，睡眠相後退症候群に対しては，通常の入眠時刻の 6〜7 時間前に服用すると，4〜8 週間で睡眠相が望ましい時間帯に前進することが期待されている．

禁忌，併用禁忌，注意すべき副作用，慎重投与など

ラメルテオンは，高度な肝機能障害のある患者のほか，CYP1A2が代謝に関与するため，CYP1A2を強く阻害するフルボキサミンマレイン酸との併用は禁忌である．また，同代謝酵素を阻害するキノロン系抗菌薬や，わずかながらに代謝に関与するCYP2CサブファミリーおよびCYP3A4の阻害作用のある薬剤との併用にも注意が必要である．

おもな副作用は，傾眠，頭痛，倦怠感，浮動性めまいである．重大な副作用にはアナフィラキシーがある．

ラメルテオン服用によりプロラクチンが上昇し，月経異常，乳汁漏出または性欲減退等が出現することがある．

類似薬との使い分け

ベンゾジアゼピン系睡眠薬には，呼吸抑制，筋弛緩作用が存在するため，呼吸器疾患や脳血管障害急性期のような重度の呼吸機能障害が認められる場合や，重症筋無力症や高齢者など筋弛緩作用が強く生じるおそれがある場合には，ラメルテオン投与が望ましい．ただし，ラメルテオンには抗不安作用がないため，不安・緊張を伴う入眠困難の際には，ベンゾジアゼピン系睡眠薬の方が有用であろう．

服薬指導のポイント

薬理特性上，規則正しい生活を心がけ，毎日ほぼ同じ時刻にラメルテオンを服用し，就寝するよう指導すべきである．また，概日リズム障害の場合，十分な効果発現までは4週間以上かかることを，前もって指導しておく．

《《《 専門医からのアドバイス 》》》

ラメルテオンは睡眠促進・睡眠位相変位作用を有する唯一の薬剤である．呼吸器疾患や脳血管性障害のため，従来の睡眠薬の使用が困難な症例や，不安・緊張を伴わない不眠に対しては就寝前にラメルテオン（商品名ロゼレム）8mg 1錠の服用で，自然に眠れる時刻が深夜・明け方に固定し，起床困難を生じている睡眠相後退症候群（概日リズム障害）には，自然に眠れる時刻の6～7時間前にラメルテオン1/4～1/2錠の服用で入眠困難の改善への効果が期待される．

（中村真樹）

催眠・鎮静薬　オレキシン受容体拮抗薬

スボレキサント

suvorexant

ベルソムラ［MSD］錠 10mg，15mg，20mg

特徴・どんな薬剤か？

　オレキシンは視床下部外側の神経細胞から分泌される神経ペプチドで，睡眠覚醒サイクルを調整し，覚醒状態を保つ．オレキシン受容体拮抗薬はオレキシン受容体を選択的に阻害することによって睡眠を誘導する新しいタイプの不眠症治療薬で，2014年に初めてのオレキシン受容体拮抗薬であるスボレキサント（商品名ベルソムラ）が登場した．

　この薬剤はGABA受容体に作動しないため，筋弛緩やふらつきによる転倒・骨折を誘発せず，反跳性不眠や退薬症状も少ない．

薬理作用

　オレキシン受容体（オレキシン1受容体およびオレキシン2受容体）を選択的，可逆的に阻害することで，オレキシンニューロンの支配下にある覚醒神経核を抑制し睡眠を誘導するとされる．就寝前に服用することで，夜間の不適切なオレキシン上昇に対応できると考えられている．

適応となる疾患・病態，どんなときに使うか？

　適応は不眠症である．未治療の不眠症患者に対する薬物治療の第一選択として，あるいは他の睡眠薬で効果が不十分な場合の追加，切替えとして有用な選択肢となる．使用成績調査（2018）によると，使用開始後6ヵ月時の改善率は入眠困難74.3%，中途覚醒74.3%，早朝覚醒72.8%で，入眠困難，睡眠維持困難のどちらにも効果があるとされているが，最高血中濃度到達時間（Tmax）1.5時間，血漿中濃度消失半減期（t1/2）が10.0時間であることから，特に睡眠維持効果が期待される．

　中枢神経系に作用する薬剤を併用する場合には眠気などが現れやすくなるため，効果，副作用を注意深く観察しながら投与すべきである．身体疾患におけるせん妄や認知症の行動心理症状に対する効果が期待されており，有効との報告もある．

処方の実際，どのように使うか？

　通常，成人にはスボレキサントとして1日1回20mgを，高齢者には1日

1回15mgを就寝直前に投与する．併用薬剤の有無により，また効果，副作用などを観察し，10mgへの減量を考慮する．

禁忌，併用禁忌，注意すべき副作用，慎重投与など

本剤に過敏症の既往ある患者には禁忌である．本剤は肝酵素CYP3Aで代謝されるため，CYP3Aを強く阻害する薬剤（イトラコナゾール，クラリスロマイシンなど）との併用は禁忌であり，CYP3Aを阻害するジルチアゼム，ベラパミル，フルコナゾールなどやCYP3Aを強く誘導するリファンピシン，カルバマゼピン，フェニトインなどとの併用は注意を要する．

おもな副作用は傾眠，不眠症，浮動性めまい，悪夢である．高齢者の副作用発現率は非高齢者と差がないようである．精神疾患を有する患者で中枢神経系に作用する薬剤を併用している場合には副作用発現率がやや高い．

おもな類似薬との使い分け

GABA受容体に影響しないため，ベンゾジアゼピン系や非ベンゾジアゼピン系の睡眠薬で問題とされる筋弛緩やふらつきによる転倒・骨折を誘発しない．反跳性不眠などの退薬症状もみられにくく依存性も形成しないとされる．抗不安，抗けいれん作用も有していない．

服薬指導のポイント

効果の発現に影響するおそれがあるため，食事中，食直後の服用は避ける．
GABA受容体作動薬からの切り替えを行う場合，両者の作用機序の違いに注意すべきであり，反跳性不眠を避けるためにいったん併用してからGABA受容体作動薬を漸減することが望ましい．

専門医からのアドバイス

持ち越し効果が問題となる場合，服薬量の調節の他に，服薬時刻を就寝前ではなく就寝2時間前に早めることで対処できることが多い．

【文献】
Asai Y, Sano H, Miyazaki M, et al：Suvorexant（Belsomra® Tablets 10, 15, and 20 mg）：Japanese drug-use results survey. Drugs in R&D 19：27-46, 2019

（松澤重行）

V 抗てんかん薬

章編集：渡邉 雅子

抗てんかん薬

■特徴・どんな薬剤か？

てんかんの治療は薬物療法が第一選択であり，適切に薬剤選択や内服が行われれば，約半数の患者が，最初の抗てんかん薬で1年以上発作が抑制される[1]．しかし，一部の症例は従来の抗てんかん薬に対して難治に経過し，さらに従来の抗てんかん薬には相互作用のある薬剤が多い，治療域と中毒域が近いなど，処方に注意が必要なものが多い．2006年以降，新規抗てんかん薬と呼ばれるガバペンチン（GBP），トピラマート（TPM），ラモトリギン（LTG），レベチラセタム（LEV）等，従来薬にはない作用機序をもつ抗てんかん薬や，相互作用の心配がない抗てんかん薬が発売され，その選択肢が増えた．従来薬と新規抗てんかん薬の使い分けが重要となっている．

■作用機序

抗てんかん薬は，いずれも脳の神経細胞における過剰な興奮を抑制し，異常放電の伝播を抑えることで，てんかん発作を抑制する．抗てんかん薬の作用機序は様々だが，神経細胞の興奮性の抑制と神経回路の過剰興奮性の抑制があり，前者には膜電位依存性Na^+チャネル抑制作用と膜電位依存性T型Ca^{2+}チャネル抑制作用があり，後者にはγ-アミノ酪酸（GABA）作動性抑制性機構を増強する作用がある．膜電位依存性Na^+チャネル抑制作用とは，膜電位依存性Na^+チャネルの開口を抑制することで膜の安定化を図り，興奮を起こさないようにする．膜電位依存性T型Ca^{2+}チャネル抑制作用は，T型Ca^{2+}チャネルに作用し，興奮を抑制する．GABA作動薬は過分極をひき起こすことで細胞を興奮しにくくする．これらの他にもエトスクシミド等による電位感受性のCa流の減少，ラモトリギン等による興奮性アミノ酸であるグルタミン酸の阻害，レベチラセタムによるシナプス小胞放出阻害等がある．おもな作用機序を**表1**にまとめた．

■適応となる疾患，病態

てんかんは，有病率0.5〜1%と頻度の高い慢性の神経疾患であり，60〜80%は抗てんかん薬で発作寛解に至る．抗てんかん薬はてんかん発作抑制（発作の予防）のほか，ラモトリギンやバルプロ酸，カルバマゼピンの躁うつ病等に対する気分安定薬としての効果，バルプロ酸の片頭痛に対する発症抑制効果，カルバマゼピンの三叉神経痛に対する効果があり，てんかん以外の疾患に対してもしばしば処方される．また，ベンゾジアゼピン系は，いずれもてんかん発作に対する効果のほか，抗不安作用，催眠作用，筋弛緩作用を認

表1 抗てんかん薬のおもな作用機序

物質名	略号	Na$^+$チャネル抑制	GABA類似作用	T型Ca^{2+}チャネル抑制	非T型Ca^{2+}チャネル抑制	グルタミン酸の抑制	その他の作用機序
フェニトイン	PHT	++++	+		+		
カルバマゼピン	CBZ	++++	+		++	+	
フェノバルビタール	PB	++	+++		+	++	
バルプロ酸	VPA	+++	++	++ (T型)		+	
ベンゾジアゼピン系	(BZP)	+	+++		+		
エトスクシミド	ESM			+++ (T型)			
ゾニサミド	ZNS	++	+	++ (T型)		+	
ガバペンチン	GBP	−	++		++++	++	
トピラマート	TPM	++	+		++	+	炭酸脱水素酵素抑制
ラモトリギン	LTG	++++			+	+++	
レベチラセタム	LEV				+		シナプス小胞放出抑制
ペランパネル	PER						非競合的AMPA受容体阻害
ラコサミド	LCM						Na$^+$チャネル阻害（緩徐な不活化を促進）

める.

■抗てんかん薬の選択のポイントと使い分け

抗てんかん薬選択の基本は,てんかんの発作型（図1）とてんかん症候群である.抗てんかん薬の使用に関しては,日本てんかん学会によるガイドライン[3]と日本神経学会によるガイドライン[4]が参考となる.その他,薬剤選択や処方のポイントを下記にまとめた.

1）抗てんかん薬の投与に際して,まず,正しくてんかんの診断がされている必要がある.てんかん以外が原因の発作症状に対しては,抗てんかん薬処方の適応はなく,原疾患に対する治療を行う.

2）てんかんが診断された後に,各患者の発作型（図1）[5]から適切な抗てんかん薬を選択する.全般発作に対してはバルプロ酸,部分発作に対しては様々な第一選択薬がある（表2）[2,3].てんかん類型（てんかん症候群）[6]に応じて目標を設定する.

3）抗てんかん薬の有効性とあわせて,副作用に留意し薬物選択を行う.例えば,抗てんかん薬に対するアレルギーの既往のある患者では,ラモトリギン,カルバマゼピン,フェニトインといったアレルギーを起こしやすいとされる抗てんかん薬[6]の投与を避ける,慎重にするといった配慮が必要である.同様に妊娠可能年齢の女性患者に対しては,催奇形性に対する配慮[3,4]が必要である.

4）てんかん患者は,発作が完全に抑制されていても長年にわたり抗てんかん薬を内服する必要があり,可能な限り単剤で必要最少量を用いる[5].通常は初期投与量から,半減期の長い抗てんかん薬では2週間以上あけて,半減期の短い抗てんかん薬でも1週間以上あけて,発作が抑制されるまで徐々に増量する.

5）十分に処方量を増量し薬効を判断する.単剤治療を2～3種類試みても発作が抑制されない場合には,多剤併用治療を行う.多剤併用する際には,作用機序が異なる抗てんかん薬を併用（例：電位依存性Naチャネルを阻害するカルバマゼピンに,GABA受容体に作用するクロバザムを併用,など）するほうが合理的である.複数の抗てんかん薬で発作が抑制されない場合には,てんかん外科的治療の可能性を考慮すべきである.

6）抗てんかん薬に限られたことではないが,特にアレルギー等の重篤な副作用を起こすとされる抗てんかん薬では,必ず添付文書にしたがった適正な処方（増量方法,新規抗てんかん薬では併用療法）を行う.添付文書にしたがわない処方は副作用のリスクを高めるだけではなく,重篤な副作用が生

焦点起始発作 Focal Onset

焦点意識保持発作 Aware
焦点意識減損発作 Impaired Awareness

焦点運動起始発作 Motor Onset
自動症発作 automatisms
脱力発作[2] atonic
間代発作 clonic
てんかん性スパズム[2] epileptic spasms
運動亢進発作 hyperkinetic
ミオクロニー発作 myoclonic
強直発作 tonic

焦点非運動起始発作 Non-Motor Onset
自律神経発作 autonomic
動作停止発作 behavior arrest
認知発作 cognitive
情動発作 emotional
感覚発作 sensory

焦点起始両側強直間代発作 (拡張版)
focal to bilateral tonic-clonic

全般起始発作 Generalized Onset

全般運動発作 Motor
強直間代発作 tonic-clonic
間代発作 clonic
強直発作 tonic
ミオクロニー発作 myoclonic
ミオクロニー強直間代発作 myoclonic-tonic-clonic
ミオクロニー脱力発作 myoclonic-atonic
脱力発作 atonic
てんかん性スパズム epileptic spasms

全般非運動発作 (欠神発作) Non-Motor (Absence)
定型欠神発作 typical
非定型欠神発作 atypical
ミオクロニー欠神発作 myoclonic
眼瞼ミオクロニー eyelid myoclonia

起始不明発作 Unknown Onset

起始不明運動発作 Motor
強直間代発作 tonic-clonic
てんかん性スパズム epileptic spasms

起始不明非運動発作 Non-Motor
動作停止発作 behavior arrest

分類不能発作[3] Unclassified

図 1 ILAE2017 年発作型分類 (拡張版)

(Fisher RS, Cross JH, French JA et al: Operational classification of seizure types by the International League Against Epilepsy: position paper of the ILAE commission for classification and terminology. Epilepsia 58: 522-530, 2017. 中川栄二, 日暮憲道, 加藤昌明 監: 国際抗てんかん連盟によるてんかん発作型の操作的分類: ILAE 分類・用語委員会の公式声明. てんかん研究 37 : 13-36, 2019 より引用)

表2 発作型分類と薬物選択

		第一選択薬	第二選択薬	慎重投与すべき薬剤
焦点起始発作		CBZ, LTG, LEV, ZNS, TPM*	PHT, VPA, CLV, CZP, PB, GBP*, PER, LCM	
全般起始発作	強直間代発作	VPA(妊娠可能年齢女性は除く)	LTG, LEV, TPM*, ZNS, CLB*, PB, PHT, PER*	PHT
	欠神発作	VPA, ESM	LTG	CBZ, GBP, PHT
	ミオクロニー発作	VAP, CZP	LEV, TPM*, PB, CLB	CBZ, GBP, PHT
	強直発作, 脱力発作	VPA	LTG, LEV, TPM*, ZNS, CLB*, PB, PHT, PER	CBZ, GBP

CBZ：カルバマゼピン，CLB：クロバザム，CZP：クロナゼパム，ESM：エトサクシミド，GBP：ガバペンチン，LCM：ラコサミド，LEV：レベチラセタム，LTG：ラモトリギン，PB：フェノバルビタール，PER：ペランパネル，PHT：フェニトイン，PRM：プリミドン，TPM：トピラマート，VPA：バルプロ酸，ZNS：ゾニサミド
* 日本での適応は現在のところ併用療法のみである．
GBP，TPMは部分発作(二次性全般化も含む)のみが適応である．
LEVは焦点起始発作（焦点起始両側強直間代発作を含む）に対する単剤適応および強直間代発作に対する併用療法が適応である．
PERは焦点起始発作および強直間代発作のいずれも併用療法が適応である．

じたときに，「医薬品副作用被害救済制度」が適応されなくなることを心にとめておくべきである．

■妊娠・出産に関しての若い女性での使い方

妊娠する可能性がある女性における抗てんかん薬の選択は，発作抑制効果だけではなく催奇形性リスクや認知機能障害発現リスクなども考慮して行う．できる限り単剤とし，必要最小量にする．抗てんかん薬の変更は妊娠前に終えるよう計画的に行い，大奇形の予防および適切な発作抑制を確認する[3,4]．

奇形発現率は各抗てんかん薬により異なる．レベチラセタム，ラモトリギンは低く，カルバマゼピン，エクセグランは比較的低い．フェニトイン，フェノバルビタール，トピラマートはやや高く，バルプロ酸は最も高い[3,4,8,9,10]（図2）．

バルプロ酸は用量依存性に奇形発現率が上昇するほか，児の発達の遅れや自閉症がみられるため，全般てんかんの患者においても，妊娠可能年齢の女性には可能な限り投与を避ける．やむを得ずバルプロ酸を妊娠可能年齢の女性に使用する場合の1日量は600mg以下とし，血中濃度がより安定する徐放剤を使用し，バルプロ酸の血中濃度は$70\mu g/mL$以下とすることが望まし

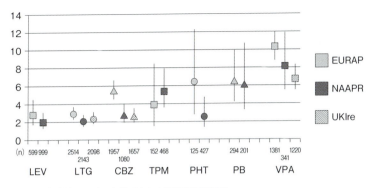

図2　単剤療法における各抗てんかん薬の奇形発現率

LEV：レベチラセタム，LTG：ラモトリギン，CBZ：カルバマゼピン，TPM：トピラマート，
PHT：フェニトイン，PB：フェノバルビタール，VPA：バルプロ酸
(n)：各抗てんかん薬を内服中に出産したてんかんのある女性の数
EURAP：European Register of Antiepileptic Drugs and Pregnancy [9]
NAAPR：The North American AED Pregnancy Registry [8]
UKIre：The UK and Ireland Epilepsy and Pregnancy Register [10]

い[3]．

　2剤以上の抗てんかん薬を投与する場合においても，抗てんかん薬の剤数が増加するほど奇形発現率は上昇するため，できるだけ少ない剤数とする．また，単剤であっても1日あたりの投与量が多くなるほど奇形発現率が有意に上昇する．

　ラモトリギンとレベチラセタムでは妊娠中に大幅な血中濃度低下と発作増悪の可能性があることから，妊娠前から血中濃度のモニタリングを行い，ベースとなる値を把握しておく．妊娠中・出産後にも適宜血中濃度を測定し，必要に応じて内服量の調整を考慮する[3]．一方で，フェニトイン，バルプロ酸，カルバマゼピンなど蛋白結合率の高い薬剤では，総血中濃度が低値を示していても，妊娠中の血清蛋白質減少により遊離型薬剤が増加し，妊娠中投与量調整が不要の例も多く，解釈には注意を要する．

　神経管閉鎖不全症のリスク低下等の観点から，妊娠前から妊娠中にかけては1日量0.4〜0.6mgの葉酸補充を行うことが望ましい．

　授乳に関しては，母乳栄養が可能であると日本てんかん学会は方針を立てているが，ベンゾジアゼピン系薬剤などは個別に考慮する必要がある．

【文献】
1) Kwan P, Brodie MJ：Early identification of refractory epilepsy. N Engl J Med 342：314-319, 2000
2) Fisher RS, Cross JH, French JA et al: Operational classification of seizure types by the International League Against Epilepsy: position paper of the ILAE commission for classification and terminology. Epilepsia 58: 522-530, 2017
3) 日本てんかん学会：てんかん診断・治療ガイドライン http://square.umin.ac.jp/jes/epilepsy-detail/guideline.html
4) 日本神経学会 監,「てんかん診療ガイドライン」作成委員会編：てんかん診療ガイドライン 2018. 医学書院, 2018
5) Proposal for revised clinical and electrographic classification of epileptic seizures. From Commission on Classification and Terminology of the International League Against Epilepsy. Epilepsia 22：489-501, 1981
6) Proposal for revised classification of epilepsies and epileptic syndromes. Commission on Classification and Terminology of the International League Against Epilepsy. Epilepsia 30：389-399, 1989
7) Tomson T, Xue H, Battino D：Major congenital malformations in children of women with epilepsy. Seizure. 28：46-50, 2015
8) Holmes LB, Hernandez-Diaz S, Quinn M et al:North American AED Pregnancy Registry.2018 http://www.aedpregnancyregistry.org/wp-content/uploads/The-NA-AED-Pregnancy-Registry-AES-2018.pdf（2019 年 9 月閲覧）
9) Tomson T, Battino D, Bonizzoni E et al：Comparative risk of major congenital malformations with eight different antiepileptic drugs：a prospective cohort study of the EURAP registry. Lancet Neurol 17：530-538, 2018
10) Campbell E, Kennedy F, Russell A et al：Malformation risks of antiepileptic drug monotherapies in pregnancy：updated results from the UK and Ireland Epilepsy and Pregnancy Registers. J Neurol Neurosurg Psychiatry 85：1029-1034, 2014

（原　恵子）

■抗てんかん薬の高齢者での使い方

　成人でのてんかんの発症率は年齢とともに上昇し，65歳以上で最も高くなる．高齢者では初回発作後の再発率が高いために，初回発作の時点で内服開始を検討する．多くは症候性焦点性てんかんであり，2018年の国内のガイドラインに当てはめると，レベチラセタム，ラモトリギン，ガバペンチンが（併存症のない場合はカルバマゼピンも）推奨されている[1]．高齢発症てんかんは，抗てんかん薬に対する反応が良好といわれているが，以下に述べる副作用と薬剤相互作用に十分留意し[2]，ごく少量（通常量の1/4～1/2）で行うべきである．

　副作用については，すべての抗てんかん薬において，眠気，ふらつき，集中力低下などを伴うことがあり，高齢者では転倒・骨折のリスクとなる．また，高齢者ではアルブミンの血中濃度が低下することにより，薬効を発揮する遊離体で存在する割合が増加し，同じ投与量でも副作用が生じやすくなる．薬物血中濃度はアルブミン結合型と遊離型を区別せずに測定されるので，血中濃度から予想される以上の副作用を示すことがあり，解釈に注意する．肝腎機能に応じて用量調整することも検討する．

　相互作用については，カルバマゼピン，フェニトイン，フェノバルビタールなどの一部の抗てんかん薬による酵素誘導作用が重要である．これらの酵素誘導薬は肝臓でCYPやグルクロン酸抱合を誘導し，他の薬剤の代謝を促進して効果を減弱させる可能性がある．高齢者はしばしばポリファーマシーとなっていることが多く，脳梗塞・心筋梗塞の再発予防におけるワーファリンやスタチンなど，内科的に重要かつ高齢者で頻用される薬剤に対して酵素誘導薬が影響を及ぼすことがある．酵素誘導薬がビタミンD代謝を促進し骨粗鬆症を悪化させる可能性も指摘されている．抗てんかん薬のうち，レベチラセタム，ラコサミド，ペランパネルは代謝酵素への影響は報告されておらず，相互作用が問題となる症例では選択しやすい．

（小玉　聡）

【文献】
1) 日本神経学会 監，「てんかん診療ガイドライン」作成委員会編：てんかん診療ガイドライン 2018．医学書院，2018
2) 小玉　聡，渡辺雅子：高齢初発てんかん．精神医学 60：347-358, 2018

抗てんかん薬 シナプス小胞蛋白2A結合

レベチラセタム

levetiracetam

イーケプラ [ユーシービージャパン / 大塚] 錠 250mg, 500mg, ドライシロップ 50％

特徴・どんな薬剤か？

米国では 1999 年に，本邦では 2010 年に上市された「新規抗てんかん薬」の 1 つである．当初は併用療法のみの承認だったが，2015 年より単剤使用も承認された．エキスパートコンセンサスやガイドラインなどで焦点起始（部分）てんかん治療の第一選択薬として挙げられることも多い．

薬理作用

レベチラセタムは他の多くの抗てんかん薬がもつ Na チャネルや GABA 受容体などへの作用はもたず，神経終末のシナプス小胞膜に存在するシナプス小胞膜蛋白質 2A（SV2A）に結合するという独特の薬理作用をもつ．Ca^{2+} の神経終末への流入に反応してシナプス小胞が神経伝達物質をシナプスへ開口放出するが，SV2A に結合することでこれを減少させ抗てんかん作用を発揮していると考えられている．その他，N 型 Ca^{2+} チャネル阻害，細胞内の Ca^{2+} 遊離抑制，GABA およびグリシン作動性電流に対するアロステリック阻害の抑制，神経細胞間の過剰な同期化の抑制などが確認されている．

適応となる疾患・病態，どんなときに使うか？

部分発作（二次性全般化発作を含む）への単剤使用，他の抗てんかん薬で十分な効果が認められない強直間代発作に対する併用療法が添付文書上適応となっている．しかし，海外では部分発作に限らず，幅広い抗てんかんスペクトラムが確認されている．

処方の実際，どのように使うか？

成人では 1 日 1,000mg を 2 回の分割経口投与で開始する．1 日最高用量は 3,000mg で，増量は 2 週間以上間隔をあけて 1 日用量として 1,000mg 以下とするとされている．高齢者では 1 日 250 〜 500mg を 2 回分割投与で開始することも多い．

4 歳以上の小児には 1 日 20mg/kg を 1 日 2 回分割経口投与する．1 日最高用量は 60mg/kg で，増量は 2 週間以上の間隔をあけて 1 日用量として 20mg/kg 以下ずつ行う．体重 50kg 以上の小児では成人と同じ用法・用量を用いる．

禁忌，併用禁忌，注意すべき副作用，慎重投与など

　本剤や本剤と共通した構造の薬剤への過敏症の既往以外に禁忌はない．おもな副作用は眠気で，添付文書にも鼻咽頭炎などとともに傾眠が多く出現したと記載されている．時にイライラや攻撃性と呼ばれる精神症状が出現する場合がある．

　腎排泄の薬剤であり，腎機能障害のある患者には慎重投与となっているが，重度の肝機能障害や高齢者でも慎重投与の記載がある．レベチラセタムはCYP関連酵素では分解されず，CYP関連酵素への影響もないため他の抗てんかん薬との相互作用は少ない薬剤である．

おもな類似薬との使い分け

　高い有効性，抗てんかんスペクトラムの広さ，重篤な副作用の少なさなどの点で使用しやすい薬剤で，特に部分発作で第一選択薬の1つとして扱われている．さらに，薬剤相互作用の少なさや，他の抗てんかん薬と異なる独特の薬理作用をもつため，第二選択の併用薬としても使用しやすい．

服薬指導のポイント

　半減期は約8時間で1日2回内服を推奨する．増量すると眠気を訴える症例はあるがそれ以外の副作用は少なく，めまいや脱力などによる転倒リスクもほとんどないため使用しやすい．イライラのような精神症状は内服している本人は気づかず近親者に気づかれることが多いため，投与初期に近親者に注意を与えておく．薬剤血中濃度の測定も可能となったが，かつての抗てんかん薬ほど厳重に血中濃度を管理する必要はない．

《《《 専門医からのアドバイス 》》》

　多くのエキスパートコンセンサスやガイドラインで高く評価されている，有効性が高く副作用が少ない使用しやすい薬剤である．イライラの精神症状は軽微なものから強いものまで幅広いが，全くそういった症状が出ない症例がほとんどで，少量で出現しなければ増量しても出現しない印象がある．認知症合併症例でイライラが出現するとBPSDと見分けるのは困難となるが，いったん中止後にまた再開すると初回のような状態像とならないこともよく経験する．

（髙木俊輔）

抗てんかん薬　シナプス小胞蛋白 2A 結合

レベチラセタム点滴静注
levetiracetam

イーケプラ［ユーシービージャパン / 大塚］点滴静注 500mg

特徴・どんな薬剤か？

　焦点起始てんかん（部分てんかん）の第一選択内服薬の1つのイーケプラの点滴製剤である．2010年の内服薬承認から遅れて2015年に本邦では上市された．これまで内服抗てんかん薬で推奨度の高い薬剤の点滴製剤は上市されていなかったが，イーケプラ点滴静注の登場により内服製剤の第一選択薬が点滴でも使用可能となった．

薬理作用

　イーケプラの項参照．消失半減期は7時間程度で，経口とほぼ変わらない．

適応となる疾患・病態，どんなときに使うか？

　部分発作（二次性全般化発作を含む）への単剤使用および他の抗てんかん薬で十分な効果が認められない強直間代発作に対する併用療法が，一時的に経口投与ができない患者に対してレベチラセタム経口製剤の代替療法として添付文書上適応となっている．ただし，経口製剤に先立っての使用も認められており，イーケプラを内服していない症例にも使用することができる．

処方の実際，どのように使うか？

　1日用量は内服薬と同様最大3,000mgであり，経口投与に先立ち使用する際は1日1,000mgから開始し，増量は1週間に1,000mgずつ行う．使用法は2回に分けて生理食塩水50mLや100mLに混合して15分かけて静注する．内服製剤への切り替えは同量の1日用量で切り替えるのみでよくわかりやすい．逆に内服製剤から静注製剤への切り替えは手術や全身状態の悪化の際に行うことが多く，やはり切り替え時に内服している量と同量の1日量で行えばよい．

　日本神経学会による「てんかん診療ガイドライン2018」ではてんかん重積状態の治療薬に第二段階の薬剤の1つとして挙げられている．ただし，てんかん重積への適応は現時点ではない．てんかん重積の第一候補や他の第二候補の治療薬を重積治療薬として用いると同時に開始してその後の継続的な抗てんかん薬としてこの薬剤を用いると重積頓挫後の意識障害などで内服が

不可能な症例でも継続して加療が可能である．

禁忌，併用禁忌，注意すべき副作用，慎重投与など

内服薬同様本剤への過敏症の既往以外禁忌は特にない．副作用も同様で傾眠が最も頻度が高いが，呼吸抑制や過剰な鎮静につながることは少なく，使用しやすい薬剤である．

おもな類似薬との使い分け

ベンゾジアゼピン系の点滴製剤と比べると即効性ではやや劣るものの呼吸抑制がほぼない点で使用しやすい．

前述のようにてんかん重積への適応は現時点ではないが，てんかん重積の第一候補や他の第二候補の治療薬は継続の使用には不向きな薬剤が主体であり，それらの薬剤で重積を治療した後の継続的な抗てんかん治療薬として用いると有用である．さらに，他の点滴製剤と比べて継続的に治療が可能という特徴は，内服が不可能で経鼻胃管の挿入がない状態が続いている患者でも使用できるということにつながる

《《《 専門医からのアドバイス 》》》

呼吸抑制がほとんどないため重症例にも使用しやすい薬剤であり，継続投与が可能なため認知症終末期で経口摂取不可能な症例などにも使用する場合がある．ただし，便利なだけに漫然と投与されることもあり，経口薬への切り替えを投与開始早期から計画しておきたい．

（髙木俊輔）

| 抗てんかん薬 | Naチャネル抑制，Caチャネル抑制 |

ラモトリギン

lamotorigine

ラミクタール［グラクソ・スミスクライン］錠2mg（小児用），5mg（小児用），25mg，100mg/ ラモトリギン「トーワ」錠2mg（小児用），5mg（小児用），25mg，100mg/ ラモトリギン「サワイ」錠2mg（小児用），5mg（小児用），25mg，100mg / ラモトリギン「日医工」錠2mg（小児用），5mg（小児用），25mg，100mg/ ラモトリギン「アメル」［共和］錠25mg，100mg/ ラモトリギン「JG」［日本ジェネリック］錠25mg，100mg

特徴・どんな薬剤か？

化学的に関連はないが，フェニトイン（PHT）やカルバマゼピン（CBZ）と薬理作用が類似し作用機序が似ているにもかかわらず，幅広い治療適応をもつ忍容性の高い抗てんかん薬である．催奇形性，認知機能への影響が少なく，妊娠の可能性がある女性や高齢者にも適する．副作用として重篤な皮膚障害が稀に生じる．投与初期の漸増法を遵守することで重症薬疹の発現は他の抗てんかん薬と同程度に抑制される．

薬理作用

電位依存性Naチャネルの抑制になり神経細胞膜を安定化させる．また，Caチャネルを抑制することで神経末端における興奮性アミノ酸の放出を抑制し，神経の過興奮およびその伝達を抑制するとされる．健康成人では経口摂取後ほぼ完全に吸収され，線形の薬物動態を示し，単剤投与での最高血中濃度到達時間は2～3時間，半減期は25～33時間である．血漿蛋白結合率は約55%で，グルクロン酸転移酵素（おもにUDP1A4）で代謝され，おもに尿中に排泄される．有効域は2.5～15μg/mLとされる．重度の肝機能・腎機能障害時には，本剤の代謝が阻害，または排泄が遅延する場合があり，初期投与量や維持量を減量する必要がある．妊娠中は血中濃度が低下し発作が増加しやいため，妊娠前の血中濃度を参考に増量を検討する．妊娠中増加した肝クリアランスは出産後1～2週でもとに戻るため，妊娠前の処方量に戻す必要がある．

適応となる疾患・病態，どんなときに使うか？

単剤療法では焦点てんかんの焦点起始発作（焦点起始両側強直間代発作を含む），全般てんかんの強直間代発作，定型欠神発作に対して有効である．併用療法では焦点起始発作（焦点起始両側強直間代発作を含む），強直間代発作，レノックス・ガストー症候群における全般起始発作に対して用いる．

乳児重症ミオクロニーてんかんで発作悪化の報告がある．

処方の実際，どのように使うか？

　低用量から開始し漸増する．併用薬の有無，種類により開始量が異なり用量調整が必要である（**図1**，**表1**）．バルプロ酸ナトリウムなどのグルクロン酸抱合が競合する薬剤との併用は代謝が阻害され半減期が約2倍（70時間）に延長する．グルクロン酸抱合を誘導する薬剤との併用は代謝が促進され半減期が短縮する（7～20時間）．

禁忌，併用禁忌，注意すべき副作用，慎重投与など

　禁忌は本剤に対し過敏症の既往歴のある患者である．

　重大な副作用として重症薬疹（中毒性表皮壊死融解症，スティーブンス・ジョンソン症候群，薬剤性過敏症症候群）があり死亡例が報告されている．重症薬疹の危険因子として，承認用量を超える初回用量や急激な増量，バルプロ酸併用例，投与8週以内，他の抗てんかん薬で薬疹の既往，13歳以下の小児などである．他の重大な副作用に，再生不良性貧血，汎血球減少，無顆粒球症，肝炎・肝機能障害，黄疸，無菌性髄膜炎などがある．その他のおもな副作用は，傾眠，めまい，消化器症状などである．脳の器質的障害のある患者で精神症状を増悪させることがある．単剤療法での催奇形性はてんかんを有しない女性と同程度と報告されている．経口避妊薬はグルクロン酸抱合を誘導し本剤の血中濃度を40～65％減少させる．

服薬指導のポイント

　投与方法を遵守するよう説明する．発疹，38℃以上の発熱，眼症状（目の充血），口唇・口腔内粘膜のびらん，咽頭痛，全身倦怠感，リンパ節腫脹などの症状が現れた場合直ちに服薬を中止し皮膚科を受診するよう指導する．

《《《 専門医からのアドバイス 》》》

　重症薬疹のリスクから本剤を選択肢から除外することは発作抑制の機会喪失につながる可能性がある．投与法を遵守し副作用には適切に対応することで重症薬疹のリスクを他の抗てんかん薬と同程度に低減できる．

（村田佳子）

表1 てんかん患者に用いる場合（成人）

本剤と併用する薬剤の種類	併用療法			単剤療法の場合（焦点発作（焦点起始両側強直間代発作を含む）および強直間代発作に用いる場合）
	バルプロ酸ナトリウムを併用する場合	バルプロ酸ナトリウムを併用しない場合[注1]		
		A 本剤のグルクロン酸抱合を誘導する薬剤[注2]を併用する場合	A以外の薬剤を併用[注3]する場合	
1・2週目	25mgを隔日投与	50mg/日 （1日1回投与）	25mg/日 （1日1回投与）	
3・4週目	25mg/日 （1日1回投与）	100mg/日 （1日2回に分割して投与）	50mg/日 （1日1回投与）	
5週目以降	1～2週間毎に25～50mg/日ずつ漸増する．	1～2週間毎に最大100mg/日ずつ漸増する．	5週目は100mg/日 （1日1回または2回に分割して投与） その後1～2週間毎に最大100mg/日ずつ漸増する．	
維持用量	100～200mg/日 （1日2回に分割して投与）	200～400mg/日 （1日2回に分割して投与）	100～200mg/日 （最大400mg/日） （1日1回または2回に分割して投与） （増量は1週間以上の間隔をあけて最大100mg/日ずつ）	

注1：本剤のグルクロン酸抱合に対する影響が明らかでない薬剤による併用療法では，バルプロ酸ナトリウムを併用する場合の用法および用量に従うこと．
注2：本剤のグルクロン酸抱合を誘導する薬剤：フェニトイン，カルバマゼピン，フェノバルビタール，プリミドン，リファンピシン，ロピナビル・リトナビル配合剤
注3：本剤のグルクロン酸抱合に対し影響を及ぼさない薬剤：アリピプラゾール，オランザピン，ゾニサミド，ガバペンチン，シメチジン，トピラマート，プレガバリン，リチウム，レベチラセタム，ペランパネル，ラコサミド

表2 てんかん患者に用いる場合（小児）

本剤と併用する薬剤の種類	併用療法				単剤療法の場合（定型欠神発作に用いる場合）
	バルプロ酸ナトリウムを併用する場合		バルプロ酸ナトリウムを併用しない場合注1		
	本剤のグルクロン酸抱合を誘導する薬剤注2を併用する場合	本剤のグルクロン酸抱合を誘導する薬剤注2を併用しない場合	A 本剤のグルクロン酸抱合を誘導する薬剤注2を併用する場合	A 以外の薬剤注3を併用する場合	
1・2週目	0.15mg/kg/日（1日1回投与）	0.15mg/kg/日（1日1回投与）	0.6mg/kg/日（1日2回に分割して投与）	0.15mg/kg/日（1日1回投与）	0.3mg/kg/日（1日1回または2回に分割して投与）
3・4週目	0.3mg/kg/日（1日1回投与）	0.3mg/kg/日（1日1回投与）	1.2mg/kg/日（1日2回に分割して投与）	0.3mg/kg/日（1日1回投与）	0.6mg/kg/日（1日1回または2回に分割して投与）
5週目以降	1〜2週間毎に最大0.3mg/kg/日ずつ漸増する．	1〜2週間毎に最大0.3mg/kg/日ずつ漸増する．	1〜2週間毎に最大1.2mg/kg/日ずつ漸増する．	1〜2週間毎に最大0.3mg/kg/日ずつ漸増する．	1〜2週間毎に最大0.6mg/kg/日ずつ漸増する．
維持用量	1〜5mg/kg/日（最大200mg/日）（1日2回に分割して投与）	1〜3mg/kg/日（最大200mg/日）（1日2回に分割して投与）	5〜15mg/kg/日（最大400mg/日）（1日2回に分割して投与）	1〜3mg/kg/日（最大200mg/日）（1日2回に分割して投与）	1〜10mg/kg/日（最大200mg/日）（1日1回または2回に分割して投与）（増量は1週間以上の間隔をあけて最大0.6mg/kg/日ずつ）

注1：本剤のグルクロン酸抱合に対する影響が明らかでない薬剤による併用療法では，バルプロ酸ナトリウムを併用する場合の用法および用量に従うこと．
注2：本剤のグルクロン酸抱合を誘導する薬剤：フェニトイン，カルバマゼピン，フェノバルビタール，プリミドン，リファンピシン，ロピナビル・リトナビル配合剤
注3：本剤のグルクロン酸抱合に対し影響を及ぼさない薬剤：アリピプラゾール，オランザピン，ゾニサミド，ガバペンチン，シメチジン，トピラマート，プレガバリン，リチウム，レベチラセタム，ペランパネル，ラコサミド

抗てんかん薬　AMPA受容体抑制

ペランパネル

perampanel

フィコンパ［エーザイ］錠 2mg, 4mg

特徴・どんな薬剤か？

2016年3月に発売された新しい抗てんかん薬である．AMPA受容体拮抗薬であり，従来薬と異なる作用機序をもつ．また，半減期が長い点が特徴であり，1日1回投与のため服薬の負担が少ないのが利点だが，効果や副作用発現までの観察期間や増量速度に留意する必要がある．

薬理作用

シナプス後膜のAMPA型グルタミン受容体を選択的・非競合的に阻害し，神経の過興奮を抑制することで抗てんかん作用をもたらす．

適応となる疾患・病態，どんなときに使うか？

焦点発作（焦点起始両側強直間代発作を含む）および強直間代発作が適応である．12歳以上の小児と成人を対象とし，2019年以後，単剤療法が可能である．

処方の実際，どのように使うか？

本剤は半減期が長いことから1日1回投与であり，服薬直後の血中濃度上昇が急峻であることから就寝前に投与する．1日1回2mgから開始し，2mgずつ増量する．維持量は，本剤の代謝を促進する抗てんかん薬（カルバマゼピン，フェニトイン）を併用しない場合は最大8mgまで，併用する場合は8〜12mgまでとする．本薬剤は平均半減期が105時間と長く，定常状態に達するまで約21日かかるため，増量間隔には注意が必要である．添付文書では増量の際は1週間以上の間隔をあけるよう記載されているが，半減期を考慮すると実際には3〜4週間経ってから増量するほうが安全である．

禁忌，併用禁忌，注意すべき副作用，慎重投与など

禁忌は重度の肝機能障害がある患者である．併用禁忌はない．出現頻度の高い副作用は，浮動性めまいと傾眠であり，血中濃度が急激に立ち上がる服薬直後の時間帯に出現しやすい．また，易刺激性，攻撃性などの精神症状が出現することがあるため，もともとそういった傾向のある患者に処方する

際には特に注意する．カルバマゼピン，フェニトイン，フェノバルビタール，イトラコナゾールなど薬物代謝酵素CYP3Aを誘導する薬剤を併用する際は，本剤の代謝が促進されるため血中濃度低下に注意する．

おもな類似薬との使い分け

他の抗てんかん薬と作用機序が異なるため，併用薬として選択しやすい．また，服薬直後の血中濃度上昇を考慮すると，不眠がある患者や睡眠中に発作がおきやすい患者に処方するとよいかもしれない．本邦では現時点では適応外であるが，ミオクローヌスやミオクロニー発作に有効という報告がある．

服薬指導のポイント

服薬直後に急激に濃度が上昇するために，浮動性めまいや眠気が出現した場合に転倒しやすくなるおそれがある．そのため，就寝準備を済ませて入床直前に服薬するよう指導する．また，翌日に飲み忘れに気づいた場合は，日中には服用せずにいつも通りの量を就寝前に服用するよう指導する．半減期が長いため血中濃度は大きく低下しないことを説明すれば，患者や家族も安心する．

《《《 専門医からのアドバイス 》》》

1日2回投与の抗てんかん薬が多いためか，本剤を朝・夕食後の1日2回投与で処方されるケースを時折見かける．発作は減少したが，日中のめまいや眠気のために中止したという話を患者から聞くこともある．有効性を生かしつつ副作用をできるだけ抑えるために，就寝前投与を遵守したい．

【文献】
1) 白石秀明：ペランパネル．日本臨床 76：970-974, 2018
2) 松田一己：ペランパネルの使い方．"プライマリ・ケアのための新規抗てんかん薬マスターブック，改訂第2版"高橋幸利 編．診断と治療社，pp106-108, 2017

（渡邊さつき）

抗てんかん薬　Naチャネル緩徐抑制

ラコサミド

lacosamide

ビムパット［UCB/第一三共］錠50mg, 100mg, ドライシロップ10%

特徴・どんな薬剤か？

ラコサミドは薬物動態の個体差や薬物相互作用が少なく，脳内への移行もよい単剤投与可能な抗てんかん薬である．我が国では2016年に発売された．

薬理作用

電位依存性Naチャネルの緩徐な不活性化を促進することで抗てんかん作用を発揮する．経口投与によりほぼ100％吸収され，生物学的利用能は高い．消化管吸収に食事の影響を受けない．投与後速やかに吸収され，82％は48時間以内に腎排泄される．一部はCYPで代謝を受ける．血漿蛋白結合率は低く，他の薬剤への影響や，他の薬剤からの影響も少ない．

適応となる疾患・病態，どんなときに使うか？

成人，小児てんかん患者の焦点起始発作（部分発作），焦点起始両側強直間代発作（二次性全般化発作）．

処方の実際，どのように使うか？

成人：投与開始量として1日100mgを2回に分割経口投与し，以降は1週間以上あけて1日100mg以下の範囲内で増量．通常は1日量200〜400mgまで漸増．最高1日量は400mgまで．単剤投与可．

小児：4歳以上の小児には1日2mg/kgより投与を開始し，その後1週間以上の間隔をあけて1日用量として2mg/kgずつ増量．維持用量は体重30kg未満の小児には1日6mg/kg，体重30kg以上50kg未満の小児には1日8mg/kgとする．体重50kg以上の小児に関しては，成人投与量に準ずる．

禁忌，併用禁忌，注意すべき副作用，慎重投与など

重度の肝障害患者には禁忌．軽症または中等度の肝機能障害のある患者には1日最高用量300mgにし，慎重に投与する．

注意すべき副作用は，房室ブロック，徐脈，失神．心電図異常がある患者への投与は慎重に行う．心電図でPR間隔の延長がみられる場合は速やかに中止する．頻度は高くないが，中毒性表皮壊死融解症など，投与後に発熱，紅斑，

水疱，咽頭痛などがみられた場合も中止．無顆粒球症も同様に対処する．

浮動性めまい，頭痛，傾眠，複視，悪心，嘔吐などは比較的多くみられる副作用であり，これらの副作用は減量で改善することもあるため，必要に応じて減量・中止を検討する．他のNaチャネル阻害薬との併用は副作用を生じやすく，併用投与の場合は注意する．

おもな類似薬との使い分け

Naチャネルの急速不活性化を促進するフェニトイン，カルバマゼピンなどに似た抗けいれん作用をもつが，ラコサミドはこの緩徐不活性化を促進する．基本的にガイドラインに沿った薬剤選択を行うが，治療開始時から本剤投与が望ましく，既存のNaチャネル薬服用でγGTP上昇など肝機能異常がある，発作抑制効果不十分であるなどの場合，本剤への変更を検討する．

服薬指導のポイント

基本的に朝夕の2回投与．飲み忘れは気づいたときに服用し，次の内服時間に近い場合は就寝前などに移動して，原則として1日分は服用する．飲み始めに頭痛，めまいなどの副作用が生じやすいことを伝えておくとよい．高齢者や，その他の薬で副作用既往のある患者，他のNaチャネル阻害薬を服用している患者に対しては50mg/日夕食後など少量から開始することが望ましい．人工透析の後は1日投与量の半量を補充する．

《《《 専門医からのアドバイス 》》》

薬物相互作用や重篤な副作用も少ないため，比較的初期に使用しやすい薬剤といえる．精神疾患や知的障害をもつ患者への投与においても，症状の増悪・出現は少ない．従来の薬剤に比し副作用は生じにくいが，全くないわけではないため，基本的には添付文書に沿った処方（リスクファクターによりさらに少量から）が望ましい．また，減薬時は少なくとも1週間以上かけて徐々に減量する．

【文献】
1) National Institute of Neurological Disorders and Stroke：Epilepsy Therapy Screening Program（ETSP）. https://www.ninds.nih.gov/research/asp/
2) 神 一敬，中里信和：Lacosamideの臨床成績（有効性・安全性）．臨床精神薬理 19：1189-1195，2016
3) 井上有史，越阪部徹，平野京子 他：日本人及び中国人成人てんかん患者に対する新規抗てんかん薬 lacosamide 併用療法の忍容性：二重盲検比較試験及び非盲検継続試験結果の二次解析．臨床精神薬理 20：439-453, 2017

〈倉持　泉〉

抗てんかん薬　Naチャネル緩徐抑制

ラコサミド点滴静注
lacosamide

ビムパット ［UCB/第一三共］ 点滴静注 200mg

特徴・どんな薬剤か？

ラコサミドは生物学的利用能が高く，薬物動態の個体差や薬物相互作用が少ない，脳内への移行もよい腎排泄型の新規抗てんかん薬である．我が国で注射製剤は 2019 年 3 月に発売された．

薬理作用

電位依存性 Na チャネルの緩徐な不活性化を促進することで抗てんかん作用を発揮する．生物学的利用能は高い．ラコサミドの約 40% は未変化体として腎臓より排泄されるが，一部は CYP などで代謝を受けて排泄される．血漿蛋白結合率は低く，他の薬剤への影響や，他の薬剤からの影響も少ない．

適応となる疾患・病態，どんなときに使うか？

一時的に経口投与ができない成人・小児てんかん患者における，焦点起始発作（部分発作），焦点起始両側強直間代発作（二次性全般化発作）の治療に対するラコサミド経口製剤の代替療法．

処方の実際，どのように使うか？

・ラコサミドの経口投与から本剤に切り替える場合

通常，ラコサミド経口投与と同じ 1 日用量および投与回数にて，1 回量を 30 〜 60 分かけて点滴静脈内投与する．

・ラコサミドの経口投与に先立ち本剤を投与する場合

成人：通常，成人にはラコサミドとして 1 日 100mg より投与を開始し，その後 1 週間以上の間隔をあけて 1 日用量 100mg 以下ずつ増量し，維持用量を 1 日 200mg とするが，いずれも 1 日 2 回に分け，1 回量を 30 〜 60 分かけて点滴静脈内投与する．1 日最高投与量は 400mg を超えないこととする．

小児：通常，4 歳以上の小児にはラコサミドとして 1 日 2mg/kg より投与を開始し，その後 1 週間以上の間隔をあけて 1 日用量として 2mg/kg ずつ増量し，維持用量を体重 30kg 未満の小児には 1 日 6mg/kg，体重 30kg 以上 50kg 未満の小児には 1 日 8mg/kg とする．いずれも 1 日 2 回に分け，1 回量を 30 〜 60 分かけて点滴静脈内投与する．4 歳以上の小児のうち体重

30kg 未満の小児では1日 12mg/kg，体重 30kg 以上 50kg 未満の小児では1日 8mg/kgを超えないこととする．体重 50kg 以上の小児では，成人と同じ1日最高投与量及び増量方法とする．

症状により適宜増減できるが，急激な減量は避ける．

禁忌，併用禁忌，注意すべき副作用，慎重投与など

重度の肝機能障害患者へは禁忌．軽度または中等度の肝機能障害のある患者，クレアチニンクリアランスが 30mL/min 以下の重度および末期腎機能障害のある患者には，成人1日最高用量を 300mg，小児は1日最高用量を 25%減量とする．また，血液透析を受けている患者では，1日用量に加えて，血液透析後に最大で1回用量の半量の追加投与を考慮する．心臓の伝導障害や重度の心疾患（心筋梗塞，心不全等）の既往のある患者，Naチャネル異常のある患者，PR 間隔の延長を起こすおそれのある薬剤を併用している患者は慎重に投与し，心電図変化を生じた場合は速やかに中止する．

おもな類似薬との使い分け

他の類似抗てんかん薬注射製剤としては，Naチャネルの急速不活性化を促進するフェニトインに似た抗けいれん作用をもつが，ラコサミドはこの緩徐不活性化を促進する．基本的にガイドラインに沿った薬剤選択を行うことが望ましいが，フェニトインはてんかん重積に適応があるものの副作用が多く，経口内服に切り替える際には長期的な視野での薬剤選択を検討する必要がある．

服薬指導のポイント

基本的に，経口投与ができない患者に対しての代替として使用．国内外の臨床試験において，5日間を超えた長期点滴静脈内投与の使用経験はないため，経口投与が可能になった場合は速やかにラコサミド経口製剤に切り替えることが望ましい．

《《《 専門医からのアドバイス 》》》

てんかん重積状態に対しての保険適応はないが，何らかの事情で一時的に経口投与ができないてんかんに対しては，その後の経口薬への切り替え，長期的内服を鑑みても有用な薬剤といえる．

（倉持　泉）

抗てんかん薬　複数の作用機序

バルプロ酸ナトリウム sodium valproate, valproic acid, valproate

セレニカR［興和］錠 200mg, 400mg, 顆粒 40% / バルプロ酸Na［藤永］錠 100mg, 200mg, シロップ 5%, 徐放顆粒 40% / バルプロ酸Na［東和］徐放B錠 100mg, 200mg / バルプロ酸Na［辰巳化学］錠 100mg, 200mg / デパケン［協和キリン］R錠 100mg, 200mg, 錠 100mg, 200mg, シロップ 5%, 細粒 20%, 40% / バルプロ酸ナトリウム［共和］SR錠 100mg, 200mg, 錠 100mg, 200mg, 徐放U顆粒 40% / バルプロ酸ナトリウム［小林化工］細粒 20%, 40% / バルプロ酸ナトリウム［日医工］シロップ 5% / バレリン［大日本住友］錠 100mg, 200mg, シロップ 5%

特徴・どんな薬剤か？

てんかんに対して広く効果があり，特に全般てんかんに対しての第一選択薬である．

薬理作用

GABA合成に関与するグルタミン酸脱炭酸酵素活性低下抑制作用やGABA分解に関与するGABAトランスアミナーゼの阻害作用により，脳内GABA濃度を上昇し，脳内の抑制系を賦活することで抗てんかん作用，片頭痛発作抑制作用，抗躁作用を現すとされる．電位依存性Naチャネル阻害作用やT型電位依存性Caチャネル阻害作用も指摘されている．

処方の適応となる疾患・病態，どんなときに使うのか？

各種てんかんおよびてんかんに伴う行動障害に対して適応がある．

てんかん診療ガイドラインでは強直間代発作，欠神発作，ミオクロニー発作などの全般起始発作を呈する全般てんかんに対して第一選択薬，焦点てんかん（部分てんかん）患者に対しては第二選択薬と記載されている[1]．てんかんのほか，躁病・躁うつ病の躁状態，片頭痛に対しても適応がある．

処方の実際，どのように使うか？

・セレニカR（200mg）3錠　就寝前（1日1回）

半減期が短いため，特別な理由がない限り，血中濃度の安定と服薬アドヒアランスの観点から，徐放剤のほうが望ましい．

禁忌，併用禁忌，注意すべき副作用，慎重投与など

重篤な肝障害，尿素サイクル異常症では禁忌である．妊婦または妊娠している可能性のある女性で片頭痛発作抑制に対しての使用は禁忌である．妊婦

または妊娠している可能性のある女性で各種てんかんおよびてんかんに伴う行動障害の治療，躁病および躁うつ病の躁状態の治療に対しては<u>原則禁忌</u>であり，特に必要とする場合には慎重に投与することが必要である．

カルバペネム系抗生物質は，肝のグルクロン酸抱合の促進によりバルプロ酸の血中濃度が低下するため，併用禁忌である．重篤な肝障害や高アンモニア血症，血小板減少，汎血球減少などの血液学的異常を起こすことがあるため，定期的な血算生化学検査によるモニタリングが必要である．

バルプロ酸は催奇形性を認めており，欧州の報告では大奇形の発現率は10.3％である[2]．用量が多いほうが，また抗てんかん薬多剤併用であるほど，催奇形性が高まることにも留意する．さらに，妊娠中にバルプロ酸を内服していた母親から産まれた児の知能指数の低下や自閉症，注意欠如・多動症のリスクが増加することが報告されているために特に注意を要する．

おもな類似薬との使い分け

妊娠可能年齢女性ではバルプロ酸以外の薬剤治療が推奨されており[1]，レベチラセタムやラモトリギンなどの使用を考慮する．

服薬指導のポイント

急な中断によりてんかん重積状態が現れることもあるため，規則正しい内服を指導する．

《《《 専門医からのアドバイス 》》》

妊娠可能年齢の女性にやむなくバルプロ酸を使用する際には，①単剤での使用，②徐放剤を用いること，③催奇形性の観点から用量は600mg／日以下，④妊娠前からの適量の葉酸（0.4〜0.6mg／日）の補充を行わない．患者本人に十分な情報提供をすることが望ましい[1]．

【文献】
1) 日本神経学会 監，「てんかん診療ガイドライン」作成委員会 編：てんかん診療ガイドライン2018．医学書院，pp27-30, 136-138, 2018
2) Tomson T, Battino D, Bonizzoni E et al：Comparative risk of major congenital malformations with eight different antiepileptic drugs：a prospective cohort study of the EURAP registry. Lancet Neurol 17：530-538, 2018

（田久保陽司）

抗てんかん薬　複数の作用機序

ゾニサミド
zonisamide

エクセグラン［大日本住友］錠 100mg, 散 20% / ゾニサミド「アメル」［共和］　錠 100mg, 散 20% / ゾニサミド EX「KO」［寿］　錠 100mg

特徴・どんな薬剤か？

　日本で開発されたため，欧米では新規抗てんかん薬と位置づけられているが，本邦では 1989 年に承認され，現在はジェネリック医薬品も発売されている．

薬理作用

　作用機序は明らかではないが，電位依存性 Na チャネル阻害，電位依存性 T 型 Ca チャネル阻害，炭酸脱水酵素阻害，GABA-A 受容体機能亢進など多彩な薬理作用を有することで，抗てんかん作用を現すとされる．

　またドーパミン遊離増強作用も認めるため，パーキンソン病治療薬としても承認されている〔商品名トレリーフ（大日本住友製薬）〕．

適応となる疾患・病態，どんなときに使うか？

　焦点意識保持発作（単純部分発作），焦点意識減損発作（複雑部分発作），焦点起始両側強直間代発作（二次性全般化発作）などの焦点起始発作（部分発作），全般強直間代発作，強直発作，非定型欠神発作などの全般起始発作に対して適応がある．

　「てんかん診療ガイドライン 2018」には新規発症の焦点てんかん（部分てんかん）に対して，カルバマゼピン，ラモトリギン，レベチラセタムに次いで第一選択薬として記載され，新規発症の全般てんかんでも全般強直間代発作に対しては第二選択薬として記載されている[1]．

処方の実際，どのように使うか？

・エクセグラン錠（100mg）3 錠　分 3（毎食後）

　成人には初日 1 日量 100 ～ 200mg を 1 ～ 3 回に分割して経口投与する．以後 1 ～ 2 週ごとに増量して維持療法として 1 日量 200 ～ 400mg を 1 ～ 3 回に分割して経口投与する．症状により適宜増減するが，1 日最高投与量は 600mg までとする．小児の投与量は添付文書を参照すること．

禁忌，併用禁忌，注意すべき副作用，慎重投与など

本剤の成分に対し過敏症の既往歴のある患者に対しての使用は禁忌．重篤な肝機能障害またはその既往歴のある患者に対しては慎重投与．

併用禁忌はない．フェニトイン，カルバマゼピン，フェノバルビタールなどの抗てんかん薬との併用で，本剤の血中濃度が低下することがあるため併用注意．また，フェニトインとの併用で眼振，構音障害，運動失調などのフェニトイン中毒症状が現れることがある．三環系・四環系抗うつ薬も併用注意である．

副作用としては，眠気，無気力・自発性低下，抑うつ，精神病様症状，認知機能障害，食欲不振，悪心・嘔吐，肝機能障害，複視，尿路結石，急性腎障害，薬疹，発汗減少などが挙げられる．連用中は血算生化学検査所見を適宜確認する必要がある．

精神症状の増悪のおそれがあるため，うつ病性障害や精神病性障害を合併したてんかん患者でゾニサミドの使用は避けるべきであるとされる[1]．

おもな類似薬との使い分け

焦点起始発作と全般強直間代発作などに適応があり，副作用や患者プロフィールを考慮して他の抗てんかん薬と使い分ける．

服薬指導のポイント

急な中断によりてんかん重積状態が現れることもあるため，規則正しい内服を指導する．傾眠や集中力低下が起こることがあるため，自動車運転などには注意を要する．発汗減少が現れることがあり，特に夏季の体温上昇には留意するように指導する．

《《《 専門医からのアドバイス 》》》

広域スペクトラムであり，発作抑制効果も強いと考えられるが，精神症状，認知機能障害には十分注意すべきであり，発汗低下や尿路結石などの特有の副作用も考慮しなくてはならない．使用の際には精神症状のリスクファクターの把握や急速な増量は控えるなど慎重な使用が望ましい．

【文献】
1) 日本神経学会 監，「てんかん診療ガイドライン」作成委員会 編：てんかん診療ガイドライン 2018．医学書院，pp32-33, 2018

(根本隆洋)

抗てんかん薬　複数の作用機序

トピラマート

topiramate

トピナ［協和キリン］錠 25mg, 50mg, 100mg, 細粒 10%／トピラマート「アメル」［共和］
錠　25mg, 50mg, 100mg

特徴・どんな薬剤か？

本邦では 2007 年に上市された比較的新規の抗てんかん薬に属する薬剤である．

薬理作用

電位依存性ナトリウムチャネル抑制，電位依存性L型カルシウムチャネル抑制，AMPA/カイニン酸型グルタミン酸受容体機能抑制作用，GABA存在下でのGABA_A受容体機能増強作用および炭酸脱水酵素阻害作用に基づくと推定される．このほか，AMPA受容体機能を抑制して細胞内への過剰なカルシウムイオン流入を防ぐことで，細胞死を抑制し神経保護作用を示すと考えられている．

適応となる疾患・病態，どんなときに使うか？

他の抗てんかん薬で十分な効果が認められないてんかん患者の焦点起始発作（部分発作）〔焦点起始両側強直間代発作（二次性全般化発作）を含む〕に対する抗てんかん薬との併用療法で適応があり，単剤使用の適応はない（2019 年 9 月現在）．

「てんかん診療ガイドライン 2018」では新規発症の焦点てんかん（部分てんかん）に対して，カルバマゼピン，ラモトリギン，レベチラセタムに次いで第一選択薬として記載されている．新規発症の全般てんかんでも全般強直間代発作に対しては第二選択薬として記載され，ミオクロニー発作でも推奨されている[1]．

処方の実際，どのように使うか？

・トピナ錠　100mg　2 錠　分 2（朝食後，夕食後）

成人にはトピラマート 50mg を 1 日 1 回または 2 回の経口投与で開始し，以後 1 週間以上の間隔をあけて漸増し，維持量として 1 日量 200 ～ 400mg を 2 回に分割して経口投与する．1 日最高投与量は 600mg までとする．

2 歳以上の小児の投与量は添付文書を参照すること．

禁忌，併用禁忌，注意すべき副作用，慎重投与など

本剤の成分に対し過敏症の既往歴のある患者に対しての使用は禁忌である．

重大な副作用として，続発性閉塞隅角緑内障およびそれに伴う急性近視，腎・尿路結石，代謝性アシドーシスが現れる可能性があり，閉塞隅角緑内障，アシドーシスの素因を有する患者では慎重投与．その他の注意すべき副作用として傾眠，認知機能障害，うつ症状，体重減少が挙げられ，高齢者，自殺企図の既往および自殺念慮を有するうつ病患者にも慎重投与．精神症状の増悪のおそれから精神病性障害を合併したてんかん患者への使用は避ける[1]．

本剤の70～80％は腎排泄され，一部が肝代謝酵素CYP3A4で代謝されるため，フェニトイン，カルバマゼピン，バルビツール酸誘導体などは併用注意．腎機能障害，肝機能障害のある患者に対しても慎重投与．

催奇形性が認められており，妊婦または妊娠している可能性のある女性に対しては，治療上の有益性が危険性を上回ると判断される場合のみ投与する．

おもな類似薬との使い分け

本剤はCYP2C19に対し弱い阻害活性を有するが，相互作用については実質的な問題は少なく，薬剤相互作用の観点からは比較的使いやすい．

服薬指導のポイント

眠気，注意力・集中力などの低下が起こることがあるので，自動車運転などには注意を要する．発汗減少があらわれることがあり，特に夏季の体温上昇には留意するように指導する．

専門医からのアドバイス

広域スペクトラムであり高い有効性が確認されているが，副作用から中断率が高いという報告がある．認知機能低下は比較的頻度が高く，慎重な経過観察を要する．うつ症状に関しては25mg/週の緩徐な漸増でリスクが軽減されるという報告がある[2]．

【文献】
1) 日本神経学会 監，「てんかん診療ガイドライン」作成委員会 編：てんかん診療ガイドライン 2018. 医学書院，pp32-33, 2018
2) Mula M, Hesdorffer DC, Trimble M et al：The role of titration schedule of topiramate for the development of depression in patients with epilepsy. Epilepsia 50：1072-1076, 2009

（根本隆洋）

抗てんかん薬 | GABA受容体活性化

ジアゼパム

diazepam

セルシン[武田テバ] 錠2mg, 5mg, 10mg, 散1%, シロップ0.1%, 10mg/2mL/ ジアゼパム[鶴原] 錠2mg, 5mg, 10mg/ ホリゾン[丸石] 錠2mg, 5mg, 散1%/ ジアゼパム「アメル」[共和] 錠2mg, 5mg, 散1%/ ジアゼパム「アメル」[日本ジェネリック] 錠2mg, 5mg/ ジアゼパム「サワイ」[沢井] 錠2mg/ ジアゼパム「トーワ」[東和] 錠2mg, 5mg/ ジアパックス[大鵬] 錠2mg, 5mg

特徴・どんな薬剤か？

ベンゾジアゼピン系薬剤の中では，中程度の抗不安作用，鎮静・催眠作用，抗けいれん作用，筋弛緩作用を示す．

薬理作用

おもな作用機序はGABA作用の賦活であり，特に$GABA_A$受容体に対する親和性が強い．$GABA_A$受容体に結合することで塩素イオンの細胞内流入を増強し，その結果，神経細胞膜が過分極し神経の興奮が抑制される．大脳皮質や大脳辺縁系の過剰活動が抑制されることに加え脳幹網様体にも作用することで抗けいれん作用をもつと考えられている．

適応となる疾患・病態，どんなときに使うか？

全般発作や部分発作など．

けいれん重積やてんかん重積状態の際には注射薬，熱性けいれんや非静脈投与の際は坐薬が使用されることが多い．

処方の実際，どのように使うか？

成人では，ジアゼパムとして1回2〜5mgを1日2〜4回経口投与する（1日量15mg以内）．

3歳以下の小児はジアゼパムとして1日1〜5mg，4〜12歳の小児には1日2〜10mgを1〜3回に分けて分割経口投与する（小児では脳性麻痺・重症心身障害児の不随意運動，不安，緊張緩和に使用することもある）．

禁忌，併用禁忌，注意すべき副作用，慎重投与など

禁忌：急性閉塞隅角緑内障，重症筋無力症の患者．

併用禁忌：リトナビル（HIVプロテアーゼ阻害剤）投与中の患者．

相互作用：アルコールや中枢神経抑制剤（フェノチアジン誘導体，バルビ

ツール酸誘導体など）との併用にて中枢神経抑制作用が増強されるため注意が必要である．

慎重投与：心疾患，肝機能障害，腎機能障害，器質的脳障害，中等度以上の呼吸不全のある患者，乳幼児，高齢者，衰弱者．

重大な副作用：薬物依存，離脱症状，易刺激性，錯乱，呼吸抑制など．

その他の副作用：眠気，運動失調，黄疸，顆粒球減少，白血球減少，発疹，精神症状（多幸感）など．

<u>高齢者</u>：運動失調などの副作用が現れやすいため少量投与からが望ましい．

妊産婦：母体投与にて，新生児に哺乳困難，嘔吐，活動低下，傾眠，呼吸抑制，無呼吸，易刺激性などを起こすことが報告されている．

授乳婦：授乳は可能であるが母乳中に移行するため，新生児の傾眠，哺乳力低下，体重減少などの報告がある．少しでも薬物の影響を下げ，母親の負担を軽減させる意味でも混合乳が望ましい．

おもな類似薬との使い分け

抗不安作用があるため，不安障害を合併するてんかんに使用しやすい．

服薬指導のポイント

開始後早期に眠気やふらつき，分泌物増加が生じることがある．継続使用にて軽減していくことが多い．

眠気，注意力や集中力・反射運動能力等の低下が起こることがあるので，投与中の患者には自動車の運転等危険を伴う機械の操作に注意するよう伝える．

専門医からのアドバイス

ジアゼパムを用いたてんかんの治療は，注射薬や坐薬にて行うことが多い（各項参照）．

連用により薬物依存を生じることがあるので，漫然とした継続投与による長期投与は避けること．また，長期間継続投与をする場合には，治療上の必要性を十分検討すること．

（平野嘉子・渡邉雅子）

抗てんかん薬　GABA受容体活性化

ジアゼパム坐薬

diazepam

ダイアップ［高田］坐 4mg，6mg，10mg

特徴・どんな薬剤か？

ジアゼパムの坐薬．本邦でのみ使用されている．有効血中濃度に達するまで時間がかかるため，けいれん重積時の有効性は静脈注射薬に比べて低い．

薬理作用

ジアゼパムの項参照．ジアゼパム坐薬の効果発現時間は15～30分，最高血中濃度は約1.5時間で，半減期は32時間である．

適応となる疾患・病態，どんなときに使うか？

小児の熱性けいれん及びてんかん発作の改善．

脳性麻痺・重症心身障害児の不随意運動，不安，緊張緩和に使用することもある．

処方の実際，どのように使うか？

通常，小児にジアゼパムとして1回0.4～0.5mg/kgを1日1～2回，直腸内に挿入する．症状に応じて適宜増減するが，1日1mg/kgを超えないようにする．

本邦では熱性けいれんの予防薬としても使用されており，発熱時（目安は37.5℃）に1回投与，8時間後も発熱が続く場合は同量投与し予防する方法が推奨されている．

禁忌，併用禁忌，注意すべき副作用，慎重投与など

禁忌：急性閉塞隅角緑内障，重症筋無力症，低出生体重児・新生児（安全性が確立していない）．

併用禁忌薬：リトナビル（HIVプロテアーゼ阻害剤）投与中の患者．

相互作用：中枢神経抑制剤（フェノチアジン誘導体，バルビツール酸誘導体など）との併用にて中枢神経抑制作用が増強されるため注意が必要である．

慎重投与：心疾患，肝機能障害，腎機能障害，器質的脳障害，乳児，衰弱患者，中等度以上の呼吸障害のある患者．

重大な副作用：依存性，呼吸抑制，易刺激性，錯乱など．
その他の副作用：眠気，ふらつき，歩行失調，分泌物過多，血圧低下，発疹，精神症状（興奮，多幸感）など．

おもな類似薬との使い分け

末梢静脈確保が困難なてんかん重積状態の場合に使用することもあるが，ジアゼパム坐薬は血中濃度上昇が速くないため，ジアゼパム静注薬の原液注腸（ゲルは本邦では未発売），ミダゾラム鼻腔内投与などを行うことがある（いずれも適応外使用）．

熱性けいれんでジアゼパム坐薬が無効の場合や軽症胃腸炎関連けいれんの場合，抱水クロラール坐薬や注腸用キットを使用することがある（坐薬はゼラチンアレルギーの児には使用できない）．

服薬指導のポイント

ジアゼパム坐薬を，アセトアミノフェン坐薬をはじめとする油脂性基材の坐薬と同時に投与するとジアゼパム坐薬の吸収が遅くなり最高血中濃度が低下するため，他の坐薬と併用する場合は互いに 30 分以上あけて投与する．

有熱時けいれんで使用した場合は，使用により臨床徴候の出現が隠されてしまうことがあるので，根底に中枢神経感染症などの重篤な疾患がないか検討する必要がある．

《《《 専門医からのアドバイス 》》》

熱性けいれん児への抗てんかん薬の持続内服や発熱時のジアゼパム予防投与は，熱性けいれんの再発予防に一定の有効性があり，大半の家族のストレスを軽減させる．しかし，副作用などの問題が生じるため安易な使用な望ましくない．本邦の「熱性けいれん診療ガイドライン 2015 では，複雑型熱性けいれん，特に遷延するけいれん発作（15 分以上）を起こした児が適応とされている（他国も同様の方針）．また，難治てんかん患者は頻繁に発作があり，時に重積状態に陥る．発作は長く続くほど頓挫しにくいとされているため，けいれんが 3 〜 5 分程度続く際は使用を検討する．

（平野嘉子・渡邉雅子）

抗てんかん薬　GABA受容体活性化

ジアゼパム注射薬

diazepam

セルシン［武田テバ］注射液 5mg/1mL, 10mg/2mL / ジアゼパム「タイヨー」［武田テバ］注射液 5mg/1mL, 10mg/2mL / ホリゾン［丸石］注射液 10mg/2mL

特徴・どんな薬剤か？

ジアゼパムの注射薬. ガイドライン上, てんかん重積状態の第一選択治療薬である.

薬理作用

ジアゼパムの項参照.

適応となる疾患・病態, どんなときに使うか？

小児のけいれん重積状態や成人のてんかん重積状態.

けいれん発作は長く続くほど頓挫しにくいとされているため, 発作が5分以上続く際は使用を検討する.

処方の実際, どのように使うか？

けいれん重積の際は速やかに静脈確保し, 小児にはジアゼパムとして1回0.3～0.5mg/kg, 成人では1回10mgを緩徐に静脈投与し, 5分経過しても発作消失が得られなければ2回目を試みる. 2回目で無効と判断されれば他の薬効をもつ第二選択薬治療に移行する. ジアゼパムの最大使用量は20mgである.

禁忌, 併用禁忌, 注意すべき副作用, 慎重投与など

禁忌：急性閉塞隅角緑内障, 重症筋無力症, ショック, 昏睡, バイタルサインの悪い急性アルコール中毒の患者.

併用禁忌：リトナビル（HIVプロテアーゼ阻害剤）投与中の患者.

慎重投与：心疾患, 肝腎機能障害, 呼吸機能障害, 器質的脳障害を合併する患者, 高度重症患者, **高齢者**, 乳幼児, 衰弱者.

相互作用：併用禁忌薬はないが, 中枢神経抑制剤（フェノチアジン誘導体, バルビツール酸誘導体など）, アルコールとなどとの併用にて中枢神経抑制作用が増強される.

重大な副作用：薬物依存, 離脱症状, 舌根沈下による上気道閉塞, 呼吸抑制, 易刺激性, 錯乱, 循環性ショック.

その他の副作用：眠気，歩行失調，黄疸，顆粒球減少，白血球減少，発疹，精神症状（多幸感）など．

高齢者：運動失調などの副作用が現れやすいため緩徐・少量投与が望ましい．

妊産婦：ベンゾジアゼピン系薬剤の母体投与にて，新生児に哺乳困難，嘔吐，活動低下，傾眠，呼吸抑制，無呼吸，易刺激性などを起こすことが報告されている．

授乳婦：授乳は可能であるが母乳中に移行するため，新生児の傾眠，哺乳力低下，体重減少などの報告がある．少しでも薬物の影響を下げ，母親の負担を軽減させる意味でも混合乳が望ましい．

小児：気道分泌過多や嚥下障害に注意．低出生体重児や新生児では中毒症状の報告がある．

おもな類似薬との使い分け

小児のけいれん重積状態では，第一選択薬としてミダゾラムを経静脈投与する場合もある．

末梢静脈確保が困難なてんかん重積状態の場合，ジアゼパム注射薬直腸内投与（0.5mg/kg）やミダゾラム製剤の鼻腔内・頬粘膜投与（0.3mg/kg）がガイドラインで推奨されている（いずれも適応外使用）．

服薬指導のポイント

ジアゼパムは水に溶けにくくプロピレングリコールなどの有機溶媒を使用しているため，他の注射薬との混合や希釈はせず単独投与が原則である（混合により白濁し沈殿する）．

浸透圧が高く，急速静注にて血管痛や静脈炎を起こす可能性があるので緩徐に投与する．

《《《 専門医からのアドバイス 》》》

けいれん発作は長く続くほど頓挫しにくくなるため，重積状態に至る前に使用を検討する．レノックス・ガストー症候群など，てんかん症候群によっては多量の使用により強直発作重積を誘発することがあるので，頓挫しない場合や悪化する場合は速やかに治療を変更する．

ジアゼパムの筋肉注射は効果発現が遅く，効果発現の個体差も大きいため，重積時には行わない．

（平野嘉子・渡邉雅子）

抗てんかん薬　GABA受容体活性化

ミダゾラム注射薬

midazolam

ミダフレッサ静注 0.1%［アルフレッサファーマ］10mg/10mL/ *ミダゾラム注射薬「テバ」［武田テバファーマ］10mg/2mL/ *ミダゾラム注射薬「サンド」［サンド］10mg/2mL/ *ドルミカム注射薬［丸石］10mg/2mL

特徴・どんな薬剤か？

短時間作用型ベンゾジアゼピン系薬剤の1つ．即効性があり抗けいれん作用も強力であるため，てんかん重積状態にも用いられる．

薬理作用

ベンゾジアゼピン受容体に働き，相互作用によりGABA親和性を増し，間接的にGABAの作用を増強する．

適応となる疾患・病態，どんなときに使うか？

てんかん重積状態に対する第一あるいは第二選択薬である．

処方の実際，どのように使うか？

・静脈内投与

小児（修正45週以上）および成人では，ミダフレッサ静注（10mg/10mL）0.15mg/kgを1mg/分かけて静脈内投与する．必要に応じ0.1〜0.3mg/kgの範囲で追加投与可能だが，総量として0.6mg/kgを超えないこと．

・持続静脈内投与

小児（修正45週以上）および成人では，ミダフレッサ静注（10mg/10mL）0.1mg/kg/時より持続静脈内投与を開始し，必要に応じて0.05〜0.1mg/kg/時ずつ増量する．成人は0.05mg〜0.4mg/kg/時，小児は0.1〜0.5mg/kg/時で維持する．

小児では成人より高用量を必要とすることがある．

投与量の急激な減少や中止によりてんかん重積状態となる場合があるので，0.05〜0.1mg/kg/時を目安として緩徐に減量すること．

禁忌，併用禁忌，注意すべき副作用，慎重投与など

禁忌：急性閉塞隅角緑内障，重症筋無力症，ショック，昏睡，低出生体重児および新生児に対する急速静脈内投与は禁忌（重度低血圧やけいれん発作出現の可能性）．

併用禁忌：HIV プロテアーゼ阻害剤，エファビレンツ，コビシスタット含有薬剤，オムビタスビル，パリタプレビル，リトナビルを投与中の患者．

相互作用：中枢神経抑制薬（フェノチアジン誘導体，バルビツール酸誘導体）などで血中濃度の変化や作用増強がみられる．

慎重投与：重症心疾患，肝腎機能障害，器質的脳障害，呼吸機能低下，睡眠時無呼吸症候群のある患者，**高齢者**，妊婦または妊娠の可能性，授乳婦，低出生体重児や新生児など．

重大な副作用：呼吸抑制，無呼吸，舌根沈下，心停止，心室頻拍，ショック，悪性症候群，依存性．

その他の副作用：血圧変動，発疹，不随意運動，精神症状（傾眠，興奮）など．

高齢者：作用が強く現れやすいため少量投与からが望ましい．

妊産婦：母体投与にて，新生児に哺乳困難，嘔吐，活動低下，傾眠，呼吸抑制，易刺激性，振戦などを起こすことが報告されている．

小児：不随意運動，易刺激性，攻撃性などの報告がある．

おもな類似薬との使い分け

けいれん重積状態では，第一選択としてジアゼパムを経静脈投与する場合もある．

末梢静脈確保が困難なてんかん重積状態の場合，ジアゼパム注射薬直腸内投与（0.5mg/kg）やミダゾラム製剤の鼻腔内・頬粘膜投与（0.3mg/kg）がガイドラインで推奨されている（いずれも適応外使用）．

ジアゼパムやフェニトインが無効の非けいれん性重積状態に有効な場合がある．

服薬指導のポイント

他のベンゾジアゼピン系注射剤と異なり水溶性であるため，局所刺激性が極めて少なく，血管痛もない．持続点滴が可能であるため，てんかん重積のコントロールに有用である．蓄積リスクが小さい一方，効果持続時間が短いため中止後の発作再燃に注意すること．

≪≪≪ 専門医からのアドバイス ≫≫≫

＊ミダフレッサのみ，抗けいれん剤としててんかん重積状態の保険適応を得ている．

（平野嘉子・渡邉雅子）

抗てんかん薬　GABA受容体活性化

ニトラゼパム

nitrazepam

ベンザリン［共和］錠 2mg, 5mg, 10mg, 細粒 1% / ネルボン［アルフレッサ］錠 5mg, 10mg, 散 1%

特徴・どんな薬剤か？

ベンゾジアゼピン系抗てんかん薬の1つで、点頭てんかんをはじめとする難治てんかんに対し補助的に用いられることが多い。催眠作用が強いため睡眠導入剤として用いられることもある。

薬理作用

おもな作用機序はGABA作用の賦活である。多くは肝臓で代謝され、血漿蛋白結合率は85～95%と高い。成人における最高血中濃度到達時間は1～4時間で、半減期は17～48時間と長い。

適応となる疾患・病態、どんなときに使うか？

点頭てんかんやレノックス・ガストー症候群などの難治てんかんにおいて補助的に使用する。時にミオクロニー発作にも有効である。

処方の実際、どのように使うか？

成人では、ベンザリン錠（5mg）1錠を1日1～2回で開始し、症状をみながら2週間以上かけて5mgずつ増量し、5～15mg/日で維持する。

小児では、ベンザリン細粒0.05～0.1mg/kgを1日1～2回で開始し、症状をみながら2週間以上かけて0.1～0.2mg/kgずつ増量し、0.1～0.5mg/kg/日で維持する

禁忌、併用禁忌、注意すべき副作用、慎重投与など

禁忌：急性閉塞隅角緑内障、重症筋無力症の患者。

原則禁忌：肺性心、肺気腫、気管支喘息および脳血管障害の急性期などで呼吸機能が高度に低下している患者。

相互作用：中枢神経抑制剤（フェノチアジン誘導体、バルビツール酸誘導体など）との併用にて中枢神経抑制作用が増強される。

慎重投与：心疾患、肝機能障害、腎機能障害、器質的脳障害のある患者、衰弱者、高齢者。

重大な副作用：呼吸抑制，炭酸ガスナルコーシス，依存性，易刺激性，錯乱，肝機能障害，黄疸など．

その他の副作用：眠気，ふらつき，倦怠感，口渇，失調，血圧低下，発疹，掻痒感，精神症状（興奮，多幸感）など．

高齢者：運動失調などの副作用が現れやすいため少量投与からが望ましい．

妊産婦：母体投与にて，新生児に哺乳困難，嘔吐，活動低下，傾眠，呼吸抑制，無呼吸，易刺激性などを起こすことが報告されている．

授乳婦：授乳は可能であるが母乳中に移行するため，新生児の傾眠，哺乳力低下，体重減少などの報告がある．少しでも薬物の影響を下げ，母親の負担を軽減させる意味でも混合乳が望ましい．

小児：気道分泌過多，嚥下障害を起こすことがある．

おもな類似薬との使い分け

ニトラゼパムの催眠作用は，不安，緊張，興奮等の情動障害も抑制するとされており，睡眠障害や不安を合併するてんかんに使用されることもある．

耐性の問題を回避しながら効果を持続させるため，他のベンゾジアゼピン系抗てんかん薬と交代させながら使用することもある．

服薬指導のポイント

強い眠気やふらつき，分泌物増加が生じることがあるため事前に十分説明する必要がある．

基礎疾患が重篤な場合は，気道分泌物や呼吸抑制について十分な注意が必要である．

専門医からのアドバイス

小児の代表的な難治てんかんである点頭てんかんに対し発作抑制効果が期待できる薬剤の1つ．レノックス・ガストー症候群にも有効だが，時に強直間代発作が増悪することがあるので注意が必要である．耐性が生じやすく離脱症状も出やすいため調整は緩徐に行うことが望ましい．

（平野嘉子・渡邉雅子）

抗てんかん薬　GABA受容体活性化

クロナゼパム

clonazepam

リボトリール［太陽ファルマ］錠 0.5mg, 1mg, 2mg, 細粒 0.1%, 0.5% / ランドセン［大日本住友］錠 0.5mg, 1mg, 2mg, 細粒 0.1%, 0.5%

特徴・どんな薬剤か？

抗てんかん薬としてのスペクトラムは広く，部分発作から全般発作まで幅広く使用されるベンゾジアゼピン系抗てんかん薬．ただし，副作用や耐性出現を考慮すると第一選択薬とはなりにくい．

薬理作用

おもな作用機序はGABA作用の賦活であり，特にGABA$_A$受容体に対する親和性が強い．電位依存性Naチャネル阻害作用もある．多くは肝臓で代謝され，血漿蛋白結合率は80～90%と高い．成人における最高血中濃度到達時間は1～4時間で，半減期は15～60時間と長い．

適応となる疾患・病態，どんなときに使うか？

ミオクロニー発作，失立発作，欠神発作，部分発作など．

処方の実際，どのように使うか？

成人では，リボトリール錠（0.5mg）1～2錠を1日1～2回で開始し，症状をみながら2週間以上かけて0.5mgずつ増量し，1～6mg/日で維持する．

小児では，リボトリール細粒0.01～0.02mg/kgを1日1～3回で開始し，症状をみながら2週間以上かけて0.01～0.02mg/kgずつ増量し，0.02～0.2mg/kg/日で維持する．

禁忌，併用禁忌，注意すべき副作用，慎重投与など

禁忌：急性閉塞隅角緑内障，重症筋無力症の患者．

相互作用：併用禁忌薬はないが，抗てんかん薬（ヒダントイン誘導体，バルビツール酸誘導体，バルプロ酸ナトリウム），中枢神経抑制薬（フェノチアジン誘導体），アルコールなどで血中濃度の変化や作用増強がみられる．

慎重投与：心疾患，肝機能障害，腎機能障害，器質的脳障害，呼吸機能低下のある患者，高齢者，衰弱者．

重大な副作用：依存性，呼吸抑制や睡眠中の多呼吸発作，易刺激性，錯乱，

肝機能障害など.

その他の副作用：眠気，ふらつき，喘鳴，運動失調，流涎，精神症状（うつ状態）など.

高齢者：運動失調などの副作用が現れやすいため少量投与からが望ましい.

妊産婦：母体投与にて，新生児に哺乳困難，嘔吐，活動低下，傾眠，呼吸抑制，無呼吸，易刺激性などを起こすことが報告されている.

授乳婦：授乳は可能であるが母乳中に移行するため，新生児の傾眠，哺乳力低下，体重減少などの報告がある．少しでも薬物の影響を下げ，母親の負担を軽減させる意味でも混合乳が望ましい.

低出生体重児や新生児における安全性は確立していない．乳幼児は喘鳴や唾液増加，嚥下障害を起こすことがある.

おもな類似薬との使い分け

抗不安作用があるため，不安障害を合併するてんかんに使用しやすい.

耐性の問題を回避しながら効果を持続させるため，他のベンゾジアゼピン系抗てんかん薬と交代させながら使用することもある.

服薬指導のポイント

投与初期に眠気やふらつき等の症状が現れることがあるので，少量から投与開始し，慎重に維持量まで漸増することが望ましい．急激な減量，中止によって離脱症候群をきたすおそれがあるため，開始時と同様に少量ずつ時間をかけて調整する.

専門医からのアドバイス

難治てんかんの患者への投与で，強直間代発作が増悪することがある．特にレノックス・ガストー症候群では睡眠時の多呼吸発作を誘発することがあるので注意が必要である．また，投与量の急激な減少や中止により，てんかん重積状態に陥ることがあるので投与を中止する場合には緩徐に漸減すること.

（平野嘉子・渡邉雅子）

抗てんかん薬　GABA受容体活性化

クロバザム

clobazam

マイスタン［大日本住友］錠 5mg, 10mg, 細粒 1%

特徴・どんな薬剤か？

スペクトラムが広く難治てんかんにも有効とされるベンゾジアゼピン系抗てんかん薬．本邦では併用療法のみ許可されている．クロバザムだけでなく活性代謝物 N-デスメチルクロバザムも抗けいれん作用を要する．

薬理作用

おもな作用機序はGABA作用の賦活である．多くは肝臓で代謝され，血漿蛋白結合率は80〜90%と高い．成人における最高血中濃度到達時間は0.5〜2時間で，半減期はクロバザムが17〜49時間，N-デスメチルクロバザムが36〜46時間である．

適応となる疾患・病態，どんなときに使うか？

他の抗てんかん薬で十分な効果が認められない二次性全般化を含む各種部分発作や，強直間代発作，強直発作，非定型欠神発作，ミオクロニー発作，脱力発作を含む全般発作などに対し併用薬として用いる．

処方の実際，どのように使うか？

成人では，マイスタン錠（5mg）1〜2錠を1日1〜2回で開始し，症状をみながら2週間以上かけて5mgずつ増量し，10〜30mg/日で維持する．

小児では，マイスタン細粒0.2mg/kgを1日1〜2回で開始し，症状をみながら2週間以上かけて0.2mg/kgずつ増量し，0.2〜1mg/kg/日で維持する．

クロバザム：N-デスメチルクロバザムの濃度比が大きいと眠気が出やすい．

禁忌，併用禁忌，注意すべき副作用，慎重投与など

禁忌：急性閉塞隅角緑内障，重症筋無力症の患者．

相互作用：併用禁忌薬はないが，抗てんかん薬（フェニトイン，フェノバルビタール，カルバマゼピン，バルプロ酸ナトリウム，スチリペントール），中枢神経抑制薬（フェノチアジン誘導体，バルビツール酸誘導体，モノアミン酸誘導体）などで血中濃度の変化や相互作用増強がみられる．

慎重投与：肝, 腎, 心機能障害, 器質的脳疾患, 高齢, 衰弱, 呼吸機能低下のある患者.

　重大な副作用：依存症, 呼吸抑制, 重症薬疹（中毒性表皮壊死融解症, 皮膚粘膜眼症候群）.

　その他の副作用：眠気, ふらつき, めまい, 複視, 食欲不振, 失調, 耐性の出現, 流涎, 嚥下障害, 精神症状（軽躁状態）など.

　高齢者：喘鳴, 喀痰増加, 唾液や気道分泌物過多, 嚥下障害が出現し, 時に肺炎や気管支炎に至ることがあるため少量投与からが望ましい.

　妊産婦：母体投与にて, 新生児に哺乳困難, 嘔吐, 活動低下, 傾眠, 呼吸抑制, 無呼吸, 易刺激性などを起こすことが報告されている.

　授乳婦：授乳は可能であるが母乳中に移行するため, 新生児の傾眠, 哺乳力低下, 体重減少などの報告がある. 少しでも薬物の影響を下げ, 母親の負担を軽減させる意味でも混合乳が望ましい.

　低出生体重児や新生児における安全性は確立していない. 乳幼児は喘鳴, 喀痰増加, 唾液や気道分泌物過多, 嚥下障害が出現し, 時に肺炎や気管支炎に至ることがある.

おもな類似薬との使い分け

　耐性の問題を回避しながら効果を持続させるため, 他のベンゾジアゼピン系抗てんかん薬と交代させながら使用することもある.

服薬指導のポイント

　投与初期に眠気やふらつき等の症状が現れることがあるので, 少量から投与開始し, 慎重に維持量まで漸増することが望ましい.

《《《 専門医からのアドバイス 》》》

　難治てんかんの患者への投与で, 発作の増悪または誘発が認められることがある. また, 投与量の急激な減少や中止により, てんかん重積状態に陥ることがあるので投与を中止する場合には緩徐に漸減すること.

（平野嘉子・渡邉雅子）

抗てんかん薬　GABA受容体活性化

スチリペントール

stiripentol

ディアコミット［Meiji Seikaファルマ］カプセル250mg，ドライシロップ分包250mg，500mg

特徴・どんな薬剤か？

2012年12月に承認されたドラベ症候群（乳児重症ミオクロニーてんかん）にのみ適応がある稀少疾患治療薬．ドラベ症候群におけるけいれん重積の減少・短縮化，けいれん性発作の減少が期待できる．

薬理作用

おもな作用機序はGABA神経伝達の亢進とCYP阻害作用に基づく薬物代謝阻害による併用抗てんかん薬血中濃度の上昇である．

適応となる疾患・病態，どんなときに使うか？

クロバザムおよびバルプロ酸ナトリウムで十分な効果が認められないDravet症候群患者における間代発作または強直間代発作に対するクロバザムおよびバルプロ酸ナトリウムとの併用療法．

処方の実際，どのように使うか？

- 小児（1歳以上）：ディアコミットドライシロップ分包（250mg）20mg/kg/日　分2（朝夕食後）から開始し，1週間以上の間隔をあけ10mg/kg/日ずつ増量する．
- 成人：ディアコミットカプセル（250mg）4カプセル　分2（朝夕食後）から開始し，1週間以上の間隔をあけ500mg/日ずつ増量する．

1日最大投与量は50mg/kgまたは2,500mgのいずれか低いほうを超えないこと．なお，250mg未満単位の服用の際は250mg包全量を水10mLで十分に懸濁し，必要量を速やかに服用し残りは破棄する（溶けにくく再沈殿しやすいので注意が必要）．

禁忌，併用禁忌，注意すべき副作用，慎重投与など

禁忌：本剤の成分に対する過敏症の既往のある患者．

相互作用：併用禁忌薬はないが，肝代謝酵素であるCYPに関与するため，抗てんかん薬（フェニトイン，フェノバルビタール，カルバマゼピン，ゾニ

サミド，トピラマートなど），ベンゾジアゼピン系薬剤，テオフィリン，非ステロイド系抗炎症薬，経口避妊薬，マクロライド系抗生物質，抗うつ剤（パロキセチン塩酸塩水和物，イミプラミン塩酸塩など），ハロペリドールなどで血中濃度の変化や相互作用増強がみられる．

慎重投与：肝機能障害，腎機能障害，血液疾患，呼吸器疾患の合併やQT延長のある患者，1歳未満の乳児，妊婦，授乳婦，高齢者．

重大な副作用：好中球減少症，血小板減少症．

その他の副作用：傾眠，運動失調，食欲減退，肝酵素上昇，発疹，精神症状（易刺激性，攻撃性，興奮，多弁，注意力障害），睡眠障害など．

おもな類似薬との使い分け

Dravet症候群に対し，臭化カリウムはけいれん発作とその重積に対し効果を期待できるが，本剤の登場後現在その使用は減っている．トピラマートとケトン食はすべての発作型に効果を期待できる．

服薬指導のポイント

胃酸で分解されるので食前服用を避ける．初期に傾眠などの副作用が出やすいため，より少ない量からの開始を検討してもよい．

ドライシロップは吸湿性が強いので服用直前に開封する．カプセルも吸湿性があるので密閉した瓶で保管する．

カプセルはドライシロップより生体利用率が約20%低いので剤型変更時は注意する．

専門医からのアドバイス

クロバザムおよびバルプロ酸ナトリウムの代謝を阻害するため，投与開始または増量により食欲減退，傾眠，ふらつきなどが認められた場合は，各薬剤の血中濃度推移などを確認したうえでそれぞれの薬剤の増減について検討する．

保険病名ドラベ症候群（乳児重症ミオクロニーてんかん）においてクロバザムやバルプロ酸ナトリウムを併用した場合にのみ保険適応が認められているが，乳児（1歳未満）に対する有効性および安全性は確立していない．

（平野嘉子・渡邉雅子）

抗てんかん薬　GABA受容体活性化

ビガバトリン
vigabatrin

サブリル［サノフィ］散剤分包 500mg

特徴・どんな薬剤か？

点頭てんかんに対し承認された薬剤で，サブリル処方登録システム（Sabril Registration System for Prescription：SRSP）への登録が必須である．

薬理作用

ビガバトリンはγ-aminobutyric acid（GABA）に構造が類似している．GABAの分解酵素であるGABAアミノ基転移酵素に不可逆的に結合してGABA代謝を低下させ，脳内GABA濃度を上昇させることで抗てんかん作用をもたらす．ほぼ蛋白結合せず，肝酵素誘導もないため，薬剤相互作用がないとされる．半減期は5～7時間だが，薬効は4～5日間持続するとされる．

適応となる疾患・病態，どんなときに使うか？

点頭てんかん（West症候群）が適応である．点頭てんかんの原因は様々だが，結節性硬化症の場合にビガバトリンの有効性が高いとされる．

処方の実際，どのように使うか？

生後4週間以上の場合，1日50mg/kgで開始し，3日以上の間隔をあけて50mg/kgを超えない範囲で漸増する．1日最大投与量は，150mg/kgあるいは3,000mgのいずれか低いほうとし，1日2回投与とする．腎排泄型のため，腎機能障害時には低用量から開始するなど注意が必要である．

禁忌，併用禁忌，注意すべき副作用，慎重投与など

SRSPの規定を遵守できない患者には禁忌とされている．併用禁忌薬剤はない．

注意すべき副作用は，視野障害と頭部 MRI 異常である．視野障害は進行性かつ不可逆性である．点頭てんかんの好発年齢である乳児期では視野検査は不可能なため，視野検査の代わりに網膜電図検査を用いる．SRSP では，処方前の眼科診察および網膜電図検査と処方後の定期的な検査を義務づけている．頭部 MRI 異常は，T2/拡散強調画像で高信号域を両側対称性に淡蒼球，視床，脳幹，小脳など認めるもので，病態は不明だが，原則的には可逆性である．その他の副作用として，易刺激性，眠気，食欲低下などがある．

　慎重投与は，黄斑症，網膜症，緑内障または視神経萎縮症の既往または合併がある患者，網膜症あるいは緑内障をひき起こすおそれのある薬剤を投与中の患者，腎機能障害のある患者，精神病性障害・うつ病・行動障害の既往歴のある患者である．

おもな類似薬との使い分け

　結節性硬化症以外の病因では ACTH 療法，プレドニゾロンが第一選択として推奨されるが，免疫低下の副作用を回避したいケースでは本剤の早期導入が検討される．

服薬指導のポイント

　本剤は散剤であるが，服薬の際はその都度水に溶かすよう指導する．

≪≪≪ 専門医からのアドバイス ≫≫≫

　本剤の処方には SRSP に登録した処方医・薬剤師・眼科医が必須であり，説明・同意や検査など適正使用ガイドに従うことが求められる．安全のため，本剤の開始は入院で行うことを推奨する．

【文献】
1) 浜野晋一郎：ビガバトリン．小児科臨床 70：1217-1224, 2017
2) 下野九理子：点頭てんかん：ビガバトリン．小児内科 50：1554-1557, 2018
3) 山口解冬, 高橋幸利：ビガバトリンの使い方．"プライマリ・ケアのための新規抗てんかん薬マスターブック, 改訂第 2 版"高橋幸利 編. 診断と治療社, pp106-108, 2017

（渡邊さつき）

抗てんかん薬　GABA受容体活性化

フェノバルビタール (PB)
phenobarbital

フェノバール［藤永］散10%, 原末, 錠30mg, エリキシル0.4% /
フェノバルビタール「ホエイ」［マイラン］散10%, 原末 / フェノバルビタール「シオエ」［シオエ］散10%, 原末 / フェノバルビタール「マルイシ」［マルイシ］散10%, 原末

特徴・どんな薬剤か？

最も古くからある抗てんかん薬の1つであり睡眠薬としても適応がある．広域スペクトラムの抗てんかん薬であるが，耐性や依存性，認知機能への影響があり副作用・薬物相互作用が多く，断薬時の離脱症状の問題などから小児・成人ともに第二選択以降の位置づけである．

薬理作用

バルビツレート結合部位-ベンゾジアゼピン結合部位-Clチャネルと高分子複合体を形成するGABA$_A$受容体に結合することにより，抑制性伝達物質GABAの受容体親和性を高めClチャネル開口作用を延長することで神経細胞の興奮性を抑制する．高電位活性型Caチャネル，電位依存性Naチャネルの抑制作用，AMPA受容体抑制作用も示す．

適応となる疾患・病態，どんなときに使うか？

焦点てんかん（部分てんかん）にも全般てんかんにも有効である．かつては全般てんかんの強直間代発作に対する第二選択薬とされていたが，認知機能を含め広範に大脳皮質の機能を抑制するため使用機会は減っている．

処方の実際，どのように使うか？

維持量は通常成人1日30〜200mg，小児では2〜7mg/kg/日を1日1回眠前に投与．成人では1〜1.5mg/kg/日，小児では1.5〜3mg/kg/日で開始し，発作が抑制されなければ血中濃度を参照しつつ漸増する．有効血中濃度は，強直間代発作では10〜40μg/mL，焦点起始発作（部分発作）では35〜45μg/mL．

禁忌，併用禁忌，注意すべき副作用，慎重投与など

禁忌：バルビツール酸系薬過敏症，急性間欠性ポルフィリン症．
併用禁忌：ボリコナゾール，タダラフィル，リルピビリン，アスナプレビル，バニプレビル，マシテンタンなど多数．

副作用：開始時には5μg/mLの血中濃度でも眠気があるが2週間程度で軽快する．維持量では30μg/mLを超えると耐え難い眠気を訴える．40μg/mLを超えると小脳性運動失調や構音障害が出現する．80μg/mLを超えると心肺機能不全を起こし死亡する可能性がある．小児で15μg/mL以下の低い血中濃度で多動・攻撃性の増大，老人・小児・知的能力障害例で不眠・不穏・興奮がみられることがある．小児では，学習障害が通常投与量でも起こり得る．スティーブンス・ジョンソン症候群，中毒性表皮壊死融解症，薬剤起因性過敏症候群の発生率も相対的に高い．長期投与で骨粗鬆症をきたす．

　慎重投与：高齢者，呼吸機能の低下している患者，頭部外傷後遺症または進行した動脈硬化症，心・肝・腎障害，アルコール・薬物依存，重篤な神経症，甲状腺機能低下症．

おもな類似薬との使い分け

　プリミドンと適応はほぼ同様で全般強直間代発作に同等の効果をもつ．

服薬指導のポイント

　重篤な皮膚症状出現の可能性はあらかじめ伝えておく．連用により依存を形成することがあり，断薬時には振戦，不眠，不穏，易刺激性，悪心，幻覚，妄想，錯乱，抑うつなどの離脱症状やてんかん重積状態を起こすことがあり，ゆっくり減量しなければならない．

　妊娠可能女性にはフェニトイン，カルバマゼピンとの併用は催奇性の観点から避ける．授乳は原則として可能であるが，生後1週間は人工栄養の併用も考慮すべきである．

《《《 専門医からのアドバイス 》》》

　他剤で抑制困難な強直間代発作に対し本剤を追加することで奏効することがある．欠神発作に対しては悪化させることがある．
　半減期は80〜100時間と長く定常状態に至るには通常半減期の5倍の時間を要するとされ，投与量の増量は3週間以上あけて行う．バルプロ酸併用時には，バルプロ酸のグルクロン酸抱合を受け代謝が低下し血中濃度が上昇するため，少量からの投与が必要である．フェニトインと併用すると肝の酵素誘導作用によりその代謝・分解を促進し，血中濃度を低下させる傾向がある．

（茂木太一）

抗てんかん薬　GABA受容体活性化

フェノバルビタール静脈注射薬　phenobarbital

ノーベルバール［ノーベルファーマ］注250mg

特徴・どんな薬剤か？

ノーベルファーマ社によって国内で開発された医療現場のニーズに応えた世界標準の静注用抗けいれん薬である．初めて新生児けいれんに適応を取得した薬剤でもある．日本神経学会の「てんかん診療ガイドライン2018」ではてんかん重積状態に対する第二選択薬の1つでホスフェニトイン（fosPHT）と同等の位置づけである．

薬理作用

フェノバルビタール（PB）の項参照．静注用PBは中枢神経系に作用し，おもに脳幹網様体賦活系を抑制して鎮静催眠作用を現す．また大脳皮質運動野を特異的に抑制して強い抗けいれん作用を現す．

適応となる疾患・病態，どんなときに使うか？

新生児けいれんおよび年齢にかかわらずてんかん重積状態時に適応がある．メタ解析[1]によるとけいれん性てんかん重積における2研究43発作のPB静注の有効性は73.6%（95% CI：58.3〜84.8%）であった．

処方の実際，どのように使うか？

新生児けいれんでは初回20mg/kgを5〜10分かけて静脈内投与し，患者の状態に応じて初回投与量を超えない範囲で追加投与を行う．維持療法は2.5〜5mg/kgを1日1回投与する．

新生児以外の小児・成人のてんかん重積状態に対しては15〜20mg/kgを10分以上かけて100mg/分の投与速度を超えないように1日1回，緩徐に投与する．

禁忌，併用禁忌，注意すべき副作用，慎重投与など

PBの項参照．新生児けいれんを対象として実施された承認時の国内臨床試験において安全性を評価した10例中60%に副作用が生じ，内容としては呼吸抑制30%，酸素飽和度低下20%，血圧低下10%，徐脈10%，体温低下10%，気管支分泌増加10%，尿量減少10%であった．

てんかん重積状態を対象として実施された再審査終了時の使用成績調査において 12.8% に副作用が生じ，おもなものとして肝機能障害 3.6%，眠気 1.6%，血圧低下 1.4%，呼吸抑制 0.7% があった．

薬物相互作用は中枢神経抑制剤（フェノチアジン系誘導体・バルビツール酸誘導体，トピラマート，抗ヒスタミン薬など），MAO 阻害薬などは相互に作用を増強し得る．また，三環系・四環系抗うつ薬は相加的中枢抑制作用による相互の作用増強に加え，CYP 誘導に伴う抗うつ薬血中濃度の低下を生じる．

おもな類似薬との使い分け

本剤は作用発現が遅く，長時間型に属することから，てんかん重積状態に対しては即効性の薬剤であるジアゼパム（DZP）あるいはロラゼパム（あるいは小児ではミダゾラムも）を第一選択とし，本剤は第二選択以降に使用する．例えば，DZP 静注後に PB 静注を行う，あるいは DZP と fosPHT の組み合わせで発作を抑制できないとき PB 静注を行うなどの治療戦略がある．

服薬指導のポイント

様々な背景疾患をもつてんかん重積状態に対し PB 静注は有効であるが，その後意識が回復するまでは，バイタルサインのフォローなどを要する．

専門医からのアドバイス

PB 静注は，DZP やミダゾラムなどのベンゾジアゼピン系薬剤とは $GABA_A$ 受容体における結合部位が異なるものの GABA 作用を増強させる薬理効果は同じであるにもかかわらず，ベンゾジアゼピン系薬剤抵抗性けいれん重積状態に対して，第二選択薬としての PB は高い有効性が報告されている．よって，ベンゾジアゼピン系薬剤でてんかん重積状態が抑制されない症例に対しても PB は第二選択薬になり得る．

重度の肝・腎障害患者においては投与量を調整する必要がある．

呼吸抑制の頻度は高く，気管内挿管を要する症例も存在すると報告されており注意が必要である．

【文献】
1) Yasiry Z, Shorvon SD：The relative effectiveness of five antiepileptic drugs in treatment of benzodiazepine-resistant convulsive status epilepticus: a meta-analysis of published studies. Seizure 23：167-174, 2014

（茂木太一）

抗てんかん薬 | GABA 受容体活性化

フェノバルビタール坐薬 phenobarbital

ワコビタール［高田］坐 15mg, 30mg, 50mg, 100mg/ ルピアール［久光］坐 25mg, 50mg, 100mg

特徴・どんな薬剤か？

フェノバルビタール（PB）の坐剤で，経口投与が困難な場合に用いる．

薬理作用

PB の項参照．油脂性基材．直腸内で時間をかけて溶解される．一部は肝臓を通過しないため薬物の分解が少ない．動物実験で鎮静・催眠作用，抗けいれん作用が確認されている．作用機序としては，大脳皮質の介在ニューロンおよび脳幹網様体賦活系を抑制し鎮静作用を示す．強く抑制された場合は自然睡眠に似た催眠作用を示す．また，大脳皮質運動野を特異的に抑制し強い抗けいれん作用を示し，特に強直間代発作（大発作）や焦点起始発作（部分発作）を抑える．

適応となる疾患・病態，どんなときに使うか？

小児に対し，嘔気・嘔吐時など経口投与が困難な場合に催眠，不安緊張状態の鎮静，熱性けいれんおよびてんかんのけいれん発作の改善目的で使用する．吸収には食事や他の内服薬などの影響がなく，比較的一定の効果が得られる．

処方の実際，どのように使うか？

PB として，小児では 1 日 4 〜 7mg/kg を標準として直腸内に挿入する．なお，症状，目的に応じ適宜増減する．経口投与および静脈確保が困難な場合に使用を検討する．

禁忌，併用禁忌，注意すべき副作用，慎重投与など

PB の項参照．承認時および承認時以降の副作用調査によると，眠気・ふらつきなどの精神神経症状，下痢・軟便などの消化器症状，発疹，肛門部痛，尿失禁，肝機能上昇が報告されている．

おもな類似薬との使い分け

本剤は直腸内で溶解するのに時間がかかり効果発現まで約1時間必要なため，坐剤ではジアゼパム坐剤のほうが効果発現は速い．そのため，てんかん重積状態，有熱時の熱性けいれんの予防いずれにおいても即効性の期待できるジアゼパム坐剤の使用が優先される．

PBの静注製剤との使い分けに関しては，静脈確保が可能な場合は静注製剤のほうが用量の微調整が可能なため便利である．

投薬指導のポイント

坐薬を取り扱うときはまず手を洗う．できるだけ排便を済ませた後に挿入する．坐薬のすべりが悪いときは，少し手の中で温めると挿入しやすくなる．坐薬を包装から取り出し，ティッシュペーパー等でつまみ，先のとがったほうを肛門の奥まで入れる．横になったまま挿入する場合は側臥位になり，両足を曲げ，身体を「く」の字に曲げる．挿入後しばらく動かずにいて，2～3分後に足をゆっくり伸ばせば肛門内にうまく収まる．しばらくティッシュペーパー等で肛門を押さえるとよい．乳幼児に挿入する場合は，おむつを換える要領で両足を持ち上げ，挿入後4～5秒押さえた後しばらくしてから足をゆっくり伸ばすとうまく収まる．挿入後異物感や便意を感じても，しばらくすれば治まる．

下痢の際は坐剤の使用は困難である．また，水溶性基材のジアゼパム・ドンペリドンなどの坐剤と同時に投与すると，水溶性坐剤の吸収が阻害されて血中濃度が上昇しにくくなってしまうため，これらの坐薬を併用する場合には，30分以上の間隔をあける必要がある．

≪≪≪ 専門医からのアドバイス ≫≫≫

最高血中濃度到達までに約4～6時間を要し，経口や筋注での1～4時間と比較し遅く，効果持続時間は数時間と長い．

(茂木太一)

抗てんかん薬　GABA受容体活性化

プリミドン (PRM)

primidone

プリミドン［日医工］錠 250mg, 細粒 99.5%

特徴・どんな薬剤か？

フェノバルビタール (PB) 類似の化学構造をもち, 生体内では 15 〜 20% が PB に, 15 〜 65% がフェニルエチルマロンアミド (PEMA) に代謝される. これら 3 種類の化合物は, いずれも抗てんかん作用を示す. 薬物相互作用が多い. 最近の知見は存在しない.

薬理作用

未変化体と代謝産物の作用の総和となるが各物質の役割は十分に解明されていない.

PRM の抗てんかん作用は, 後シナプスにある $GABA_A$ 受容体を介する Cl 電流の増強効果, 濃度依存性の Ca 依存性活動電位の抑制作用と Na チャネル抑制作用の 3 つに由来すると考えられている.

適応となる疾患・病態, どんなときに使うか？

てんかんの運動発作：全般強直間代発作 (大発作), 全般ミオクロニー発作, てんかん性スパズム, 焦点運動起始発作 (部分発作) (焦点意識保持運動発作 (ジャクソン発作) を含む), 焦点意識減損発作 (精神運動発作). 現在の使用頻度は減っている.

処方の実際, どのように使うか？

成人で治療初期 3 日は 1 日 250mg を眠前に内服. 以降 3 日ごとに 250mg ずつ増量し症状によっては 1 日 1,500mg まで漸増し 2 〜 3 回に分けて内服する. 必要によっては 1 日 2,000mg まで増量可能.

＊PB60mg と PRM250mg がほぼ相当. 投与開始時は副作用を避けるためより低用量 (50 〜 100mg) で開始してもよい.

小児では治療初期 3 日は 1 日 125mg を眠前に内服. 以降 3 〜 4 日ごとに 125mg ずつ増量し 2 〜 3 回に分けて内服.

2 歳まで：250 〜 500mg　3 〜 5 歳：500 〜 750mg　6 〜 15 歳：750 〜 1,000mg
症状によってはさらに増量してもよい.

高齢者では呼吸抑制を惹起することがあり, 慎重投与が必要.

禁忌，併用禁忌，注意すべき副作用，慎重投与など

禁忌：バルビツール酸系化合物の過敏症，急性間欠性ポルフィリン症．
併用禁忌：なし．

重大な副作用はスティーブンス-ジョンソン症候群，再生不良性貧血，依存性など．

おもな副作用は鎮静，ふらつき，複視，めまいなどの神経学的症状，錯乱状態，情動変化・神経過敏・不機嫌などの精神症状，悪心・嘔気などの消化器症状，巨赤芽球性貧血，くる病，ビタミンD欠乏，骨粗鬆症，食欲減衰，勃起不全などである．急な断薬で離脱発作，けいれん重積が起こり得る．

慎重投与は高齢者，虚弱者，呼吸機能低下患者，頭部外傷後遺症，進行した動脈硬化症，心・肝・腎障害，甲状腺機能低下症，薬物過敏症．

カルバマゼピンとの併用で相互に血中濃度が低下する．ラモトリギンの血中濃度を低下させる．フェニトイン（PHT）が投与されている場合，PB濃度はPRM濃度の3〜4倍になる（単剤投与の場合はほぼ同じ濃度）．

PHTとの併用で催奇形性が高まる．新生児に出血傾向，呼吸抑制，離脱症状が生じうる．母乳中に移行し，乳児に眠気をきたす．

おもな類似薬との使い分け

焦点起始両側強直間代発作（二次性全般化強直間代発作）時に有効で，PBが有効でなくてもPRMが有効な場合がある．

服薬指導のポイント

鎮静作用などのおもな副作用，急な断薬は危険であることについてあらかじめ説明しておく．

《《《 専門医からのアドバイス 》》》

欠神てんかんには発作を悪化させるため用いない．
半減期は併用薬剤や代謝産物のPBにより変化し複雑である．PRMの半減期は成人で8〜15時間だが，PBは80〜100時間と長く定常状態になるまでには3週間以上を要する．
保険適応外ではあるが本態性振戦に対し150mg以下で有効性を発揮することが多い．

（茂木太一）

抗てんかん薬　Caチャネル阻害

ガバペンチン

gabapentin

ガバペン［富士］錠 200mg, 300mg, 400mg, シロップ 5%

特徴・どんな薬剤か？

本邦では 2006 年に上市された比較的新規の抗てんかん薬に属する薬剤である．

薬理作用

GABA 合成酵素と GABA トランスポーターを活性化し，GABA 神経系機能を維持・増強する．電位依存性 Ca チャネルのうち α2δ サブユニットと結合することで，カルシウムの流入を阻害し，グルタミン酸などの興奮性神経伝達物質の遊離を抑制する．

作用機序はいまだ十分に明らかにされていないが，上記の 2 つの機序により抗てんかん作用を発現すると推定される．

適応となる疾患・病態，どんなときに使うか？

他の抗てんかん薬で十分な効果が認められないてんかん患者の焦点起始発作（部分発作）（焦点起始両側強直間代発作（二次性全般化発作）を含む）に対する抗てんかん薬との併用療法で適応があり，単剤使用の適応はない（2019 年 9 月現在）．

「てんかん診療ガイドライン 2018」では新規発症の焦点てんかん（部分てんかん）で第二選択薬のうちの 1 つであり，高齢発症の焦点起始発作（部分発作）で推奨されている[1]．

処方の実際，どのように使うか？

・ガバペン錠（400mg）3 錠　分 3（毎食後）

成人および 13 歳以上の小児には初日 1 日量 600mg，2 日目 1 日量 1,200mg をそれぞれ 3 回に分割して経口投与する．3 日目以降は維持療法として 1 日量 1,200〜1,800mg を 3 回に分割して経口投与する．症状により適宜増減するが，1 日最高投与量は 2,400mg までとする．3〜12 歳の幼児および小児の投与量は添付文書を参照すること．

半減期が短いため，1 日 3 回に分割して内服する必要がある．

禁忌，併用禁忌，注意すべき副作用，慎重投与など

本剤の成分に対し過敏症の既往歴のある患者に対しての使用は禁忌である．

注意すべき副作用としては，眠気，浮動性めまい，頭痛，複視，霧視，体重増加がある．

制酸剤との併用で本剤の血中濃度が低下する，オピオイド系鎮痛剤との併用で中枢神経抑制症状が出現する可能性があるため，併用注意とされる．

腎機能障害のある患者では半減期の延長や血中濃度上昇が起こることがあるため，添付文書を参照し，クレアチニンクリアランス値を参考として投与量を調節する．

おもな類似薬との使い分け

肝代謝酵素の誘導・阻害作用がなく，他の薬剤との相互作用が起こりにくい．そのため，高齢者の焦点起始発作（部分てんかん）に対して合併症・併存症の有無にかかわらず，推奨薬剤としてレベチラセタム，ラモトリギンと並列して記載されている[1]．

服薬指導のポイント

急な中断によりてんかん重積状態が現れることもあるため，規則正しい内服を指導する．体重増加をきたすことがあるので肥満に注意し，定期的な体重計測が望ましい．傾眠や集中力低下が起こることがあるため，自動車運転などには注意を要する．

《《《 専門医からのアドバイス 》》》

ミオクロニー発作が増悪することがあるため，ミオクロニー発作を伴った患者に対しての使用は避けるべきである．

副作用が比較的少なく，他の薬剤との相互作用がほとんど起こらないことから高齢発症てんかんに推奨されているが，1日3回投与であり，服薬アドヒアランスには注意を要する．

【文献】
1) 日本神経学会 監，「てんかん診療ガイドライン」作成委員会 編：てんかん診療ガイドライン 2018．医学書院，p35, 2018

（根本隆洋）

抗てんかん薬　Caチャネル抑制

エトスクシミド
ethosuximide

エピレオプチマル［エーザイ］散 50% / ザロンチン［第一三共］シロップ 5%

特徴・どんな薬剤か？

小児欠神てんかんの定型欠神発作に主として用いられるが，Lennox-Gastaut 症候群の非定型欠神発作，Doose 症候群のミオクロニー脱力発作などにも有効である．

薬理作用

視床ニューロンの T 型電位依存性 Ca チャネルを阻害することで抗てんかん作用をもたらすと考えられている．おもに肝代謝され，CYP3A4 がおもに関与するほか，CYP2E および CYP2B/C も関与する．20% は未変化体として尿中に排泄される．3〜5 時間で最高血中濃度に到達し，単剤の半減期は成人で 40〜60 時間，小児では 30〜40 時間である．

適応となる疾患・病態，どんなときに使うか？

定型欠神発作のほか，小型（運動）発作（ミオクロニー発作，失立（無動）発作，点頭てんかん（幼児けい縮発作，BNS けいれん等））にも適応がある．

処方の実際，どのように使うか？

成人ではエトスクシミドとして 1 日 450〜1,000mg を 2〜3 回に分割経口投与，小児ではやはりエトスクシミドとして 1 日 150〜600mg を 1〜3 回に分割経口投与する．なお，年齢，症状により適宜増減する．用量依存性の副作用に気をつけるため，実際の臨床では初期投与量を少なく設定し，成人では 150〜200mg の，小児では 5〜7mg/kg の増幅幅を目安に増量するのがよい．参考域の血中濃度は 40〜100μg/mL である．

禁忌，併用禁忌，注意すべき副作用，慎重投与など

本剤の成分に対して過敏症の既往歴のある患者と重篤な血液障害のある患者には禁忌である．重大な副作用として，Stevens-Johnson 症候群，SLE 様症状（発熱，紅斑，筋肉痛，関節痛，リンパ節腫脹，胸部痛等），再生不良性貧血，汎血球減少が挙げられる．肝障害，腎障害のある患者，薬物過敏症の患者には慎重に投与する．

併用禁忌はないが，バルプロ酸ナトリウムは本剤の作用が増強することがあり，フェニトインは，本剤がフェニトインの作用を増強することがあるため注意して併用する．また，酵素誘導作用をもつカルバマゼピン，フェニトイン，フェノバルビタール，プリミドンを併用すると本剤の作用が減弱されることがある．

おもな類似薬との使い分け

　小児欠神てんかんにおける発作抑制効果はバルプロ酸と同等で，ラモトリギンよりも高い．副作用の面ではバルプロ酸に勝るが，全般性強直間代発作を併発する場合はエトスクシミドよりバルプロ酸が用いられる．単剤投与では強直間代発作を悪化させる可能性がある．

服薬指導のポイント

　副作用は少ないが，用量依存性の副作用として眠気や行動異常に注意し，これらが現れた場合は減量する．吐き気や頭痛の頻度も多いがやはり減量によって改善する．精神症状として不穏・抑うつ・幻覚妄想状態が惹起されることもある．

専門医からのアドバイス

　日本神経学会のガイドラインではバルプロ酸とならび小児欠神てんかんの第一選択薬だが，成人の精神科診療において小児欠神てんかん患者を初診する可能性は低いため，精神科医が本剤を開始する機会は少ないだろう．小児科からのトランジション症例での用量調整が主たる使用機会と考えられる．若年欠神てんかんの初診例で投与開始する可能性はあるが，成人発症のてんかん患者では焦点てんかん（症候性部分てんかん）の焦点意識減損発作（複雑部分発作）の割合がはるかに多い．脳波検査によって鑑別を行い，診断に迷う場合には専門医に紹介するのがよい．

【文献】
1) Patsalos PN：Properties of antiepileptic drugs in the treatment of idiopathic generalized epilepsies. Epilepsia 46(Suppl. 9):140-148, 2005
2) 兼本浩祐：てんかん学ハンドブック，第3版．医学書院，pp277-278, 2012
3) 日本神経学会 監，「てんかん診療ガイドライン」作成委員会 編：てんかん診療ガイドライン2018．医学書院, 2018

（藤岡真生）

抗てんかん薬　Naチャネル抑制

カルバマゼピン

carbamazepine

テグレトール［サンファーマ - 田辺三菱］錠 100mg, 200mg, 細粒 50% / カルバマゼピン「アメル」［共和］錠 100mg, 200mg, 細粒 50%/ カルバマゼピン「フジナガ」［藤永 - 第一三共］錠 100mg, 200mg, 細粒 50%

特徴・どんな薬剤か？

　焦点起始発作を呈する焦点てんかんに対する第一選択薬である．肝代謝酵素である Cytochrome P450（CYP）を強力に誘導するため，CYP で代謝される薬剤との併用では相互作用に注意を要する．

薬理作用

　三環系抗うつ薬と類似の化学構造を有する．おもな作用機序は頻度および電位依存性 Na チャネルの抑制である．消化管からの吸収は比較的緩徐で，単回投与での最高血中濃度到達時間は成人で 4 〜 24 時間である．投与初期の半減期は 25 〜 65 時間であるが，自らが誘導した CYP で代謝されるため（自己誘導），定常状態では半減期が 8 〜 20 時間に短縮する．血中濃度は，投与開始後 1 〜 2 週間で最大となった後に減少し 3 〜 4 週間で安定する．単剤投与時の有効域の血中濃度は 4 〜 12μg/ mL，他の抗てんかん薬と併用時は副作用が発現しやすいため 4 〜 8μg/ mL を目標とする．血漿蛋白結合率は 75 〜 90％ と高い．肝臓で代謝されるため，肝機能低下時は肝クリアランスが低下する可能性があり減量を要する．腎障害では減量は不要である．催奇形性に用量依存性があり 400mg/ 日までが望ましい．妊娠による血中アルブミン濃度の低下に伴い総血中濃度は低下するが，遊離形分率が上昇するため目標血中濃度以下の場合も基本的には増量せずに経過観察を行う．

処方の適応となる疾患・病態，どんなときに使うのか？

　焦点起始発作を有するてんかん患者，焦点てんかんの診断を受けたてんかん患者が適応となる．全般てんかんでは，ミオクロニー発作，欠神発作を増悪させることがある．

処方の実際，どのように使うか？

　投与開始時は少量（100 〜 200mg/ 日）から開始し，濃度安定後に発作頻度をみながら 100 〜 200mg ずつ増量する．単剤投与の場合，維持量は成人で 400 〜 1,200mg/ 日（通常 600mg/ 日）を 1 日 2 〜 4 回で内服する．

禁忌，併用禁忌，注意すべき副作用，慎重投与など

禁忌は三環系抗うつ薬過敏症，重篤な血液障害，房室ブロック（Ⅱ度以上），高度徐脈（心拍50拍/分以下），ポルフィリン症である．

併用禁忌には，特にリルピビリン，ボリコナゾール，タダラフィルがある．

CYPで代謝される薬剤との併用時には併用薬の血中濃度が低下する．CYPを誘導する薬剤（フェニトイン，フェノバルビタール等）との併用時にはカルバマゼピンの濃度が低下する．CYPを阻害する薬剤（Caブロッカー，イソニアジド，エリスロマイシンなど）との併用時はカルバマゼピンの濃度が上昇し副作用が出現しやすくなる．本剤長期連用時にアセトアミノフェン配合剤を投与すると肝毒性が生じやすい．**重大な副作用**に特異体質反応としてのスティーブンス・ジョンソン症候群，中毒性表皮壊死融解症，薬剤性過敏症症候群，汎白血球数減少，血小板減少，肝障害などがある．**用量依存性の副作用**として眠気，めまい，運動失調，眼振，心伝導障害・心不全などがある．高濃度のカルバマゼピンは抗利尿ホルモン様作用を示すことにより低ナトリウム血症，水中毒が生じる．その他，聴覚障害（音階が半音下がって聞こえる），長期服用時の骨粗鬆症などがある．

服薬指導のポイント

投与初期の眠気やめまいなどの用量依存性の副作用は，自己誘導作用により血中濃度が低下し時間とともに軽減する．グレープフルーツに含まれる成分がCYP3A4を阻害し一過性の中毒をひき起こすことがあるため摂取しないよう指導する．

《《《 専門医からのアドバイス 》》》

焦点起始発作を呈する焦点てんかんの第一選択薬である一方，一部の全般発作を増悪することがある．投与初期には重篤な副作用を起こす可能性があり，十分な説明と治療前後の血球数測定が求められる．

（村田佳子）

抗てんかん薬　Naチャネル抑制

ルフィナミド

rufinamide

イノベロン［エーザイ］錠 100mg, 200mg

特徴・どんな薬剤か？

レノックス・ガストー症候群に対し保険適応が明記されている抗てんかん薬の1つで，2013年3月に販売された稀少疾病用医薬品．他の抗てんかん薬で十分な効果が認められないレノックス・ガストー症候群において強直発作や脱力発作による転倒や受傷の減少が期待できる．

薬理作用

おもな作用機序は電位依存性Naチャネルの高頻度発火の抑制．

適応となる疾患・病態，どんなときに使うか？

4歳以上のレノックス・ガストー症候群の中で，治療抵抗性の強直発作および脱力発作を有する場合．

処方の実際，どのように使うか？

・4歳以上の小児のうち体重15.0～30.0kgの場合
　イノベロン錠（100mg）2錠　分2（朝夕食後）を2日間投与．その後は2日毎に200mg/日以下ずつ漸増する．最大1,000mg/日まで増量可能である．
・体重30.1kg以上の小児の場合，成人
　イノベロン錠（200mg）2錠　分2（朝夕食後）を2日間投与．その後は2日毎に400mg/日以下ずつ漸増する．体重50.0kgまでは1,800mg/日，体重70.0kgまでは2,400mg/日，体重70.1kg以上では3,200mg/日まで増量可能である．

禁忌，併用禁忌，注意すべき副作用，慎重投与など

禁忌：ルフィナミドの成分またはトリアゾール誘導体に対する過敏症の既往のある患者．

相互作用：併用禁忌薬はないが，抗てんかん薬（バルプロ酸ナトリウム，フェノバルビタール，プリミドン，カルバマゼピン，フェニトイン）により

ルフィナミドの血中濃度が変化する可能性や，CYP3A4 で代謝される薬剤や一部の経口避妊薬の作用を減弱させる可能性がある．

慎重投与：他の抗てんかん薬に対するアレルギーや発疹出現の既往，先天性 QT 短縮症候群，肝機能障害，妊婦，授乳婦，小児，高齢の患者．

重大な副作用：薬剤性過敏症症候群や皮膚粘膜眼症候群．

その他の副作用：傾眠，食欲低下，嘔吐，便秘，浮動性めまい，運動失調，精神症状（精神運動亢進，攻撃性）．

おもな類似薬との使い分け

ラモトリギンもレノックス・ガストー症候群に対し保険適応が明記されている抗てんかん薬であり，バルプロ酸ナトリウムと併用して使用されることが多い．ラモトリギンは重症薬疹発生頻度が高いため緩徐に増量する必要があるのに対し，ルフィナミドはより短期間に増量が可能である．

服薬指導のポイント

副作用軽減のため，添付文書よりもより少量で開始し，緩徐に増量していくことが多い．

体重 30kg 未満の場合，バルプロ酸ナトリウム併用時の血中濃度上昇が大きいため，欧州ではバルプロ酸ナトリウムを併用している体重 30kg 未満の小児の最大容量は 600mg/ 日が推奨されている．

専門医からのアドバイス

保険病名レノックス・ガストー症候群で他の抗てんかん薬と併用した場合にのみ保険適応がある．

ルフィナミドによるけいれん重積状態の報告があるため，十分な観察と適切な処置が必要である．

（平野嘉子・渡邉雅子）

抗てんかん薬　Naチャネル抑制

フェニトイン

phenytoin

アレビアチン［大日本住友］　錠 25mg, 100mg, 散 10%, 注 250mg/5mL / ヒダントール［藤永 / 第一三共］　錠 25mg, 100mg, 散 10%

特徴・どんな薬剤か？

強力な抗てんかん作用をもち，これまで重要な役割を担ってきた．非線形の薬物動態，多種の薬物相互作用・副作用のため使用される機会は減ってきている．

薬理作用

おもな作用機序は，電位依存性 Na チャネル阻害である．神経細胞膜を安定化し，シナプスにおける反復刺激後増強を抑制する．本剤の抗てんかん作用はけいれん閾値の上昇ではなく，発作焦点からのてんかん発射の拡大を阻止するものと考えられている．

適応となる疾患・病態，どんなときに使うか？

すべての焦点起始発作（部分発作），全般起始発作（全般発作）の強直間代発作に優れた効果をもつ．その一方で，欠神発作，ミオクロニー発作には有効性を発揮せず逆に悪化させる場合がある．注射薬は水溶性が低く溶液が強アルカリ性で，血管痛や，血管外に漏れると組織障害・壊死を生じやすい．そのため本剤ではなく，プロドラッグであるホスフェニトインを使用すべきである．

処方の実際，どのように使うか？

5〜7mg/kg が標準1日投与量．分2処方で投与．

血中濃度はある濃度までは投与量に比例するが，それを超えると急激に上昇し中毒域に達するため以下の点に注意する．

①有効血中濃度（10〜20μg/mL）未満でも発作が抑制されていれば増量する必要はない．

②増量時は血中濃度をこまめに測定し，15μg/mL 以上になったらそれ以降の増量幅は 12.5mg（25mg 錠の半錠）で処方する．

③血中濃度を 15μg/mL 以上で維持する場合は 3〜数ヵ月に一度は血中濃度の測定を行う．

④症例によっては 20μg/mL をやや超える高濃度でようやく発作抑制効果が出る場合もあるが，血中濃度変動による危険性が高く注意する．

禁忌，併用禁忌，注意すべき副作用，慎重投与など

禁忌：ヒダントイン系への過敏症．

併用禁忌：タダラフィル（肺高血圧症を適応とする場合），リルピビリン，アスナプレビル，ダクラタスビル，バニプレビル，マシテンタン，ソホスブビルなど．

副作用

①重篤度の低い副作用：小脳性運動失調（複視・眼振・失調性歩行），IgA減少，高血糖，肝機能障害．小児，知的能力障害患者では多動・攻撃性増加が出現することがある．

②重篤な副作用：<u>スティーブンス・ジョンソン症候群，薬剤起因性過敏症候群の発生率は相対的に高い</u>．汎血球減少・血小板減少，発作頻度の逆説的増加，急性脳症（特に知的能力障害を伴う例では小脳萎縮および多彩な不随意運動が出現することがある），横紋筋融解症，悪性症候群．

③長期服用に伴う副作用：歯肉増殖，多毛，末梢神経障害，骨粗鬆症．

④催奇形性：大奇形に関しては若干の催奇形性リスクがあるため妊娠可能女性へは1日200mg以下で使用するのが望ましい．乳汁中への移行は少ないため，授乳には問題ない．

慎重投与：肝障害，血液障害，甲状腺機能低下症，糖尿病，薬物過敏症．
相互作用：多くの薬物との双方向性の相互作用がある．

おもな類似薬との使い分け

新規抗てんかん薬で治療抵抗性の場合には使用する価値あり．

服薬指導のポイント

投与初期の皮疹の出現に注意．歯肉増殖を防ぐため歯磨きを丁寧に行う．

≪≪≪ 専門医からのアドバイス ≫≫≫

ふらつき，不随意運動，精神症状がみられたら，血中濃度をすぐに測定し，もし血中濃度高値の場合は直ちに減量する．対応が遅れると障害が永続し，車いす生活になってしまう場合もあり注意が必要である．

（茂木太一）

抗てんかん薬　Naチャネル抑制

ホスフェニトイン ナトリウム水和物 fosphenytoin sodium hydrate

ホストイン［ノーベルファーマ / エーザイ］静注 750mg/10mL

特徴・どんな薬剤か？

てんかん重積状態に対する第二選択の注射剤．フェニトイン（PHT）のプロドラッグで，水溶性が高く静脈注射しやすい利点があり，体内に入った後フォスファターゼにより速やかにほぼ完全に PHT に代謝され，抗てんかん作用を発揮する．

薬理作用

電位依存性 Na チャネルの阻害作用が主．その他にシナプス伝達を抑制する作用，Na-K-ATPase に作用してイオン勾配変化を抑制する作用，Ca-カルモジュリン蛋白リン酸化を阻害してセカンドメッセンジャー系を阻害する作用などが知られている．

適応となる疾患・病態，どんなときに使うか？

①てんかん重積状態，②脳外科手術または意識障害（頭部外傷など）時のてんかん発作の発現抑制，③PHT を経口投与しているてんかん患者における一時的な代替療法．

処方の実際，どのように使うか？

成人または 2 歳以上の小児には，次の用法・用量にて投与．

・てんかん重積状態
　初回投与：22.5mg/kg を静脈内投与．投与速度は 3mg/kg/ 分または 150mg/ 分のいずれか低いほうを超えない．
　維持投与：5 〜 7.5mg/kg/ 日を 1 回または分割にて静脈内投与．投与速度は 1mg/kg/ 分または 75mg/ 分のいずれか低いほうを超えない．

・脳外科手術または意識障害（頭部外傷など）時のてんかん発作の発現抑制
　初回投与：15 〜 18mg/kg を静脈内投与．投与速度は 1mg/kg/ 分または 75mg/ 分のいずれか低いほうを超えない．
　維持投与：5 〜 7.5mg/kg/ 日を 1 回または分割にて静脈内投与．投与速度は 1mg/kg/ 分または 75mg/ 分のいずれか低いほうを超えない．

・PHT を経口投与しているてんかん患者における一時的な代替療法

経口 PHT の 1 日投与量の 1.5 倍量を，1 日 1 回または分割にて静脈内投与．投与速度は 1mg/kg/ 分または 75mg/ 分のいずれか低いほうを超えない．

禁忌，併用禁忌，注意すべき副作用，慎重投与など

禁忌：過敏症．洞性徐脈，高度の刺激伝導系障害．

併用禁忌：タダラフィル（肺高血圧症を適応とする場合），リルピリジンなど．

副作用，慎重投与：PHT の項参照．循環抑制（低血圧，心臓伝導障害，不整脈）があるために投与速度を遵守し，心電図，血圧，呼吸機能などのバイタルサインのモニタリングを実施するなど慎重に患者の状態を観察する．意識障害，血圧低下，心抑制，呼吸障害が現れた場合は直ちに適切な処置を行う．連用時は定期的な肝腎機能・血液検査（本剤投与後 2 時間以降の PHT 濃度を含む）を行う．

おもな類似薬との使い分け

PHT 注射液は強アルカリ性で組織障害性が高いため，原則としてほぼ中性（pH8.5 〜 9.1）であるホスフェニトインを使用すべきである．てんかん重積状態に対するホスフェニトインの有効率は 44 〜 97％と報告されており，PHT 注射液と有効性の差はない．

フェノバルビタール静脈注射薬と比較して，鎮静作用が低く意識レベルの評価をしやすい．てんかん重積状態以外にも，急性脳症をはじめとした遷延性意識障害を伴うけいれん発作にも有用と考えられる．

服薬指導のポイント

投与前に，服用中の薬剤や循環器疾患の既往歴などを家族から確認する．

専門医からのアドバイス

PHT への変換は投与後 8 〜 15 分で行われ効果発現まで約 20 分かかるため，てんかん重積状態に対してまずは即効性のジアゼパムを用い，その直後にホスフェニトインを再発予防目的で静注することが多い．

脳外科手術や頭部外傷の際の早期けいれん予防目的で 1 週間投与を行うことは有効とされているが，その後の術後てんかんや外傷後てんかんを予防する効果はないため漫然と投与しない．

（茂木太一）

抗てんかん薬 / **炭酸脱水素酵素抑制**

アセタゾラミド
acetazolamide

ダイアモックス［三和化学］錠 250mg，末

特徴・どんな薬剤か？

炭酸脱水酵素阻害薬である．てんかんに対しては単剤では用いない．効果が短期間であることから，月経てんかんに対して付加されやすい．

薬理作用

二酸化炭素と炭酸水素イオンの相互変換を触媒する炭酸脱水酵素を阻害する．結果として代謝性アシドーシスをもたらし，組織に二酸化炭素を蓄積させる．抗てんかん作用は，脳内における細胞外の二酸化炭素濃度の増加が神経活動の広がりを防ぎ，細胞外カルシウムの減少が軸索細胞膜の安定化をもたらし生じると考えられている．

適応となる疾患・病態，どんなときに使うか？

緑内障患者へ眼圧低下を目的として用いられることが多い．てんかん患者には，他の抗てんかん薬で効果不十分な場合に付加される．てんかんではすべての発作型に有効だが，効果は短期的で1, 2ヵ月程度しか持続しない．そのため，他の抗てんかん薬の減量に伴い離脱発作のリスクがあるときや，月経てんかんの患者へ月経周期に合わせて間欠的に投与されることが多い．それ以外の適応疾患については添付文書を参照のこと．

処方の実際，どのように使うか？

成人にはアセタゾラミドとして1日250〜750mgを分割経口投与する（他の抗てんかん薬で効果不十分な場合に付加）．

禁忌，併用禁忌，注意すべき副作用，慎重投与など

本剤の成分またはスルホンアミド系薬剤に対する過敏症の既往歴，肝硬変等の進行した肝疾患または高度の肝機能障害，無尿，急性腎不全，高クロール血症性アシドーシス，体液中のナトリウム・カリウムの明らかな減少，副腎機能不全・アジソン病には禁忌である．慢性閉塞隅角緑内障患者に長期投与しない．

併用禁忌はないが，降圧剤，ジギタリス製剤，その他，併用注意の薬剤が

あるため添付文書を確かめること．抗てんかん薬との**相互作用**はカルバマゼピンの濃度を上昇させる可能性があるほか，フェノバルビタールやフェニトインの骨代謝障害が本剤の代謝性アシドーシスにより増悪する可能性がある．

最も注意すべき副作用は，代謝性アシドーシスと，低カリウム血症，低ナトリウム血症等の電解質異常である．ショック，アナフィラキシー様症状，再生不良性貧血，溶血性貧血，無顆粒球症，血小板減少性紫斑病，皮膚粘膜眼症候群（Stevens-Johnson症候群），中毒性表皮壊死症（Lyell症候群），急性腎不全，腎・尿路結石，精神錯乱，けいれん，肝機能障害，黄疸も重大な副作用である．しびれ等の知覚異常や多尿の頻度が多い．ただし，短期間の投与にとどめれば副作用は軽微である．

本剤は代謝を受けず，未変化体としてほぼ100％が尿中に排泄される．そのため，腎障害のある患者に対しては血中濃度を測定しながら注意して用い，中毒症状に気をつける．

おもな類似薬との使い分け

効果が一過性かつ単剤で用いないため，使用する場面は前述の通り限定的である．

服薬指導のポイント

夜間の休息が必要な患者には，夜間の排尿を避けるため，午前中に投与することが望ましい．漫然とした長期投与は避ける．降圧作用に基づくめまい，ふらつきが現れることがあるので，高所作業，自動車の運転等危険を伴う機械を操作する際には注意させる．

専門医からのアドバイス

エビデンスは多くないものの，伝統的に月経てんかんに対して用いられてきた．新規抗てんかん薬があまた承認されているなか，使用場面はいっそう限られてくるだろう．

【文献】
1) Foldvary-Schaefer N, Falcone T et al：Catamenial epilepsy：Pathophysiology, diagnosis, and management. Neurology 61(Suppl 2)：S2-S15, 2003
2) 平田純生　他：アセタゾラミド．広範囲血液・尿化学検査，免疫学的検査　第5版．日本臨牀 57（1999年増刊号）：440-442, 1999
3) 久郷敏明：てんかん学の臨床．星和書店, p376, 1996

（藤岡真生）

VI
抗パーキンソン病薬

章編集：髙橋　祐二

抗パーキンソン病薬

■特徴・どんな薬剤か

パーキンソン病（PD）はドパミン細胞の脱落に伴い進行する，振戦・筋強剛・無動・姿勢反射障害などの運動症状を主症状とする錐体外路系疾患である．最近は抑うつ症状や睡眠障害，認知症などの非運動症状も注目されているが，現時点では，何らかの形でドパミン刺激を補充する，あるいは，抗コリン薬などのように，錐体外路系をシステムとしてより正常化する形で運動症状を改善するのが，抗PD薬である．

ドパミンは血液脳関門を通過できないため，その前駆物質であるL-ドパおよび，ドパミン受容体作用薬が治療の中心となっている．L-ドパは効果は高いが半減期が短く，ドパミン細胞脱落の進行に伴い，L-ドパの前シナプス内での保持が困難になりL-ドパの効果持続時間が短縮したり（wearing-off），一時的に過剰な刺激になり不随意運動（dyskinesia）が出現することがある．これを改善するために，ドパミン補助薬という枠組みでモノアミン酸化酵素B（monoamine oxidase B：MAOB）阻害薬，カテコール-O-メチル基転移酵素（catechol-O-methyltransferase：COMT）阻害薬，ゾニサミド，イストラデフィリンがある．また比較的古典的な薬剤として，抗コリン薬，アマンタジン，ノルアドレナリン系作用薬がある．さらに，運動合併症の改善を目的として，L-ドパ持続経腸療法が実施されるようになってきている．

ドパミン受容体作用薬はL-ドパに比較すると一般に効果は弱いが持続時間が長い．その構造から麦角系薬剤（ブロモクリプチン，ペルゴリド，カベルゴリン）と非麦角系薬剤（プラミペキソール，ロピニロール，ロチゴチン，アポモルフィン）に分類される．ロチゴチンは唯一の貼付薬である．なお，アポモルフィンのみはL-ドパに匹敵する効果をもつが，現在わが国で使用可能なのは短時間作用の皮下注射薬のみである．

■作用機序（図1）

L-ドパは単剤ではその90％以上が血中でドパミンに代謝されるため，血中でのドパミン代謝を抑制するドパ脱炭酸酵素阻害薬（カルビドパ，ベンセラジド）との合剤が通常使用されている．L-ドパ合剤はL-ドパ単剤の1/5量で同等の効果を得られ，消化器症状や動悸などの末梢でのドパミンによる副作用を軽減することができる．

ドパミン受容体のサブタイプは大きく分けてD_1（D_1，D_5）とD_2（D_2，D_3，D_4）があるが，L-ドパはD_1，D_2ともにアゴニストといえる．ドパミン受容体作用薬ではアポモルヒネおよびペルゴリドがD_1，D_2作動薬で，他は

D_2 作動薬である．プラミペキソールは辺縁系に多く分布する D_3 への親和性が相対的に高いことが特徴である．ロチゴチンはL-ドパとドパミン受容体刺激のプロファイルが比較的類似している．

MAOB阻害薬は脳内のドパミンの代謝を抑制し，L-ドパ合剤との併用で，L-ドパの効果を約1.3倍に増強する．内因性ドパミンの代謝も抑制するために，初期にはL-ドパ併用なしでも効果を発現し得る．

COMT阻害薬は末梢でのL-ドパ代謝を抑制する．末梢でのL-ドパは脱炭酸によるドパミンへの代謝が主経路であるが，通常L-ドパ合剤を使用するために，COMT経路が活性化されているので，この経路を抑制することにより，L-ドパの半減期を延長し，効果持続を意図している．

ゾニサミドはもともと抗てんかん薬であるが，より少ない量（25mg）で抗パーキンソン効果があることが発見され，2009年より抗パーキンソン病薬として使用されている．チロシン水酸化酵素の活性亢進によるドパミン合成亢進，MAOB阻害作用，T型カルシウムチャネル阻害作用等により抗パーキンソン効果を示すと考えられている．off時間の改善にはゾニサミド50mgを使用する．

抗コリン薬は最も古典的な薬剤で，PDではドパミン系の障害のために相対的にアセチルコリン系が亢進しており，これを抑制することで錐体外路系の機能を改善すると考えられている．

アマンタジンはドパミン放出亢進作用が抗PD作用の機序として想定され

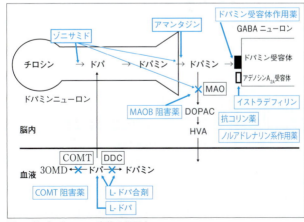

図1 抗パーキンソン病薬の作用点

ているが,最近はNMDA阻害効果によるジスキネジア改善作用が注目されている.

ノルアドレナリン系作用薬は進行期PDにおいてはノルアドレナリン系の機能低下が認められることから開発され,すくみ足や起立性低血圧に対して使用される.

また,線条体GABAニューロンのうち,淡蒼球外節への投射路に存在するアデノシンA_{2A}受容体の拮抗薬であるイストラデフィリンがwearing-offを改善する薬剤として使われている.

■効能・効果

健康保険上の効能・効果として,パーキンソン症候群への適応が認められているのはL-ドパ製剤,抗コリン薬,アマンタジンおよび,ドパミン受容

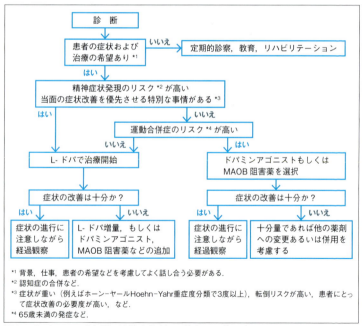

*1 背景,仕事,患者の希望などを考慮してよく話し合う必要がある.
*2 認知症の合併など.
*3 症状が重い(例えばホーン-ヤールHoehn-Yahr重症度分類で3度以上),転倒リスクが高い,患者にとって症状改善の必要度が高い,など.
*4 65歳未満の発症など.

図2 パーキンソン病初期(未治療患者)の治療アルゴリズム
(日本神経学会 監,「パーキンソン病診療ガイドライン」作成委員会 編:パーキンソン病診療ガイドライン2018. 医学書院,p107,2018より転載)

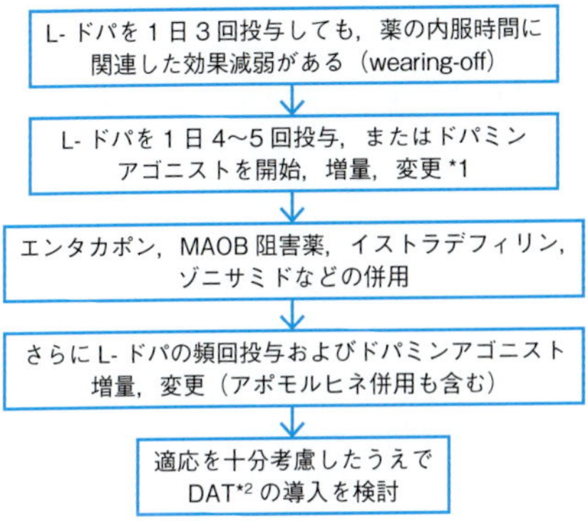

```
┌─────────────────────────────────────┐
│ L-ドパを1日3回投与しても，薬の内服時間に │
│   関連した効果減弱がある（wearing-off） │
└─────────────────────────────────────┘
                  ↓
┌─────────────────────────────────────┐
│ L-ドパを1日4～5回投与，またはドパミン    │
│   アゴニストを開始，増量，変更 *1      │
└─────────────────────────────────────┘
                  ↓
┌─────────────────────────────────────┐
│ エンタカポン，MAOB阻害薬，イストラデフィリン， │
│         ゾニサミドなどの併用            │
└─────────────────────────────────────┘
                  ↓
┌─────────────────────────────────────┐
│ さらにL-ドパの頻回投与およびドパミンアゴニスト │
│  増量，変更（アポモルヒネ併用も含む）      │
└─────────────────────────────────────┘
                  ↓
┌─────────────────────────────────────┐
│    適応を十分考慮したうえで             │
│      DAT*2 の導入を検討                │
└─────────────────────────────────────┘
```

*1 wearing-off出現時には投与量不足の可能性もあるので，L-ドパを1日3～4回投与にしていない，あるいはドパミンアゴニストを十分加えていない場合は，まずこれを行う．
*2 DAT：device aided therapy（本邦ではDBSおよびL-ドパ持続経腸療法がこれに該当する）．

図3　wearing-offの治療アルゴリズム
(日本神経学会 監，「パーキンソン病診療ガイドライン」作成委員会 編：パーキンソン病診療ガイドライン2018. 医学書院, p125, 2018 より転載)

体作用薬ではブロモクリプチンメシル酸塩（商品名パーロデル）のみである．他の抗パーキンソン病薬は，パーキンソン病のみが適応症となっている．

■治療のガイドライン

パーキンソン病治療ガイドラインは2002年に第1版が作成され，2011年に第1回改訂版，2018年に第2回改訂版が作成された．未治療患者の治療アルゴリズムおよびwearing-offの治療アルゴリズムを図2, 3に示す．

2011年版とのおもな変更点として，初期治療のアルゴリズムに関しては，1st stepが「治療の希望」の有無，すなわち患者の価値観や意向を考慮して十分な検討を行ったうえで決定する点，精神症状発現の「合併」ではなく「リスクが高い」と判断された時点でL-ドパで治療を開始することを推奨する点，ドパミンアゴニストとMAOB阻害薬が同等の選択肢として提示された点，が挙げられる．

一方，wearing-offの治療アルゴリズムの変更点に関しては，ジスキネジアのあるなしによる治療選択肢の区別をなくした点，device aided therapy

として手術療法・L-ドパ持続経腸療法を包括的に記載した点が挙げられる．ドパミンアゴニストについては，プラミペキソール，ロピニロールの長時間作用薬や貼付薬のロチゴチンなどが用いられる．なお，ジスキネジアについては別途 Q and A の形で，L-ドパ1回量を減量して投与回数を増やす，イストラデフィリン，MAOB 阻害薬，エンタカポンを減量中止する，L-ドパの1日量を減量し，不足分をドパミンアゴニストの追加・増量で補う，アマンタジンの投与あるいは増量する，DAT を選択する，などの選択肢が提案されている．

各論については，新たに L-ドパ持続経腸療法について記載されている．さらに，進行期パーキンソン病のオフ症状に対するレスキュー治療としてアポモルヒネが記載され，新規 MAOB 阻害剤のラサギリン，アデノシン A_{2A} 受容体拮抗薬イストラデフィリンが新たに追加された．

■薬の使い分け

ドパミン受容体作用薬は多数の薬剤があるが，その効果に統計学的な有意差はない．麦角系薬は心臓弁膜症が発現し得ることから，現在は非麦角系が第一選択になっている．一方，非麦角系は突然の眠り込み発作がみられることから，車の運転等はさせないように警告されている．心エコー結果や患者の生活習慣にあわせて選択する．個々の薬剤の特徴は各論を参照されたい．

Point

パーキンソン病では進行性にドパミン細胞が脱落するので，症状にあわせて薬物を適切に増量する必要がある．薬物の必要量は患者ごとに，あるいは時期ごとに異なるので，症状改善が不十分であれば，一定期間 L-ドパ製剤などを増量し，効果と副作用を確認することが重要である．様々な治療選択肢が存在しており，リハビリテーションなども取り入れつつ，それぞれの治療法のメリット・デメリットを考慮して，個々の患者において最適な治療を目指すことが肝要である．

【文献】
1) Rascol O, Lozano A, Stem M et al：Milestones in Parkinson's disease therapeutics. Mov Disord 26：1072-1082, 2011
2) Fox SH, Katzenschlager R, Lim SY et al：The Movement Disorder Society Evidence-Based Medicine Review Update：Treatment for the motor symptoms of Parkinson's disease. Mov Disord 26（S3）：S2-S41, 2011
3) Antonini A, Moro E, Godeiro C et al：Medical and surgical management of advanced Parkinson's disease. Mov Disord 33：900-908, 2018
4) Ferreira JJ, Katzenschlager R, Bloem BR et al：Summary of the recommendations of the EFNS/MDS-ES review on therapeutic management of Parkinson's disease. Eur J Neurol 20：5-15, 2013

(髙橋祐二)

抗パーキンソン病薬 | レボドパ含有製剤（単剤および脱炭酸酵素阻害薬との合剤を含む）

レボドパ
levodopa（L-dopa）

ドパストン［大原］散 98.5%，カプセル 250mg，注射液 25mg/10mL，50mg/20mL／ドパゾール［アルフレッサ］錠 200mg

レボドパ・カルビドパ (10:1) 配合
levodopa・carbidopa

メネシット［MSD］配合錠 100mg，250mg／ネオドパストン［第一三共］配合錠 100mg，250mg／ドパコール［ダイト］配合錠 50mg，100mg

レボドパ・ベンセラジド (4:1) 配合
levodopa・benserazide

マドパー［太陽ファルマ］配合錠 100mg／ネオドパゾール配合錠［アルフレッサ］配合錠 100mg／イーシー・ドパール［協和キリン］配合錠 100mg

特徴・どんな薬剤か？

L-ドパと末梢性ドパ脱炭酸酵素阻害薬（decarboxylase inhibitor：DCI）（カルビドパやベンセラジド）の合剤はパーキンソン病治療薬の中心となる．DCIを含まないL-ドパ単剤が内服で使用されることはほとんどない．

薬理作用

L-ドパは脳内で芳香族アミノ酸脱炭酸酵素（AADC）によりドパミンへと代謝され，不足している脳内のドパミンを補充し，パーキンソン病症状を改善させる．DCIは脳内へ到達する前のL-ドパの代謝を阻害し，脳内に至るL-ドパ量を増やす．DCIは脳血流関門を通過せず脳内では作用しない．単剤とDCI配合剤の力価はおおよそ1：5である．

適応となる疾患・病態，どんなときに使うか？

適応となる疾患はパーキンソン病であり，発症早期から進行期まで効果が期待できる．ただし本剤は用量依存性にwearing-offやdyskinesiaなどの運動合併症が出現しやすくなる（特に若年発症の場合）．

パーキンソン病治療薬のなかで，パーキンソン病の運動症状（寡動，筋強剛，振戦，姿勢反射障害）を軽減させる作用が最も強い．一方，気分障害，自律神経障害，睡眠障害，精神症状などの非運動症状には効果が乏しい．

静注製剤は，何らかの理由で経口投与ができないときに一時的に使用される場合がほとんどである．運動症状改善よりは，後述の悪性症候群を予防する意味合いが強い．

進行性核上性麻痺や多系統萎縮症などのパーキンソン症候群によるパーキンソニズムにも，病初期には限定的ながらも効果が得られる場合がある．

処方の実際，どのように使うか？

病初期には L-ドパ/DCI 合剤を 1 回あたり 50 〜 100mg，1 日 1 〜 2 回内服するだけで 1 日中効果が持続する．進行期で十分な効果が得られなくなれば，1 回あたり 200 〜 300mg 程度まで増量する．効果持続時間が短くなれば，服薬回数を増やす，食後内服とする，COMT 阻害薬を併用するなどの対策が必要となる．本剤が効いているときにジスキネジアが出現する場合，1 回あたりの服薬量を減らす．

禁忌，併用禁忌，注意すべき副作用，慎重投与など

閉塞隅角緑内障患者，本剤の成分に対し過敏症の患者，非選択的モノアミン酸化酵素阻害薬を投与中の患者には禁忌である．

本剤の急激な減量や中止は，悪性症候群や横紋筋融解症を誘発し得る．

おもな類似薬との使い分け

アゴニストで効果が不十分であったり，アゴニストの副作用（傾眠，精神症状，浮腫など）が問題となったりする場合は，若年例でも L-ドパ/DCI 合剤を処方する．

服薬指導のポイント

運動合併症の出現を抑制する，また前述の悪性症候群を予防するために患者の自己判断による内服薬の調整は避けるように指導する．

《《《 専門医からのアドバイス 》》》

早期パーキンソン病の治療として，かつて若年者はドパミンアゴニストで，高齢者は L-ドパ/DCI 合剤での治療開始が推奨されていた．「パーキンソン病診療ガイドライン 2018」では当面の症状改善を優先させる特別な事情（背景，仕事，患者希望）がある場合に，若年者でも L-ドパ/DCI 合剤での治療が提案されている．運動合併症出現のリスクを念頭におきつつ，治療効果が得られるだけの十分量の L-ドパ/DCI 合剤を使用すべき症例は存在する．

（向井洋平）

抗パーキンソン病薬　ドパミン受容体作用薬

ブロモクリプチン

bromocriptine

パーロデル［田辺三菱］錠 2.5mg/ジェネリック多数あり

特徴・どんな薬剤か？

麦角系ドパミンアゴニスト製剤である．D_2ファミリーに結合親和性があるが，D_1ファミリーにはほとんど結合しない．抗パーキンソン病効果は十分ではない．

薬理作用

ドパミンアゴニスト製剤としてパーキンソン症候群の症状改善効果を示す．下垂体前葉からのプロラクチン分泌を特異的に抑制する．

適応となる疾患・病態，どんなときに使うか？

パーキンソン症候群，産褥性乳汁分泌抑制，乳汁漏出症，高プロラクチン血性排卵障害，高プロラクチン血性下垂体腺腫（外科的処置を必要としない場合に限る），末端肥大症，下垂体性巨人症．

処方の実際，どのように使うか？

ドパミンアゴニストとしては，通常，ブロモクリプチンとして1日1回2.5mgで開始し，1または2週ごとに1日量として2.5mgずつ増量し，7.5mgから分3とし，1日15.0〜22.5mg分3を維持量とする．

禁忌，併用禁忌，注意すべき副作用，慎重投与など

禁忌：麦角製剤に対して過敏症の既往がある，心エコー検査で心臓弁膜症を認める，妊娠中毒症の患者，産褥期高血圧の患者．

併用禁忌：特になし．

注意すべき副作用：心臓モニタリングは必須である．著しい血圧低下にも注意が必要である．

出現しやすい副作用：悪心・嘔吐，便秘，頭痛，倦怠感．

重大な副作用：ショック，急激な血圧低下，悪性症候群，胸膜炎，心膜炎，肺線維症，心臓弁膜症，後腹膜線維症，幻覚・妄想，せん妄，錯乱，胃腸出血，胃・十二指腸潰瘍，けいれん，脳血管障害，心臓発作，高血圧，突発的な睡眠．

慎重投与：肝代謝酵素CYP3A4で代謝され，またこれを阻害するため，

CYP3A4阻害作用のある薬剤や食品との併用は注意する．

おもな類似薬との使い分け

麦角系ドパミンアゴニストとしては，カベルゴリンやペルゴリドを用いることが多い．最近のパーキンソン病の治療として，新たに処方されることはほとんどない．

服薬指導のポイント

長期連用でプロラクチン分泌抑制されるため，定期的な婦人科検診が必要である．

専門医からのアドバイス

パーキンソン病以外の内分泌疾患で投与されることのほうが多い．

【文献】
1) Brunt ER, Brooks DJ, Korczyn AD et al：A six-month multicentre, double-blind, bromocriptine-controlled study of the safety and efficacy of ropinirole in the treatment of patients with Parkinson's disease not optimally controlled by L-dopa. J Neural Transm 109：489-502, 2002

（西川典子）

抗パーキンソン病薬　ドパミン受容体作用薬

ペルゴリド メシル酸塩

pergolide

ペルマックス［協和キリン］錠 50 μg, 250 μg/ ジェネリック多数あり

特徴・どんな薬剤か？

麦角系ドパミン受容体作動薬で，パーキンソン病の運動症状を改善する．L-ドパと併用して投与する．

薬理作用

麦角系ドパミンアゴニスト製剤で，D_2 受容体だけではく，D_1 受容体にも高い親和性をもつ薬剤である．2時間で最高血中濃度に至り，8時間で約20％に低下する．

適応となる疾患・病態，どんなときに使うか？

パーキンソン病早期の，運動合併症が出やすい65歳未満発症の患者のうち，非麦角系ドパミンアゴニスト製剤が突発性睡眠などの理由により選択できないときの第二選択薬となる．

また，進行期の治療として wearing-off があるときに全体の底上げ効果を有する薬として使用する．

ドパミンアゴニストによる D_2 受容体の過剰な刺激は薬剤性の幻覚・妄想を誘発するので，高齢者や認知症を伴う患者では治療開始に用いることは避ける．

処方の実際，どのように使うか？

50 μg 分1で開始し，数日ごとに 50 μg ずつ増量する．300 μg から1日 150 μg ずつ増量，750 μg 分3から 1,250 μg 分3を維持量とする．通常 L-ドパと併用する．

禁忌，併用禁忌，注意すべき副作用，慎重投与など

禁忌：麦角製剤に対して過敏症の既往がある，心エコー検査で心臓弁膜症を認める患者．

併用禁忌：特になし．

注意すべき副作用：投与初期には嘔気・嘔吐などの消化器症状が出現しやすいため，添付文書に沿って徐々に増量する．下腿浮腫，起立性低血圧，幻

覚妄想にも注意する．

頻度は低いが，長期・大量使用で心臓や肺に分布するセロトニン受容体 5-HT$_{2B}$ の刺激作用により，心臓弁膜症や肺胸膜・後腹膜線維症などの臓器線維症のリスクがある．そのため定期的な心臓モニタリングが必要で，治療開始後 3～6 ヵ月，その後は 6～12 ヵ月ごとの身体所見，胸部 X 線，心エコーによるモニタリングを行う．

重大な副作用：悪性症候群，間質性肺炎，胸膜炎，心膜炎，肺線維症，心臓弁膜症，後腹膜線維症，突発的睡眠，幻覚・妄想，せん妄，腸閉塞，意識障害，失神，肝機能障害，血小板減少．

慎重投与：幻覚妄想のある患者，不整脈のある患者，胸膜炎，胸水，胸膜線維症，肺線維症，心膜炎，心膜滲出液，後腹膜線維症のある患者には慎重に投与する．

おもな類似薬との使い分け

L-ドパを併用しているパーキンソン病患者の運動症状の改善，off 時間の短縮について，RCT によるエビデンスが示されている．

服薬指導のポイント

初期の嘔気，頭痛が出現しやすい．消化器症状に対しては制吐剤を併用する．幻覚妄想や起立性低血圧，浮腫などの出現に注意する．

≪≪ 専門医からのアドバイス ≫≫

非麦角系ドパミンアゴニストで効果不十分ないしは投与困難な場合に麦角系ドパミンアゴニストの投与を検討する．

【文献】
1) Barone P, Bravi D, Bermejo-Pareja F et al：Pergolide monotherapy in the treatment of early PD：a randomized, controlled study. Pergolide Monotherapy Study Group. Neurology 53：573-579, 1999
2) Oertel WH, Wolters E, Sampaio C et al：Pergolide versus levodopa monotherapy in early Parkinson's disease patients：The PELMOPET study. Mov Disord 21：343-353, 2006

（西川典子）

抗パーキンソン病薬　ドパミン受容体作用薬

カベルゴリン
cabergoline

カバサール［ファイザー］錠 0.25mg, 1mg

特徴・どんな薬剤か？

麦角系ドパミン受容体作動薬で，パーキンソン病の運動症状を改善する．パーキンソン病の早期治療にも運動合併症の治療にも有用で，運動症状の改善効果はロピニロールやプラミペキソールと同等であった．プロラクチンの抑制作用があり，乳汁漏出症や高プロラクチン血性排卵障害でも用いられる．

薬理作用

D_2 ファミリーに強い結合親和性があるが，D_1 ファミリーには弱い結合親和性を示す麦角系ドパミンアゴニスト製剤である．半減期が43時間と長い，肝代謝型の薬剤である．

適応となる疾患・病態，どんなときに使うか？

パーキンソン病．乳汁漏出症，高プロラクチン血性排卵障害，高プロラクチン血性下垂体腺腫（外科的処置を必要としない場合に限る），産褥性乳汁分泌抑制．

処方の実際，どのように使うか？

パーキンソン病では，通常，1日1回 0.25mg から開始し，翌週から 0.5mg，1週間ごとに 0.5mg ずつ維持量（標準1日量 2 〜 3mg）まで増量する．

禁忌，併用禁忌，注意すべき副作用，慎重投与など

禁忌：麦角製剤に対して過敏症の既往がある，心エコー検査で心臓弁膜症を認める，妊娠中毒症の患者，産褥期高血圧の患者．

併用禁忌：特になし．

注意すべき副作用：投与量の設定が高いため，心臓弁膜症の発症リスクはペルゴリドよりも高いとされる．投与中の心臓モニタリングは必須である．

出現しやすい副作用：嘔気，食欲不振，口渇，嘔吐，便秘，幻覚，妄想，眠気，ふらつき，めまい，頭重感．

重大な副作用：幻覚，妄想，失神，せん妄，悪性症候群，間質性肺炎，胸膜炎，肺線維症，心膜炎，心臓弁膜症，後腹膜線維症，突発的睡眠，肝機能障害，

狭心症，肢端紅痛症．

慎重投与：高度の肝機能障害のあるとき，胸膜炎，胸水，胸膜線維症，肺線維症，心膜炎，心嚢液貯留，後腹膜線維症のあるときには慎重に投与する．

CYP3A4による代謝を受けるため，これを阻害する薬剤との併用は注意する．

おもな類似薬との使い分け

半減期が長いため，夜間のoff症状が強い場合に有効である．また1日1回投与であるため，アドヒアランスも良好である．

服薬指導のポイント

初期の嘔気，頭痛が出現しやすい．消化器症状に対しては制吐剤を併用する．

幻覚妄想や起立性低血圧，浮腫などの出現に注意する．

専門医からのアドバイス

非麦角系ドパミンアゴニストで効果不十分ないしは投与困難な場合に麦角系ドパミンアゴニストの投与を検討する．

【文献】
1) Bracco F, Battaglia A, Chouza C et al：The long-acting dopamine receptor agonist cabergoline in early Parkinson's disease：final results of a 5-year, double-blind, levodopa-controlled study. CNS Drugs 18：733-746, 2004
2) Fietzek UM, Riedl L, Ceballos-Baumann AO：Risk assessment and follow-up of valvular regurgitation in Parkinson patients treated with cabergoline. Parkinsonism Relat Disord 18：654-656, 2012

(西川典子)

抗パーキンソン病薬　ドパミン受容体作用薬

プラミペキソール 塩酸塩水和物
pramipexole hydrochloride hydrate

ビ・シフロール[日本ベーリンガーインゲルハイム]錠 0.125mg, 0.5mg/ ミラペックス LA[日本ベーリンガーインゲルハイム]徐放錠 0.375mg, 1.5mg/ ジェネリック多数あり

特徴・どんな薬剤か？

プラミペキソールはドパミン受容体に選択的に作用してパーキンソン病の運動症状を改善させる非麦角系の選択的ドパミン D_2 受容体作動薬であり，速放錠と徐放錠が上市されている．速放錠は中等度〜高度の特発性レストレスレッグス症候群（下肢静止不能症候群）の症状改善効果も認める．ほとんど肝薬物代謝を受けずに尿中に排泄されるため，腎機能障害患者に対しては用量調節が必要である．前兆のない突発性睡眠および傾眠等がみられることがあり，危険を伴う作業には従事させないように注意する．

薬理作用

プラミペキソールはドパミン D_2 受容体ファミリー（D_2, D_3, D_4）への結合親和性が強い一方，D_1 受容体ファミリー（D_1, D_5）にはほとんど結合親和性がない．D_2 受容体刺激によるパーキンソン病の運動症状改善効果が期待できる．速放錠の血中半減期は 6〜8 時間であり 1 日 2〜3 回に分割して服用するが，徐放錠は効果が 24 時間持続するため 1 日 1 回投与である．

適応となる疾患・病態，どんなときに使うか？

パーキンソン病の運動症状や運動合併症の軽減効果，運動合併症の予防効果が期待できる．早期パーキンソン病の治療においては通常 L-ドパ製剤で開始することが勧められるが，おおむね 65 歳以下発症など運動合併症の発現リスクが高いと推定される場合はドパミンアゴニストや MAOB 阻害薬での治療を考慮する．wearing-off を呈した進行期パーキンソン病では L-ドパ製剤にドパミンアゴニストを加えることで症状の改善が期待できる．

処方の実際，どのように使うか

パーキンソン病の治療では 1 日 1 回投与で良好なアドヒアランスが期待できる徐放錠を用いることが多い．徐放錠では通常 0.375mg 分 1 で開始し，徐々に漸増して維持量を 1.5〜4.5mg とする．速放錠では 1 日量 0.25mg 分 1 から開始し，徐々に漸増して維持量を 1.5〜4.5mg 分 3 とする．速放錠か

ら徐放錠への即日切り替えで有効性や安全性に問題はない．特発性レストレスレッグス症候群の治療では通常速放錠を0.25mg分1で就寝2～3時間前に内服し，症状に応じて1日0.75mgまで増量する．

禁忌，併用禁忌，注意すべき副作用，慎重投与など

他の非麦角系ドパミンアゴニストと同様に日中の傾眠，突発性睡眠，浮腫，幻覚，衝動制御障害といった副作用が出現し得る．突発性睡眠や傾眠がみられるため自動車運転等の危険を伴う作業に従事させないように注意する．肝薬物代謝をほとんど受けずに未変化体のまま尿中に排出されるため，腎機能障害患者（Ccr 50mL/分未満）では維持量の制限が必要で，高度な腎機能障害（Ccr 30mL/分未満）では投与禁忌である．一方，副作用などによる減量や中止が必要な場合，急激な減量または中止により悪性症候群や薬剤離脱症候群（無感情，不安，うつ，疲労感，発汗，疼痛など）が現れるためできるだけ緩やかに漸減する．また，妊婦または妊娠している可能性がある女性への投与も禁忌であり，女性の若年性パーキンソン病患者に投与する際は注意する．なお，併用禁忌薬はない．

おもな類似品との使い分け

プラミペキソールはパーキンソン病の運動症状改善効果に加えてうつ症状への効果も示されているため[1]，非高齢者でうつ症状を有している症例には良い適応である．腎機能障害を有する患者には他の薬剤を優先させる．

服薬指導のポイント

突発性睡眠や日中過眠，幻覚，衝動性制御障害がみられること，急な減量や休薬，退薬の際には悪性症候群や薬剤離脱症候群が起こり得ることを具体的な症状を提示しながら服薬指導する．

専門医からのアドバイス

他のドパミンアゴニストと同様に多彩な副作用を起こし得る．非高齢者でうつ症状がみられる場合は投与を検討してもよい．

【文献】
1) Seppi K, Ray Chaudhuri K, Coelho M et al：Update on treatments for nonmotor symptoms of Parkinson's disease-an evidence-based medicine review. Mov Disord 34：180-198, 2019

（齊藤勇二）

抗パーキンソン病薬　ドパミン受容体作用薬

ロピニロール 塩酸塩

ropinirole hydrochloride

レキップ［グラクソ・スミスクライン］錠 0.25mg, 1mg, 2mg/ レキップ CR ［グラクソ・スミスクライン］錠 2mg, 8mg/ ハルロピ ［久光］テープ 8mg, 16mg, 24mg, 32mg, 40mg

特徴・どんな薬剤か？

ロピニロールはドパミン受容体に選択的に作用してパーキンソン病の運動症状を改善させる非麦角系の選択的ドパミン D_2 受容体作動薬であり，速放錠と徐放錠に加え，2019 年に本邦 2 番目のドパミンアゴニスト貼付剤が承認された．前兆のない突発性睡眠および傾眠等がみられることがあり，自動車の運転など危険を伴う作業には従事させないように注意する．

薬理作用

ロピニロールはドパミン D_2 受容体ファミリー（D_2, D_3, D_4）への結合親和性が強い一方，D_1 受容体ファミリー（D_1, D_5）にはほとんど結合親和性がない．D_2 受容体を介してパーキンソン病の運動症状を改善する．速放錠の血中半減期は約 5 時間であり 1 日 3 回に分割して服用するが，徐放錠や貼付剤は効果が 24 時間持続するため 1 日 1 回投与である．

適応となる疾患・病態，どんなときに使うか？

経口・貼付剤ともにパーキンソン病の運動症状改善効果や運動合併症軽減効果が期待でき，経口剤は運動合併症の予防効果が示されている．早期パーキンソン病の治療においては通常 L-ドパ製剤で開始することが勧められるが，おおむね 65 歳以下発症など運動合併症の発現リスクが高いと推定される場合はドパミンアゴニストや MAOB 阻害薬での治療を考慮する．wearing-off を呈した進行期パーキンソン病では L-ドパ製剤にドパミンアゴニストを加えることで症状の改善が期待できる．wearing-off を有する患者に速放錠もしくは徐放錠を追加投与すると，徐放錠のほうがオフ時間の減少ならびに L-ドパ減量効果が高かったという報告がある[1]．

処方の実際，どのように使うか

1 日 1 回投与で良好なアドヒアランスが期待できる徐放錠を用いることが多い．貼付剤は嚥下障害を有する患者にも有用と思われる．徐放錠は通常 1 日 1 回 2mg から始めて漸増する（1 日最大 16mg）．速放錠は 1 回 0.25mg,

1日3回から開始して漸増して維持量(1日3〜9mg;最大15mg).貼付剤は徐放錠は通常1日1回8mgから始めて漸増する(1日最大64mg).

禁忌,併用禁忌,注意すべき副作用,慎重投与など

他の非麦角系ドパミンアゴニストと同様に日中の傾眠,突発性睡眠,浮腫,幻覚,衝動制御障害といった副作用が出現し得る.貼付剤では適用部位の皮膚反応に注意する.突発性睡眠や傾眠がみられるため自動車運転等の危険を伴う作業に従事させないように注意する.本剤はおもに肝臓で代謝後に腎臓で排泄されるため,腎機能による用量調整の設定はない.一方,副作用などによる減量や中止が必要な場合,急激な減量または中止により悪性症候群や薬剤離脱症候群(無感情,不安,うつ,疲労感,発汗,疼痛など)が現れるため,できるだけ緩やかに漸減する.また,妊婦または妊娠している可能性がある女性への投与も禁忌であり,女性の若年性パーキンソン病患者に投与する際は注意する.なお,併用禁忌薬はない.

おもな類似品との使い分け

ロピニロールは肝臓での代謝後に腎臓で排泄されるため,腎機能低下をきたしやすい高齢者にも比較的使いやすい.

服薬指導のポイント

突発性睡眠や日中過眠,幻覚,衝動性制御障害がみられること,急な減量や休薬,退薬の際には悪性症候群や薬剤離脱症候群が起こり得ることを具体的な症状を提示しながら服薬指導する.

《《《 専門医からのアドバイス 》》》

他のドパミンアゴニストと同様に多彩な副作用を起こし得る.貼付剤は嚥下障害を有する患者に有用である.

【文献】
1) Stocchi F, Giorgi L, Hunter B et al:PREPARED:Comparison of prolonged and immediate release ropinirole in advanced Parkinson's disease. Mov Disord 26:1259-1265, 2011

(齊藤勇二)

抗パーキンソン病薬　ドパミン受容体作用薬

アポモルヒネ 塩酸塩水和物

apomorphine hydrochloride hydrate

アポカイン［協和キリン］皮下注 30mg

特徴・どんな薬剤か？

アポモルヒネは非麦角系構造を有するドパミン受容体作動薬であり，本邦で使用されている抗パーキンソン病薬で唯一の自己注射薬である．半減期が短い反面，速やかに効果を発現し，L-ドパと並ぶ強力なドパミン受容体刺激作用を示す．投与後10〜20分で速やかに効果を発現するためoff時のレスキューとして用いられる．本剤は肝臓で代謝されるため，重度の肝機能不全患者（Child-Pugh class C 等）には禁忌である．また，前兆のない突発性睡眠および傾眠等がみられることがあり，自動車の運転など危険を伴う作業には従事させないように注意する旨，添付文書では警告されている．

薬理作用

アポモルヒネは非選択的にドパミン D_1 および D_2 受容体に結合親和性を有する非麦角系ドパミン受容体作動薬である．半減期は約1時間であるが，10〜20分でL-ドパと並ぶ強力な効果を発揮するという短時間作用型の薬理学的特徴をもつ．

適応となる疾患・病態，どんなときに使うか？

アポモルヒネはその薬理学的特徴から，既存の抗パーキンソン病薬で十分な治療を行ったとしても改善できないoff症状が残存する場合，レスキュー療法として有用性を発揮する．off時に嚥下障害が強く，経口薬が飲みにくい患者にも有用である．内服と比べると手技が煩雑であり，認知機能が保たれ，off時にもある程度運動機能が保たれていないと自己注射手技が困難である．本人だけでなく介護者も自己注射手技を習得するのが望ましい．

処方の実際，どのように使うか

日中に内服薬で調節できないoff状態へのレスキュー療法として用いる．off症状の発現時にアポモルヒネ塩酸塩として1回1mg皮下注射から開始し，以後経過を観察しながら1回量として1mgずつ増量して維持量（1回量1〜6mg）を決定する．少なくとも2時間の間隔をおき，1日の投与回数の上限は5回である．

禁忌，併用禁忌，注意すべき副作用，慎重投与など

　突発性睡眠や傾眠，幻覚，衝動制御障害といった他の非麦角系ドパミンアゴニストと同様の副作用がみられる．特に，QT 延長や失神，血圧低下，起立性低血圧には特に注意する必要があり，QT 延長を起こす薬剤や降圧薬等を内服している患者では副作用が増強する可能性がある．その他，注射剤特有の注射部位反応がみられる．突発性睡眠や傾眠がみられるため自動車運転等の危険を伴う作業に従事させないように注意する必要がある．導入初期のうちは悪心を伴うことが多く，同時期に制吐薬を併用するとよい．一方，副作用などによる減量や中止が必要な場合，急激な減量または中止により薬剤離脱症候群（無感情，不安，うつ，疲労感，発汗，疼痛など）が現れることがあるためできるだけ緩やかに漸減する．また，妊婦または妊娠している可能性がある女性への安全性は確立していない．
　重度の肝機能不全患者には禁忌である．なお，併用禁忌薬はない．

おもな類似品との使い分け

　唯一の注射製剤であり，レスキュー療法として用いる．

服薬指導のポイント

　自己注射手技の指導だけでなく，1 回量と 1 日の上限回数も十分に確認する．完全な off になる前の投与が自己注射手技・効果発現の両面において望ましい．注射部位反応を軽減するため注射部位は分散するほうがよい．

≪≪≪ 専門医からのアドバイス ≫≫≫

　off 時のレスキュー療法として有用であるが，自己注射手技がやや煩雑であり，本人のみならず介護者にも指導が必要である．本剤の導入や用量設定時には有効性だけでなく，副作用発現にも注意が必要であるため，専門医の指導を受けることが望ましい．海外では持続皮下注射が承認されているが本邦では認められてない．

（齊藤勇二）

抗パーキンソン病薬　ドパミン受容体作用薬

ロチゴチン
rotigotine

ニュープロパッチ［大塚］　2.25mg，4.5mg，9mg，13.5mg

特徴・どんな薬剤か？

ドパミン受容体に作用しパーキンソン病の運動症状を改善させることができる非麦角系ドパミン受容体作用薬である．貼付剤であり1日を通して安定した効果が期待できる．

薬理作用

経口では肝臓の初回通過効果が大きいため，経皮吸収の貼付剤として開発された．本剤はD_1受容体サブファミリー（D_1，D_5サブタイプ）とD_2受容体サブファミリー（D_2，D_3，D_4）の両方をバランスよく刺激し，パーキンソン症状を改善させる．心臓弁膜症に関与するとされるセロトニン2B受容体への親和性は低い．

適応となる疾患・病態，どんなときに使うか？

非高齢者で認知機能障害や精神症状がない場合は第一選択薬として使用してもよい．しかし経口剤に比べ高価であること，パーキンソン病発症早期は経口剤でも安定した効果が得られること，後述の皮膚症状を呈し得ることを考慮すると，本剤が真価を発揮するのはwearing-offやdyskinesiaといった運動合併症が出現してからであろう．L-ドパ持続経腸療法（LCIG）との相性もよい．

貼布剤なので絶飲食を要する周術期や，高度の嚥下障害がある患者でも使用できる．

海外で行われたRECOVER試験では，ロチゴチン群はプラセボ群より有意に早朝運動機能および夜間睡眠障害が改善した．

処方の実際，どのように使うか

1日1回4.5mgから始め，以後効果や副作用を観察しながら1週間ごとに1日量として4.5mgずつ増量し維持量を定める．1日量として最大36mgまで使用できる．貼付部位は肩，上腕部，腹部，側腹部，臀部，大腿部のいずれかの正常な皮膚とし，1日1回貼りかえる．皮膚症状（発赤，搔痒感）を

避けるため貼布部位は毎日変更する．

禁忌，併用禁忌，注意すべき副作用，慎重投与など

おもな副作用として貼布部位の皮膚異常（発疹，掻痒感，水疱，びらんなど），日中の眠気，突発性睡眠の他，幻覚，妄想，せん妄，悪性症候群，肝機能障害，悪心，ジスキネジアなどがある．特に皮膚症状は頻度が高く（臨床試験では49.4％），継続できなくなる患者が存在する．対策として，腹部・側腹部・臀部・肩・大腿部・上腕部のいずれに貼っても効果に差はなかったとするデータがあるので，貼付部位のローテーションを徹底する．前日貼っていた部位と翌日貼る予定の部位には保湿剤を使用して予防し，それでも皮膚症状が出現したらステロイドや抗ヒスタミン薬の軟膏・クリーム等で治療すると継続できる患者が多い．皮膚症状と予防法については，販売元から小冊子やインターネット上での情報提供がなされている．

妊婦には禁忌である．併用禁忌はない．

おもな類似品との使い分け

ロピニロール（商品名ハルロピ）が発売される予定であるが，ニュープロパッチと直接比較したデータはない．

服薬指導のポイント

剥がし忘れて次の貼布剤を貼ると用量が倍になるため，剥がしてから新しい貼布剤を使用する習慣をつけるように指導する．

《《《 専門医からのアドバイス 》》》

本邦では本製剤中に含まれるロチゴチンの総量が記載されている（含有量表記）が，欧米では血漿中に移行すると推定される量が記載されている（吸収量表記）．欧米表記量×2.25＝日本の表記量となる．

（向井洋平）

抗パーキンソン病薬　モノアミンオキシダーゼB阻害薬

セレギリン 塩酸塩
selegiline hydrochloride

エフピー［エフピー］OD錠　2.5mg

特徴・どんな薬剤か？

L-ドパ含有製剤の作用を増強させる目的で使用される．パーキンソン病発症早期においては，内因性のドパミンの分解を抑制する目的で単剤使用されることもある．

薬理作用

人の脳では，黒質-線条体のドパミン作動性ニューロンから放出されたドパミンはおもにモノアミン酸化酵素B (monoamine oxidase B：MAO-B) によって分解される．本剤は脳内で非可逆的・選択的にMAO-Bを阻害し，脳内のドパミン濃度を上昇させ，パーキンソン病症状を改善させる．

適応となる疾患・病態，どんなときに使うか？

パーキンソン病患者が適応となる．発症早期の患者（Hoehn-Yahr重症度分類Ⅰ～Ⅲ）ではL-ドパ製剤を併用せず，本剤が単独で使用されることもある．進行期の患者では専らL-ドパ製剤と併用される．wearing-offやon-offがあり，dyskinesiaがみられない患者が望ましい．

処方の実際，どのように使うか？

1日1回5mgを連日内服すると，4～5日目にMAO-Bをほぼ完全に阻害するようになり，これはL-ドパ製剤の服薬量を3割増やすのと同等の効果がある．

通常，1日1回2.5mgを朝食後服用から始め，2週ごとに1日量で2.5mgずつ増量する．1日量が5.0mg以上の場合は，朝食および昼食後に分服する．大量投与で阻害するMAO-AとMAO-Bの選択性が失われるため，1日量は10mgを超えないこととする．

禁忌，併用禁忌，注意すべき副作用，慎重投与など

ペチジン塩酸塩，トラマドール塩酸塩，三環系抗うつ薬，SSRI，SNRI，NaSSAはセロトニン症候群を誘発し得るため併用禁忌とされる．また，非選択的モノアミン酸化酵素阻害剤も併用禁忌である．統合失調症または中枢

興奮薬（覚醒剤，コカイン等）依存症の患者（いずれも既往のある患者を含む）にも禁忌である．

副作用発現率は36.3%であり，悪心・嘔吐，dyskinesia，幻覚，食欲不振，めまい・ふらつきなどの頻度が高い．重大な副作用として，幻覚，妄想，錯乱，せん妄，狭心症，悪性症候群，低血糖，胃潰瘍が報告されている．

おもな類似薬との使い分け

MAO-B阻害薬であるラサギリンメシル酸塩が発売されているが優劣を比較したデータはない．セレギリン塩酸塩は2.5mgから開始して増量するが，ラサギリンメシル酸塩は1mgから開始して多過ぎる場合に0.5mgに減量する．

今後発売される予定のサフィナミドは，セレギリン塩酸塩やラサギリンメシル酸塩よりdyskinesiaを誘発しにくい特性をもつ可能性があるとされる．

服薬指導のポイント

本剤には併用注意の薬剤が多数存在する．パーキンソン病患者の多くは高齢であり，パーキンソン病治療薬以外にも常用薬がある患者は多い．内服薬を医師や薬剤師が正確に把握できるように，お薬手帳を常用するとよい．

≪≪ 専門医からのアドバイス ≫≫

本剤の血中濃度半減期は0.22～1.47時間であるが，不可逆的にMAO-Bを阻害するため，本剤を中止した後も約10日は効果が持続する．併用禁止薬を使用する場合は十分に間隔をあけて使用を開始する必要がある．また，手術中に本剤内服患者で昇圧剤を使用したときに血圧が不安定になる事例が報告されており，術前に中止する場合は2～3週間前から休薬する必要がある．

（向井洋平）

抗パーキンソン病薬　モノアミンオキシダーゼB阻害薬

ラサギリン メシル酸塩
rasagiline mesylate

アジレクト［武田］錠 0.5mg, 1mg

特徴・どんな薬剤か？

L-ドパ含有製剤の作用を増強させる目的で使用される．パーキンソン病発症早期においては，内因性のドパミンの分解を抑制する目的で単剤使用されることもある．

薬理作用

ヒトの脳では，黒質-線条体のドパミン作動性ニューロンから放出されたドパミンはおもにモノアミン酸化酵素B（monoamine oxidase B：MAO-B）によって分解される．本剤は脳内で非可逆的・選択的にMAO-Bを阻害し，脳内のドパミン濃度を上昇させ，パーキンソン病症状を改善させる．

適応となる疾患・病態，どんなときに使うか？

パーキンソン病患者が適応となる．wearing-offやon-offがあり，dyskinesiaがみられない患者が望ましい．

処方の実際，どのように使うか？

通常，成人にはラサギリンとして1mgを1日1回経口投与する．dyskinesiaや精神症状などの副作用が増悪/出現した場合には中止もしくは0.5mgへと減量する．

禁忌，併用禁忌，注意すべき副作用，慎重投与など

中等度以上の肝機能障害は禁忌である．ペチジン塩酸塩，トラマドール塩酸塩，三環系抗うつ薬，SSRI，SNRI，NaSSAはセロトニン症候群を誘発し得るため併用禁忌とされる．また，MAO阻害薬（14日間間隔を置く）も併用禁忌である．

国内臨床試験のデータでは副作用発現率は49.7%であり，おもな副作用はdyskinesia，転倒，鼻咽頭炎であった．なお鼻咽頭炎に関しては，本剤とは関係がない季節性の感冒であった可能性は否定できない．**重大な副作用として，起立性低血圧，傾眠・突発的な睡眠，幻覚，衝動制御障害，セロトニン症候群，悪性症候群などが添付文書に記載されている．**

おもな類似薬との使い分け

MAO-B阻害薬であるセレギリン塩酸塩が発売されているが優劣を比較したデータはない．セレギリン塩酸塩は 2.5mg から開始して足りない場合に増量するが，ラサギリンは 1mg から開始して多過ぎる場合に 0.5mg に減量する．セレギリン塩酸塩は覚せい剤原料になるため，入院患者では鍵のかかるところでの管理が必要など扱いに注意が必要である．

今後発売される予定のサフィナミドは，ラサギリンメシル酸塩やセレギリン塩酸塩より dyskinesia を誘発しにくい特性をもつ可能性があるとされる．

服薬指導のポイント

本剤には併用注意の薬剤が多数存在する．パーキンソン病患者の多くは高齢であり，パーキンソン病治療薬以外にも常用薬がある患者は多い．内服薬を医師や薬剤師が正確に把握できるように，お薬手帳を常用するとよい．

専門医からのアドバイス

本剤の血中濃度半減期は 1.26～1.83 時間であるが不可逆的にMAO-B を阻害するため，本剤を中止した後も約 10 日は効果が持続する．併用禁止薬を使用する場合は十分に間隔をあけて使用を開始する必要がある．また，同類薬のセレギリン塩酸塩では手術中に本剤内服患者で昇圧剤を使用したときに血圧が不安定になる事例が報告されており，本剤も術前に中止する場合は 2～3 週間前から休薬する必要がある．

(向井洋平)

抗パーキンソン病薬　COMT阻害薬

エンタカポン
entacapone

コムタン［ノバルティス］錠 100mg/ ジェネリックあり

特徴・どんな薬剤か？
L-ドパ含有製剤の作用を延長させる目的で使用される．

薬理作用
L-ドパは，末梢においてはおもに芳香族アミノ酸脱炭酸酵素（AADC）により代謝されるため，通常は AADC 阻害薬（DCI）であるカルビドパやベンセラジドとの合剤として使用される．AADC を阻害すると，L-ドパは副経路であるカテコール-O-メチル基転移酵素（COMT）系により代謝される割合が増す．本剤は末梢で COMT を阻害し，脳内に到達するドパミンを増やし，パーキンソン病症状を改善させる．

日本国内での臨床試験では，本剤はプラセボと比較して L-ドパの血中半減期を 1.3 倍に延長させた．また，on 時間がプラセボ群では 1 日平均 0.5 時間延長したのに対し，本剤を内服した群では，1 回あたり 100mg 内服した群，200mg 内服した群とも 1.4 時間延長した．

適応となる疾患・病態，どんなときに使うか？
wearing-off がみられるパーキンソン病患者に対し，on 時間を延長させる目的で使用する．

処方の実際，どのように使うか？
L-ドパ含有製剤と同時に 100mg 内服する．効果が不十分な場合，1 回あたり 200mg まで増量できる．1 日 8 回まで，1,600mg/ 日を超えてはならない．

L-ドパ含有製剤の効果持続が著しく短い場合は本剤追加のみでは不十分で，内服回数を増やす，内服のタイミングを調整するなど別の対策も同時に必要となることが多い．

禁忌，併用禁忌，注意すべき副作用，慎重投与など
悪性症候群，横紋筋融解症のある患者には禁忌である．

L-ドパの作用を増強させることがあり，ジスキネジア，悪心，便秘，幻覚，傾眠などの副作用が生じ得る．

重大な副作用として，悪性症候群，横紋筋融解症，突発的睡眠，幻視，幻聴，肝機能障害が挙げられる．

特に害はないが，尿の色が褐色に変化することがある．

おもな類似薬との使い分け

L-ドパ/DCI 合剤と COMT 阻害薬の合剤であるスタレボ 100mg 錠とスタレボ 50mg 錠が発売されている．服用する錠剤の数が減らせられるので，スタレボに切り替えてもよい．なおスタレボには 100mg 錠，50mg 錠ともにエンタカポンが 100mg 含まれている．L-ドパ/DCI 合剤と COMT 阻害薬の錠剤を併用する場合と，スタレボ単剤を併用する場合では，後者のほうが薬効の立ち上がりが遅い患者が存在する．

1日1回内服の COMT 阻害薬であるオピカポンが今後発売される予定である．

服薬指導のポイント

本剤は L-ドパのおもな代謝経路が阻害されているときに効果を発揮するため，L-ドパ/DCI 合剤と同時に内服する．L-ドパ単剤との併用や，本剤のみの内服では効果はない．

《《《 専門医からのアドバイス 》》》

on 時間の延長効果については個人差が大きい．off 時の症状改善効果についてはエビデンスがない．

本剤は L-ドパ含有製剤の作用増強を期待して使用する薬剤ではない．十分な治療効果が得られるだけの L-ドパ含有製剤を投与しているが，効果持続が短いという症例に使用する．ただし実際にはL-ドパ含有製剤の効果が増強する症例も存在するので，使ってみて反応をみながら個別に調整する必要がある．

（向井洋平）

抗パーキンソン病薬　抗コリン薬

トリヘキシフェニジル塩酸塩，ビペリデン塩酸塩 trihexyphenidyl, biperiden

アーテン［ファイザー］錠2mg，散1% / アキネトン［大日本住友］錠1mg，細粒1mg

特徴・どんな薬剤か？

抗コリン剤として古くからパーキンソン症状の治療に用いられてきた．ジストニアにも有効である．ビペリデンはトリヘキシフェニジルのシクロヘキシル基をビシクロアルキル基で置換した構造物である．

薬理作用

アセチルコリン受容体遮断作用を有する．したがって，アセチルコリン作動性ニューロンの活動を抑制することで，相対的に，低下しているドパミン作動性ニューロンの機能を是正し，パーキンソン症状を改善させる．

適応となる疾患・病態，どんなときに使うか？

パーキンソニズム・ジスキネジア・アカシジアへの適応がある．特に振戦の目立つ，さほど高齢でない，病初期の患者に使用されることが多い．またジストニアへの有効性も認められている．

処方の実際，どのように使うか？

アーテン：4mgの2回分割投与程度から開始，漸増．維持用量は6～12mgを3回分割投与．下記の副作用との兼ね合いをみて，適宜調整する必要がある．

アキネトン：通常成人1回1mg（錠は1錠，細粒は0.1g）1日2回より開始，漸増，1日3～6mg（錠は3～6錠）を分割経口投与する．年齢，症状により適宜増減する．

禁忌，併用禁忌，注意すべき副作用，慎重投与など

抗コリン作用が問題となる．閉塞隅角緑内障，重症筋無力症では禁忌である．また，アセチルコリンの減少を促進するという点で，認知機能の低下をきたし得る．

この点については，平成29年4月の厚生労働省による「高齢者の医薬品適正使用の指針」では抗コリン剤が「認知機能障害低下や譫妄をきたすので要注意」と明記され，さらに「急な中止により離脱症状が発現するリスクが

あることも留意する」と記載されている．したがって，高齢者への使用は原則禁忌，またやむを得ず使用する場合も副作用の発言を十分に注意する必要がある．

若年者でも少量で集中力低下・意欲低下を訴える場合があり，投与に際しては注意喚起を促すべきである．

トリヘキシフェニジルの重大な副作用として，悪性症候群，精神錯乱，幻覚，せん妄，閉塞隅角緑内障がある．ビペリデンの重大な副作用として，悪性症候群，依存性がある．その他の副作用として，どちらにも口渇，悪心・嘔吐，排泄困難がある．

おもな類似薬との使い分け

パーキンソニズムにおいては，振戦の目立つタイプへの使用が考慮される．ジストニアでは，第一選択として投与を検討してもよい．

服薬指導のポイント

口渇についてはあらかじめ十分に注意を喚起し，水分摂取・うがいなどの対処法を事前に指示しておくべきである．また，パーキンソニズムの一環として嚥下障害が存在する場合には，口渇によって助長され得るので，効果と副作用のバランスをよく考えた維持用量の設定が求められる．高次脳機能への影響は，集中力の低下・眠気として自覚されることが多いので，その点も説明が必要であり，定期的な高次脳機能検査もフォローされるべきである．

≪≪≪ 専門医からのアドバイス ≫≫≫

抗パーキンソン病薬としては古い薬で，病初期の振戦の目立つタイプに奏功することがある．また，ジストニアにも有効であるのでその治療，また，ジストニアを合併するパーキンソニズムの治療としても一法である．口渇は必発であり，少なからぬ患者がそのために休薬・怠薬して十分に効果が発揮されないことがある．この点は患者にも理解を求めるべきであろう．また，高頻度に認知機能障害をきたすので，注意深く観察する必要があり，投薬中止の決断を求められる場合も少なくない．

（坂本　崇）

抗パーキンソン病薬　ドパミン遊離促進薬

アマンタジン 塩酸塩水和物　amantadine hydrochloride

シンメトレル［サンファーマ］錠 50mg, 100mg, 細粒 10%/ ジェネリックあり

特徴・どんな薬剤か？

精神活動を賦活する目的で用いられる，歴史の長い抗パーキンソン病薬の1つである．もともとはインフルエンザ治療薬として開発され，投与された患者の反応から偶然にパーキンソニズムへの有効性が発見された．

薬理作用

ドパミン神経終末に作用し，ドパミンの放出を促進する．さらにNMDA受容体拮抗作用があることも判明した．精神活動を高める機序の詳細は不明だが，ドパミン作動性ニューロンが刺激されると考えられる．

適応となる疾患・病態，どんなときに使うか？

ドパミン刺激を必要とするパーキンソン症状の改善や，脳血管障害後遺症の意欲・自発性の低下改善に用いられる．NMDA受容体の抑制によってL-ドパ誘発性のジスキネジアを減少させる作用が確認されている．

処方の実際，どのように使うか？

100mgから開始，200mgを2回分割投与，300mg 3回分割投与を維持量とする．

禁忌，併用禁忌，注意すべき副作用，慎重投与など

透析を必要とする重篤な腎障害のある患者や妊婦には禁忌である．併用禁忌はない．

ドパミンの増加で精神症状が現れることがある．特に抗精神病薬や中枢神経作動性興奮薬との相互作用で易興奮性にとどまらず異常行動の発現も増加することが報告されており，十分な注意が必要である．また，その薬物動態から，腎機能障害を起こしやすい点も留意すべきであり，腎機能に問題ある患者では原則禁忌と考えてよい．

出現しやすい副作用として睡眠障害，失調がある．

重大な副作用として悪性症候群，中毒性表皮壊死融解症，スティーブンス・ジョンソン症候群，視力低下を伴うびまん性表在性角膜炎，心不全，肝・腎

障害，意識障害，精神症状，けいれん，ミオクロヌス，異常行動，横紋筋融解症がある．

おもな類似薬との使い分け

運動症状の改善効果はL-ドパやドパミンアゴニストに比べて劣るため，ジスキネジアや意欲低下の治療として用いられる．

服薬指導のポイント

やはり精神症状の発現・悪化が一番の問題となる．

《《《専門医からのアドバイス》》》

抗パーキンソン病薬としてよりも精神活動賦活作用に注目が集まっており，脳血管障害後遺症のみならず，遷延性意識障害への有効性も報告されている．その分，副作用としての易興奮性・幻覚・せん妄を惹起しやすいともいえるので，その点のモニターをこまめに行う必要がある．

(坂本　崇)

抗パーキンソン病薬　ノルアドレナリン前駆物質

ドロキシドパ

droxidopa

ドプス ［大日本住友］ OD 100mg , 200mg , 細粒 20%

特徴・どんな薬剤か？

ノルアドレナリンの前駆物質であり，すくみ足や起立性低血圧の諸症状に対して用いられている．

薬理作用

芳香族L-アミノ酸脱炭酸酵素で直接L-アドレナリンに変換され，ノルアドレナリン作動性神経の機能回復を促進する．

適応となる疾患・病態，どんなときに使うか？

パーキンソン病のすくみ足や後方突進，立ちくらみ，シャイドレージャー症候群による起立性低血圧とそれに伴うめまいやふらつきなどの症状改善に有効である．後者は透析中の慢性腎不全患者にも適応となっている．起立性低血圧が重度になると，立ちくらみ・めまい・ふらつきにとどまらず，眼前暗黒感や失神をきたすので，そのような症状を呈したときには早急な対応が必要となる．

処方の実際，どのように使うか？

100mgを単回投与から漸増し，600mgを3回分割投与が標準維持用量．起立性低血圧については900mgまで増量することもある．ただし，重症な起立性低血圧の場合には本剤単独でもコントロールにも難渋することが多く，ミドトリン塩酸塩・メチル硫酸アメジウムなどの血管収縮薬や，鉱質コルチコイドなどの昇圧剤と併用する必要がある．

禁忌，併用禁忌，注意すべき副作用，慎重投与など

閉塞隅角緑内障，妊婦，重篤な末梢血管病変のある血液透析患者には禁忌である．

ノルアドレナリンとの相互作用のあるハロゲン含有麻酔薬・カテコラミン製剤内服中患者への投与では重篤な不整脈を起こす可能性があり，禁忌とすべきである．また，昇圧剤との併用は当然相互作用として双方の効果を不十分にするので，実際にどちらがどのように必要なのかをよく吟味して整理し

なければならない．また，血圧上昇に伴う頭痛やのぼせ感にも注意が必要である．

出現しやすい副作用として悪心，幻覚，食欲不振がある．

重大な副作用として悪性症候群，白血球減少，無顆粒球症，好中球減少，血小板減少がある．

おもな類似薬との使い分け

すくみ足・起立性低血圧の諸症状に対して，広く第一選択として用いられてきている．

服薬指導のポイント

特に起立性低血圧の治療として用いる場合には，その程度にもよるが，怠薬が重篤な副作用につながりかねないことは十分に指導しておく必要がある．

専門医からのアドバイス

ノルアドレナリン前駆体として，起立性低血圧の症状改善に有効な薬剤である．パーキンソン病，シャイドレージャー症候群に限らず，起立・調整障害の治療として一考されるべきである．すくみ足への有効性も報告されているが，その効果には個人差が大きい．

（坂本　崇）

抗パーキンソン病薬　レボドパ賦活薬

ゾニサミド
zonisamide

トレリーフ［大日本住友］OD錠 25mg, 50mg

特徴・どんな薬剤か？

1974年に日本で開発された抗てんかん剤であり，その後パーキンソン病にも有効であることが発見され，2009年に抗パーキンソン病薬として承認された．運動症状全般を改善させ得るが，特に振戦に対する効果が期待できる．副作用が少なく，比較的安全に使用できる薬剤である．

薬理作用

ゾニサミドの薬理作用の詳細な機序はまだわかっていないが，チロシン水酸化酵素を介するドパミン合成促進作用，MAOB阻害作用があり，それらがパーキンソン病の運動機能改善に関連すると考えられている．また振戦に対する作用はT型Ca^{2+}チャネル阻害効果やオピオイド受容体を介する機序が推定されている．半減期は70時間程度と長く，1日1回の内服で安定した効果が期待できる．

適応となる疾患・病態，どんなときに使うか？

ゾニサミドの臨床試験では，進行期パーキンソン病において，25mg，50mgで運動症状の改善効果が，50mg，100mgでoff時間短縮効果が認められた．2019年時点ではトレリーフ25mg，50mgがパーキンソン病（L-ドパ含有製剤に他の抗パーキンソン病薬を使用しても十分に効果が得られなかった場合）に，25mgがレビー小体型認知症に伴うパーキンソニズム（L-ドパ含有製剤を使用してもパーキンソニズムが残存する場合）対し保険適応がある．運動症状の改善やoff時間短縮を目的に使用する．運動症状のなかでも特に振戦に対する効果が期待できる．

処方の実際，どのように使うか？

トレリーフOD 25mg　1回1錠　1日1回朝食後

L-ドパ含有製剤と併用する．wearing-off現象の改善には，1日1回50mgを経口投与する（レビー小体型認知症は25mgまで）．

禁忌，併用禁忌，注意すべき副作用，慎重投与など

妊婦には禁忌である．併用禁忌はない．

おもな副作用として眠気やめまい，食欲減退，悪心，幻覚，ジスキネジアなどが報告されているが，トレリーフ OD 25mg ではプラセボ群と比較して発生頻度の有意差はなかった．幻覚やジスキネジアといった副作用は他の抗パーキンソン病薬と比較して少ないとされており，進行期の患者や高齢者においても使いやすい薬剤である．

重大な副作用については，抗てんかん薬のゾニサミドの項を参照．

おもな類似薬との使い分け

L-ドパやドパミン受容体作動薬などで運動機能の改善が不十分なときや，wearing-off のコントロールが不十分であるときに本剤の追加を検討する．高齢者や精神症状（幻覚，錯視，幻視，妄想など）が出やすい患者でも，比較的安全に使用することができる．

服薬指導のポイント

本剤は1日1回で安定した運動症状改善効果が期待できる．効果出現までに数週間要することがあることを理解して，内服を継続することが重要である．口腔粘膜からの吸収を期待する薬剤ではないので，口腔内崩壊錠であっても唾液または水で飲み込む必要がある．

専門医からのアドバイス

抗てんかん薬として使用されてきた薬剤であるが，パーキンソン病の運動症状改善効果があることが発見され，抗パーキンソン病として新たに承認された．1日1回の内服で安定した効果が期待でき，副作用が少ないため臨床において使用しやすい薬剤である．*in vivo* および *in vitro* における神経保護作用の報告があり，今後さらなるデータの構築が期待される．

（向井洋平）

抗パーキンソン病薬　アデノシン A_{2A} 受容体拮抗薬

イストラデフィリン

istradefylline

ノウリアスト［協和キリン］錠 20mg

特徴・どんな薬剤か？

非ドパミン系のパーキンソン病治療薬の1つで，副作用が少なく比較的安全に使用できる．

薬理作用

アデノシン受容体には4種類のサブタイプが知られており，このうち A_{2A} 受容体は脳内においては線条体〜淡蒼球間（大脳基底核間接路）の神経細胞に特異的に発現している．パーキンソン病患者の大脳基底核間接路は，ドパミン神経の変性・脱落によりGABA神経がドパミン神経に比べて相対的に過剰興奮の状態になっている．アデノシン A_{2A} 受容体を遮断するとGABA神経が抑制され，ドパミン神経とGABA神経のバランスが回復する．dyskinesiaの出現にはパーキンソン病治療薬によるドパミン受容体刺激が大きく関与するが，本剤はドパミン系には直接作用しないためdyskinesiaを誘発しにくいとされる．しかし実際にはdyskinesiaを誘発することもあるので注意が必要である．本剤の半減期は絶食下内服で57時間，食後内服で54時間程度であるが臨床的に食事の影響はないと考えてよい．長い半減期のため1日1回の内服で安定した効果が得られる．

適応となる疾患・病態，どんなときに使うか？

Wearing-offがみられ，L-ドパ含有合剤を服用しているパーキンソン病患者に対し，off時間を短縮させる目的で使用する．本邦の第三相試験ではプラセボ群に比べ有意にoff時間が短縮したものの，20mg群，40mg群ともにoff時間短縮効果は1日平均1時間程度であり，差は確認されなかった．一方，on時の運動症状は40mg内服群のほうがより改善した．

2019年9月時点では，本剤は日本国内のみで発売されており海外のデータは乏しい（米国では2019年8月にFDAの承認を受け，2019年後半に発売される予定）．またL-ドパ非併用下での有用性は不明であり，発症早期の単独投与のデータはない．

処方の実際，どのように使うか？

ノウリアスト 20mg　1回1錠　1日1回朝食後
効果不十分の場合は 40mg を1日1回経口投与できる．

禁忌，併用禁忌，注意すべき副作用，慎重投与など

妊婦，重度の肝障害のある患者には禁忌である．

他のパーキンソン病治療薬と比べ，副作用は頻度・程度ともに軽度と考えてよい．出現しやすい副作用としてジスキネジア，便秘，傾眠，悪心がある．添付文書には虚血性心疾患のある患者では不整脈が悪化する可能性があると記載されている．作用機序からジスキネジアや重大な副作用である精神症状（幻覚・妄想等）を誘発しにくいと考えらえていたが，実際には頻度は低いながらもこれら副作用の原因となることがある．

おもな類似薬との使い分け

類似薬は販売されていない．

服薬指導のポイント

本剤は1日1回の内服で効果が期待できる．効果出現まで数週間を要することがあるので，効果判定は急がないようにする．

《《《 専門医からのアドバイス 》》》

副作用が少ないため臨床では使いやすい薬剤である．非ドパミン系のパーキンソン病治療薬はそもそも種類が少なく，特に本剤と同様の作用機序の薬剤は他には本邦・海外ともに発売されていない．今後の臨床現場からのデータ蓄積が期待される．

(向井洋平)

VII
抗認知症薬および脳循環・代謝改善薬

章編集：朝田　隆

抗認知症薬および脳循環・代謝改善薬

抗認知症薬

アルツハイマー病（Alzheimer's disease：AD）の症状は，認知機能障害と，「行動および心理症状」（behavioral and psychological symptoms of dementia：BPSD）とに大別される．前者は，記銘力障害，失見当識，判断力低下，失語，失行，失認などで，これらをまとめて中核症状と呼ぶことがある．ADの認知機能障害に対する治療薬として，現在，ドネペジル，ガランタミン，リバスチグミン，メマンチンの4剤が使用されている．

AD患者脳において，アセチルコリン（ACh）合成酵素であるコリンアセチルトランスフェラーゼの活性低下およびACh作動性神経細胞の脱落が認められること，抗ACh作用を有する薬剤が記憶障害をひき起こすことなどから，「ADにおける認知機能低下は，ACh作動性神経機能低下による」とするACh仮説が提唱され，ADの治療薬としてアセチルコリンエステラーゼ（AChE）阻害薬の検討が行われるようになった．そして，カルバメート系化合物であるフィゾスチグミンの有効性がまず報告された．フィゾスチグミンは，治療域が狭く，末梢のACh系賦活による副作用の出現頻度が高かったことから，結果的にAD治療薬として実用には至らなかったが，その後の研究により，ドネペジル，ガランタミン，リバスチグミンが見出され，上市されることとなった．

NMDA（N-methyl-D-aspartate）受容体の低親和性非競合性電位依存性のアンタゴニストであるメマンチンは，1960年代にEli Lilly社が血糖に対する薬を開発する過程で合成したが効果がみられず，1972年，ドイツのMerz社が，アマンタジンの系列に連なる中枢神経薬剤として特許申請を行った．その際の適応は，パーキンソン病，昏睡，脳血管性および老人性精神障害であり，当初は作用機序としてドパミン系の関与が想定されていた．その後，NMDA受容体に対する選択的拮抗作用が注目され，AD治療薬として開発され，2002年に欧州で，2003年に米国でAD治療薬として認可された．

脳循環・代謝改善薬

脳神経細胞の代謝を促進し，精神的作業能力を改善する薬剤が脳代謝改善薬と総称される．これらには，脳循環改善作用も併せもつものがあることと，当時いずれも脳血管障害による脳循環・代謝障害の結果として生じる諸症状を対象としたため，脳循環・代謝改善薬と総称されるようになった．

実際，1996年，本邦で使用可能であった諸種の脳循環・代謝改善薬に関する14のランダム化比較試験に対するメタ解析の結果，実薬群はプラセボ群に比し，有意に脳梗塞後の全般症状を改善した．しかしながら，その後行

われた再評価試験において，多くの薬剤はその個々の検討では有用性を証明できなかったことから，適応薬剤は減少し，適応症の変更もなされた[1]．したがって，患者の症候から適応を十分考慮し，使用する必要がある．

■作用機序

抗認知症薬

■ AChE 阻害薬

1) ドネペジル：AChE の活性を阻害することにより，シナプス間隙における ACh の量を増加させ，ACh 神経伝達系の働きを高める作用がある．日本人の研究者が開発した治療薬であり，世界で最も用いられている抗認知症薬でもある．日本では 1999 年に上市された．この薬剤の登場により，AD の進行をある程度遅らせることが可能となり，認知症の早期発見・早期治療の重要性が認識されるようになった意義は大きい．

2) ガランタミン：AChE 阻害作用以外に，ACh ないし ACh アゴニストとは異なる部位でニコチン性 ACh 受容体（nAChR）に結合し，nAChR の立体構造を変化させ，感受性を高めるアロステリック活性化リガンド（allosteric potentiating ligand：APL）作用を併せもつ．AD 脳では，認知機能障害の進行とともに nAChR が減少することから，このような nAChR の賦活作用を併せもつ本剤の有用性が期待される．ガランタミンは，シナプス後神経で ACh のシグナル伝達を促進する以外に，シナプス前神経終末の nAChR に作用して，ACh，ノルアドレナリン，グルタミン酸，ドパミン，GABA などの神経伝達物質の遊離を促進する．これにより中核症状だけでなく，BPSD の改善効果も期待される．

3) リバスチグミン：ヒト脳では，AChE だけでなく，ブチリルコリンエステラーゼ（BuChE）も ACh の分解に関与する．正常脳におけるコリンエステラーゼ活性の多くは AChE に由来するが，AD の進行に伴い AChE 活性は低下し，その一方で BuChE 活性が増加することが報告されている．リバスチグミンは，AChE だけでなく BuChE も阻害することから，その有効性は AD の病理過程がある程度進行しても維持されると考えられる．

■ NMDA 受容体阻害

メマンチン：AD では，アミロイド β 蛋白によるアストロサイトの障害などにより，シナプス間隙に遊離したグルタミン酸が処理されずに濃度が高まり，NMDA 受容体が過活性化状態となることが想定されている．それによって，多量の Ca^{2+} が神経細胞内に流入し，細胞機能が障害される．メマンチンは，NMDA 受容体に対する親和性は低く，膜電位依存的に容易に受容体

から離れる.その結果,細胞内への過剰な Ca^{2+} の流入を抑制して神経細胞を保護する一方で,生理的神経伝達や長期増強(long-term potentiation:LTP)形成には影響を与えない.

脳循環・代謝改善薬

脳循環改善のおもな機序としては,交感神経 a_1 受容体拮抗作用による血管拡張が,脳代謝改善のおもな機序としては,糖代謝や ATP 産生の促進,モノアミン系の代謝や神経伝達促進などが報告されている.血小板凝集抑制や赤血球変形能改善などにより,脳血流の流動性を増加させる作用を有するものもある.

■効能・効果

抗認知症薬

1) AChE 阻害薬:認知機能および全般的機能の改善あるいはこれらの機能低下の遅延として,12~60ヵ月持続する[1].複数の大規模臨床試験の結果から,AChE 阻害薬は,少なくとも1年間は薬剤投与前の状態を維持し,その後認知および全般的機能は低下していくが,相当期間,未投薬の場合よりも高い機能レベルを保つ効果があるといえる.これらのほか,日常生活動作(activities of daily living:ADL)の維持,BPSD の改善あるいは予防,向精神薬使用頻度の低下,介護者負担の軽減,施設入所時期の遅延,費用対効果の低減,などの効果が報告されている.副作用として最も頻度が高いのは嘔気や下痢などの消化器症状である.その他,焦燥や易怒性などの精神症状および循環器症状(徐脈,不整脈,QT 延長)などにも注意が必要である.

2) メマンチン:多数のプラセボ対照無作為化二重盲検比較試験で,認知機能への効果が示されている.例えば,中等度~重度 AD 患者 252 例で,メマンチンの 28 週間投与により,CIBIC plus[*1],ADCS-ADL[*2],SIB[*3]などで認知機能を評価したところ,有意な効果が確認された.メマンチンが,AChE 阻害薬と大きく異なる点は,BPSD に対する効果であり,投与 12 週間後に妄想,幻覚,焦燥/攻撃性が,さらに 24 週間後では妄想,焦燥/攻

---

*1 CIBIC plus (the Clinician's Interview-Based Impression of Change plus caregiver input):患者および介護者との面接により,全般的な臨床症状の変化を評価するための検査.

*2 ADCS-ADL (Alzheimer's Disease Cooperative Study-Activities of Daily Living scale):アルツハイマー型認知症患者の ADL を評価するための方法.

*3 SIB (Severe Impairment Battery):高度に障害された認知機能を評価するための検査.

表1 抗認知症薬

一般名	ドネペジル	ガランタミン	リバスチグミン	メマンチン
作用機序	AChE阻害	AChE阻害およびニコチン性受容体増強	AChE阻害およびブチリルコリンエステラーゼ阻害	NMDA受容体阻害
適応となる認知症の程度	軽度~高度	軽度~中等度	軽度~中等度	中等度~高度
剤型	錠剤,口腔内崩壊錠,細粒剤,ゼリー剤	錠剤,口腔内崩壊錠,経口液剤	パッチ剤	錠剤
血中濃度半減期	90時間	8.0~9.4時間	3.3時間	75時間
代謝・排泄	肝(CYP3A4, CYP2D6)	肝(CYP3A4, CYP2D6)	腎	腎
1日の投与回数	1回	2回	1回	1回
1日用量	開始3mg	開始8mg	開始4.5mg	開始5mg
	1~2週後5mg	4週後16mg	4週ごとに4.5mg増量	1週ごとに5mg増量
	高度10mgまで可	最大24mgまで可	維持量18mg	維持量20mg

撃性,易刺激性/不安定性などに有意な改善あるいは悪化の阻止が認められている[2]. 副作用は,めまい,頭痛,眠気,便秘などであり重篤なものはない.

3) AChE阻害薬とメマンチンの併用:認知機能,ADL,BPSDに有益であることが報告されている[3].

各薬剤の作用機序および用法等について**表1**にまとめた[4].

脳循環・代謝改善薬

主として頭部外傷後遺症あるいは脳梗塞後遺症に使用される.頭部外傷後遺症による諸症状には,メクロフェノキサート塩酸塩,アデノシン三リン酸二ナトリウム水和物,ジヒドロエルゴトキシンメシル酸塩,γ-アミノ酪酸などが適応となる.シチコリンは,頭部外傷・脳手術・脳梗塞急性期の意識障害および脳卒中片麻痺患者の上肢機能回復に有用性が認められている.脳梗塞後遺症に対して保険適応を有するのは,ニセルゴリン,イフェンプロジル,イブジラストである[6].この3剤は,多少なりとも抗血小板作用も有するため,単独で脳梗塞再発防止の可能性が示されている[1].

脳循環・代謝改善薬は速効性はなく,通常使用後2週間頃より効果が出現し,4~8週頃より明確になる.したがって,重度な副作用がない限り,4~8週をめどに継続投与して効果を判定する.副作用としては,めまい,のぼせ,頭痛,口渇,不眠,眠気,胃腸障害などがある.8週間投与しても効

果がない場合は，他剤に切り替える．漫然と長期連用せず，途中で休薬して症候の変化をみることも重要である．

■治療のガイドライン

抗認知症薬

1) 軽度：第一選択薬は AChE 阻害薬の単剤使用である[5]．副作用等により使用継続が困難であるか，臨床効果がみられない場合は，他の AChE 阻害薬に変更する．

2) 中等度：初めて治療する場合は，AChE 阻害薬もしくはメマンチンの単剤を使用する．効果がないか，副作用が発現した場合は，他の AChE 阻害薬もしくはメマンチンへ変更する．さらには，AChE 阻害薬とメマンチンの併用を考慮する．

3) 高度：ドネペジル単剤，メマンチン単剤，両者の併用のいずれかを選択する．

脳循環・代謝改善薬

特に定められたガイドラインは存在しない．

■薬の使い分け

抗認知症薬

重症度に関する使い分けは上記の通りである．AChE 阻害薬に関しては，まず経口薬と貼付薬のどちらを患者および家族が希望するか，また病状からどちらが適しているかを考慮する．拒薬，嚥下困難などにより内服が困難な場合は，リバスチグミンが適している．経口薬では，1 日 1 回の内服を希望する場合，あるいはアパシーや抑うつなどの陰性 BPSD が目立つ例ではドネペジルがよい．易怒性，幻覚，妄想などの陽性 BPSD が目立つ例，あるいは大脳白質や基底核の虚血性病変を伴う例ではガランタミンがよいという報告がある．陽性 BPSD に対する効果が最も報告されているのはメマンチンであり，本邦での第 III 相試験においても，Behave-AD のうち，暴言，威嚇，暴力，不穏などの攻撃性，徘徊，無目的な行動，不適切な行動などの行動障害において有意に優れていたことが報告されている．また，ドネペジルとガランタミンは肝代謝であるのに対し，リバスチグミンとメマンチンは腎代謝である点も，薬剤選択の際に考慮する必要がある．

脳循環・代謝改善薬

脳梗塞後遺症にみられるめまいに対しては，イフェンプロジルあるいはイブジラストが推奨される[6]．一方，頭部外傷後遺症によるめまいに対しては，

メクロフェノキサート塩酸塩が適応となっており，推奨される．

血管性認知症やアルツハイマー型認知症による認知障害，脳梗塞後の自発性低下や情動障害などに，ニセルゴリンの有効性が報告されている[7]．

> ### Point
>
> 【抗認知症薬】
>
> 患者および家族に服薬指導をする際には，抗認知症薬による治療の目的は症状の進行を遅らせることであり，症状が変わらない場合は効いているということを説明することは重要である．また，増量する際には，症状が悪化したから増量するわけではないこと，AChE 阻害薬の増量時には消化器症状や易怒性などの副作用が出現する可能性があることも説明する必要がある．
>
> 【脳循環・代謝改善薬】
>
> 従来，脳梗塞後遺症の軽減に頻用された脳循環・代謝改善薬は，再評価により適応薬剤が大幅に減少し，また適応症も一部変更となった．したがって，患者の症候から適応を十分に考慮し，使用する必要がある[6]．なお，脳卒中後のうつ状態に対しては，SSRI を含む抗うつ薬の投与が推奨されている[8]．

【文献】
1) Farlow MR, Cummings JL：Effective pharmacologic management of Alzheimer's disease. Am J Med 120：388-397, 2007
2) Gauthier S, Loft H, Cummings J：Improvement in behavioural symptoms in patients with moderate to severe Alzheimer's disease by memantine: a pooled data analysis. Int J Geriatr Psychiatry 23：537-545, 2008
3) Tariot PN, Farlow MR, Grossberg GT et al：Memantine treatment in patients with moderate to severe Alzheimer disease already receiving donepezil: a randomized controlled trial. JAMA 291：317-324, 2004
4) 水上勝義：薬物療法の実際．精神科臨床エキスパート　認知症診療の実践テクニック．朝田隆編，医学書院, pp24-47, 2011
5) 日本脳卒中学会：脳代謝改善薬，脳循環改善薬．脳卒中治療ガイドライン 2009
6) Beier MT：Pharmacotherapy for behavioral and psychological symptoms of dementia in the elderly. Am J Health Syst Pharm 64：S9-S17, 2007
7) Fioravanti M, Flicker L：Nicergoline for dementia and other age associated forms of cognitive impairment. The Cochrane Library 2009
8) 日本脳卒中学会：抗うつ薬．脳卒中治療ガイドライン 2009

(新井哲明)

抗認知症薬および脳循環・代謝改善薬　抗認知症薬

ドネペジル 塩酸塩
donepezil hydrochloride

アリセプト［エーザイ］錠 3mg, 5mg, 10mg, D錠 3mg, 5mg, 10mg（口腔内崩壊錠），内服ゼリー 3mg, 5mg, 10mg, 細粒 0.5%, ドライシロップ 1%

特徴・どんな薬剤か？

アルツハイマー型認知症（AD）治療薬として開発された AChE 阻害薬である．

薬理作用

AChE への選択的かつ可逆的な阻害作用を有する．その作用により脳内アセチルコリン量が増加するため，脳内コリン作動性神経系が賦活される．

適応となる疾患・病態，どんなときに使うか？

現在，AD の軽度・中等度・重度のすべての段階に適応をもつ唯一の薬剤である．AD の中核症状に対して投与するが，なるべく早期から投与を開始できることが望ましい．また，レビー小体型認知症（DLB）の中核症状に対して，2014年9月に適応追加が承認された．本剤は DLB の中核症状に対して適応を持つ唯一の薬剤である．

処方の実際，どのように使うか？

3mg から投与を開始し，副作用が特になければ，1～2週間後に 5mg へ増量する．5mg 投与での4週間以上の経過後，効果が乏しければ，10mg への増量を考慮する．いずれも1日1回投与でよい．DLB においては，添付文書上，症状に応じて 5mg まで減量できることになっている．

禁忌，併用禁忌，注意すべき副作用，慎重投与など

副作用として臨床上頻度が高いのは悪心である．投与初期に多く，消退する傾向がある．その他，興奮にも注意する．DLB においては，低用量でもパーキンソニズムを起こすことがあるので注意深い観察を要する．また，意識障害，めまい，眠気などをきたすおそれがあるため，自動車の運転には従事させないようにしなければならない．

禁忌は，ピペリジン誘導体に過敏症の既往をもつ患者である．洞不全症候群，心房内および房室接合部伝導障害などの心疾患者への投与は，迷走神経刺激により徐脈や不整脈を起こす危険性があり注意を要する．また，心筋

梗塞既往の患者への投与も，冠血流を減少されるおそれがあり注意を要する．

併用禁忌薬はない．スキサメトニウム塩化物水和物との併用により筋弛緩作用を増強させる可能性があるため，修正型電気けいれん療法などの麻酔の際には注意を要する．高齢者ではジスチグミン臭化物との併用でコリン作動性クリーゼをきたす可能性がある．その他，エリスロマイシンなどによるCYP3A4阻害作用，キニジンなどによるCYP2D6阻害作用のため，本剤の代謝が阻害されるおそれがある．カルバマゼピン，フェニトイン，フェノバルビタールなどによるCYP3A4誘導作用のため，本剤の代謝が促進されるおそれがある．

おもな類似薬との使い分け

本剤はAChE阻害作用が強力かつ選択的という特徴があり，脳内コリン作動性神経系の賦活による認知機能の全般的な賦活効果が比較的素直に現れる．ADの全段階に保険適用を有し，本邦でも20年以上の臨床実績があって，効果や安全性に関するエビデンスも豊富なため，事実上ADの中核症状への第一選択薬となっている．もし興奮などの行動・心理症状（BPSD）がある場合は悪化させるおそれがあるため，ガランタミンを優先するほうがよいであろう．副作用で悪心が強い場合は，リバスチグミン・パッチで代替する．

服薬指導のポイント

本剤の効果は進行の遅延であり，根治的ではない．改善が認められなくても，長期的に病状を維持できれば有効と考えられる．投与初期や増量時には，特に悪心と興奮に注意するよう本人や介護者に指導する．口腔内崩壊錠は，口腔粘膜から吸収されないため，水分で服用するよう指導する．

《《《 専門医からのアドバイス 》》》

DLBにおいては，ADよりも脳内コリン作動性神経系の機能低下が著明であり，幻視に対する効果がよいと考えられていたが，治験では有意な改善が認められなかった．DLBは個体差が大きく，5mgでも副作用を生じることがあり，それ未満での少量投与が適当な場合もある．

（久永明人）

抗認知症薬および脳循環・代謝改善薬　抗認知症薬

ガランタミン 臭化水素酸塩 galantamine hydrobromide

レミニール［ヤンセン］錠 4mg, 8mg, 12mg, OD錠 4mg, 8mg, 12mg（口腔内崩壊錠）
内用液 4mg/1mL, 8mg/2mL, 12mg/3mL

特徴・どんな薬剤か？

アルツハイマー型認知症（AD）治療薬として開発されたAChE阻害薬である．

薬理作用

選択的かつ競合的なAChE阻害作用により，脳内ACh量を増加させ，脳内ACh作動性神経系を賦活する．また，ニコチン性アセチルコリン受容体（nAChR）のAChとは異なるアロステリック部位に結合し，アロステリック活性化リガンドとしてAChによるnAChRの活性化を増強する作用（APL作用）も併せもっている．

適応となる疾患・病態，どんなときに使うか？

保険適用は，軽度・中等度のADである．軽度または中等度のADにおける中核症状に対して投与する．なるべく早期から投与を開始できることが望ましい．

処方の実際，どのように使うか？

まず8mgから投与を開始し，副作用の問題が特になければ，4週間後に16mgへ増量する．さらに4週間後に24mgへの増量を考慮する．いずれも1日2回に分け，通常は朝夕食後で投与する．

禁忌，併用禁忌，注意すべき副作用，慎重投与など

本剤の成分に過敏症の既往をもつ患者は禁忌である．洞不全症候群，心房内および房室接合部伝導障害などの心疾患のある患者への投与は，迷走神経刺激のため徐脈や不整脈を起こす危険性があり注意を要する．心筋梗塞既往の患者に対する投与も，冠血流を減少されるおそれがあり注意を要する．また，本剤では鎮静作用により眠気やめまいを催すことがあるため，自動車の運転など危険を伴う機械類の操作には注意を要する．

併用禁忌薬はない．スキサメトニウム塩化物水和物との併用により筋弛

緩作用を増強させる可能性があり，修正型電気けいれん療法などの麻酔の際には注意を要する．また，高齢者ではジスチグミン臭化物との併用でコリン作動性クリーゼをきたす可能性がある．その他，エリスロマイシンなどによるCYP3A4阻害作用，アミトリプチリン，フルボキサミン，パロキセチン，キニジンなどによるCYP2D6阻害作用のため，本剤の代謝が阻害されるおそれがある．

おもな類似薬との使い分け

本剤はAChE阻害作用とAPL作用のデュアル・アクションに特徴があり，脳内ACh作動性神経系賦活作用が強力である．そのため，進行が早い早発性ADへの効果が優れている可能性がある．また，APL作用がACh作動性神経系以外の神経系にも広く現れるため，その結果しばしば興奮や焦燥の抑制，睡眠改善などの鎮静効果が得られる．興奮などの行動・心理症状（BPSD）を呈していて鎮静をはかりたい場合はガランタミンを優先し，賦活効果を期待する場合はドネペジルを優先するとよいであろう．副作用で悪心が強い場合はリバスチグミン・パッチで代替する．

服薬指導のポイント

本剤の効果は根治的ではなく，あくまでも進行遅延効果であり，認知症の改善が明らかではない場合でも，長期にわたって病状が維持されていれば有効と考えられる．本剤では興奮が起こることは少ないが，むしろ過鎮静となる場合がある点で注意を喚起しておく．

≪≪≪ 専門医からのアドバイス ≫≫≫

ガランタミンは，スノードロップの球根に含有されている生薬起源のインドール系アルカロイドである．1950年代より薬理作用が研究されてきた歴史があり，臨床では小児麻痺の後遺症や重症筋無力症に対して用いられた．ガランタミンのAPL作用が，臨床的にどのような効果を発現させるかは個体差がある．現在のところ，効果を事前に予測できる方法がないため，試験投与のうえで症状評価しつつ経過観察することとなる．

（久永明人）

抗認知症薬および脳循環・代謝改善薬　抗認知症薬

メマンチン

memantine

メマリー［第一三共］錠 5mg, 10mg, 20mg, OD 錠 5mg, 10mg, 20mg, ドライシロップ 2%

特徴・どんな薬剤か？

グルタミン酸（興奮性神経伝達物質）受容体の1つである NMDA 受容体拮抗作用をもつことが特徴であり，他の抗認知症薬（AChE 阻害薬）とは作用機序を異にする．認知機能低下のみならず，BPSD の緩和にも有用である．

薬理作用

グルタミン酸（興奮性神経伝達物質）受容体の1つである NMDA 受容体拮抗作用をもつ．アルツハイマー病ではシナプス間隙のグルタミン酸濃度が持続的に上昇する結果，シナプス後膜電位変化が増大（シナプティックノイズ）して神経伝達シグナルが阻害され，記憶・学習機能を障害する．また，β アミロイドが NMDA 受容体のグルタミン酸認識部位に結合し細胞内に Ca^{2+} が過剰流入して神経細胞を傷害する．メマンチンは NMDA 受容体に拮抗しシナプティックノイズを抑制し，過剰な Ca^{2+} 流入を抑える．また，グルタミン酸の神経興奮毒性に対して保護的に作用するのではないかと考えられている．

適応となる疾患・病態，どんなときに使うか？

本邦におけるメマンチンの効能・効果は「中等度および高度アルツハイマー型認知症における認知症症状の進行抑制」となっている．

処方の実際，どのように使うか？

メマンチンは1日1回 5mg から開始し，1週間に 5mg ずつ増量し，維持用量として1日1回 20mg を経口投与する．

メマンチンは単剤で使用することもできるが，AChE 阻害薬をすでに内服している患者にメマンチンを併用することにより，認知機能の改善が認められることが知られている．以下のような処方が考えられる．

アリセプト錠　5mg　1回1錠　1日1回　朝食後
メマリー錠　20mg　1回1錠　1日1回　夕食後

禁忌，併用禁忌，注意すべき副作用，慎重投与など

メマンチンはドパミン作動薬の作用を増強させるおそれがあるため，L-ドパなどのドパミン作動薬は注意が必要である．また，NMDA拮抗薬であるアマンタジン（商品名シンメトレル）は相互に作用増強のおそれがあるため注意が必要である．なお，本剤は腎排泄であるため，高度の腎機能障害（クレアチニンクリアランス値：30mL/min未満）のある患者の場合，維持用量は1日10mgとなっている．出現しやすい副作用には，めまい，便秘，体重減少，頭痛などがあり，重大な副作用にはけいれん，失神，精神症状（攻撃性，幻覚，錯乱など），肝機能障害，黄疸，横紋筋融解症などがある．

おもな類似薬との使い分け

メマンチンは認知症治療薬の中では唯一のNMDA受容体拮抗薬である．このため，他のAChE阻害薬で効果が乏しい場合に併用または切り替えを考慮することができる．また，BPSDの緩和が多く報告されているため，BPSDが強いアルツハイマー病患者ではよい適応となる．

服薬指導のポイント

AChE阻害薬でよくみられる消化器系の副作用よりは，むしろ頭痛，めまいといった症状が出ることが多い．また，維持用量は20mgとなっているが，自験例では，15mg以上で副作用が強く出てしまう場合も時にみられる．10mg程度で症状が十分にコントロールされる場合もあることから，やみくもに維持用量まで増量するのでなく，丁寧な観察が必要と考える．

≪≪≪ 専門医からのアドバイス ≫≫≫

若年性アルツハイマー病の女性患者で，全く落ちつかず常に大声をあげ，クエチアピンや抑肝散等は全く効果がなかったのにもかかわらず，メマンチン10mgの内服で大声がぴたりと落ち着き，談笑できるようになったという経験がある．それ以来，BPSDへの対処の非常に有用な薬剤の1つとしてメマンチンは欠かせないものとなっている．

（根本清貴）

抗認知症薬および脳循環・代謝改善薬 / 抗認知症薬

リバスチグミン

rivastigmine

イクセロン［ノバルティス］パッチ 4.5mg, 9mg, 13.5mg, 18mg
リバスタッチ［小野］パッチ 4.5mg, 9mg, 13.5mg, 18mg

特徴・どんな薬剤か？

AChEだけでなく，ブチリルコリンエステラーゼ（BChE）の阻害作用を有する薬剤である．また，パッチ剤形であるため，消化器症状等の有害作用が少なくなることに加え，服薬のアドヒアランス向上が期待される．

薬理作用

リバスチグミンにはAChEとBChEの阻害作用がある．AChはAChEおよびBChEにより分解される．健常者の脳では，AChの分解の大部分はAChEによるが，アルツハイマー病患者の脳では，BChE活性が増加することが知られている．このため，AChEのみならずBChEも阻害することで，ドネペジル等AChE阻害作用のみもつ薬剤の効果が薄れてきたときにも効果を発揮できる可能性がある．また，リバスチグミンは中枢神経系への高い選択性を有し，末梢性のコリン系有害作用は比較的軽度である．このため，消化器症状等の副作用が出現しにくい．さらに，リバスチグミンは腎排泄性であり，チトクロームP450（CYP）による代謝はわずかであることから，CYPにより肝臓で代謝される他の薬物との相互作用は非常に少ない．なお，リバスチグミンのT_{max}半減期はともに1時間で，AChE阻害薬の中で最も吸収が早く，排泄も早い薬剤である．しかしAChEといったん結合すると分離が遅いために，約10時間程度AChE阻害作用が持続する．

適応となる疾患・病態，どんなときに使うか？

本邦におけるリバスチグミンの効能・効果は「軽度および中等度のアルツハイマー型認知症における認知症症状の進行抑制」とされている．

処方の実際，どのように使うか？

パッチ剤は4.5mg, 9mg, 13.5mg, 18mgの4種類がある．通常，1日1回4.5mgから開始し，原則として4週ごとに4.5mgずつ増量し，維持用量として1日1回18mgを貼付する．背部，上腕部，胸部のいずれかの正常で健康な皮膚に貼付し，24時間ごとに貼り替える．

なお，皮膚症状（かぶれ，発赤など）が出現することがあるため，ヒルドイドローションなどを一緒に処方しておくとよい．ちなみに，2019年3月に基剤が変更され，その後は皮膚症状の出現がかなりおさえられるようになっている．

禁忌，併用禁忌，注意すべき副作用，慎重投与など

リバスチグミンはコリン作動性薬剤であるため，他のAChE阻害薬と同様に以下の病態を有する患者には注意が必要である．①心疾患洞不全症候群または伝導障害，②胃潰瘍または十二指腸潰瘍，非ステロイド性消炎鎮痛薬投与中，③尿路閉塞，④てんかん，⑤気管支喘息または閉塞性肺疾患，⑥錐体外路障害，⑦低体重，⑧重度の肝機能障害．なお，薬理作用の項で述べたように，肝代謝はほとんどないため，相互作用は少ない．出現しやすい副作用には嘔吐，悪心などがあり，重大な副作用には，狭心症，徐脈，房室ブロック，脳血管発作，胃潰瘍，胃腸出血，肝炎，失神，幻覚，せん妄，脱水などがある．

おもな類似薬との使い分け

パッチ製剤であり，相互作用が少ない薬剤であるため，内服が難しい患者や相互作用のために他のAChE阻害薬が使いづらい場合には第一選択になる．また，他のAChE阻害薬の効果が薄れてきた場合にもBChE阻害作用があることから有効である可能性がある．

服薬指導のポイント

介護者に対する指導が重要である．発赤が出る場合があることから，そのような場合にはヒルドイド等を塗布したうえで貼付するように指示するとよい．

《《《 専門医からのアドバイス 》》》

パッチ製剤というユニークな剤形であること，また末梢性コリン系の有害作用は少ないことから，内服が難しい患者，他の薬剤では副作用が出やすい患者などがよい適応と考えられる．介護者の協力が不可欠なことから，介護者への指導も重要である．

（根本清貴）

| 抗認知症薬および脳循環・代謝改善薬 | 脳循環・代謝改善薬 |

アデノシン三リン酸二ナトリウム水和物
adenosine triphosphate disodium hydrate

アデホスコーワ［興和］腸溶錠 20mg, 60mg, 顆粒 10％ / アデタイド［寿］腸溶錠 20mg / ATP［ニプロファーマ, 日医工, 第一三共］20mg 錠 / トリノシン［トーアエイヨー］腸溶錠 20mg, 60mg, 顆粒 10％

特徴・どんな薬剤か？

1970年に発売開始された薬剤である．血管拡張作用により血流を増加させ，生体内の代謝を賦活し，臓器の機能を改善する．

通常，頭部外傷後遺症に伴う諸症状の改善，心不全・消化管機能低下のみられる慢性胃炎・メニエール病および内耳障害に基づくめまいの治療，調節性眼精疲労における調節機能の安定化に用いられる．

薬理作用

1. 血管拡張作用により各種臓器組織の血流を増加する．
2. 生体内の代謝活性を増加する．
3. 筋収縮力を増加する．
4. 神経伝達の効率化をはかる．
5. 内耳機能障害を改善する．

適応となる疾患・病態，どんなときに使うか？

効能または効果としては頭部外傷後遺症，心不全，調節性眼精疲労における調節機能の安定化，消化管機能低下のみられる慢性胃炎，メニエール病および内耳障害に基づくめまいの疾患に伴う諸症状の改善となっている．

処方の実際，どのように使うか？

頭部外傷後遺症に伴う諸症状の改善，心不全・消化管機能低下のみられる慢性胃炎・調節性眼精疲労における調節機能の安定化：通常，1回40〜60mgを1日3回服用する．

メニエール病および内耳障害に基づくめまい：通常，1回100mgを1日3回服用する．

いずれの場合も治療を受ける疾患や症状により適宜増減が必要である．

禁忌，併用禁忌，注意すべき副作用，慎重投与など

内服薬では禁忌は特に記載されていない．注射剤では脳出血直後の患者には脳血管拡張により，再出血のおそれがあるとされている．

併用注意としては，ジピリダモールが挙げられる．ジピリダモールのアデノシン取り込み抑制作用により，ATP分解物であるアデノシンの血中濃度を上昇させ，心臓血管に対する作用を増強するとの報告があるので，併用にあたっては患者の状態を十分に観察するなど注意が必要である．

副作用としては悪心，胃腸障害などの消化器症状，掻痒感などの過敏性，頭痛，眠気，気分が落ち着かないなど精神神経系の報告があった．他に耳鳴り，脱力感も認めた．

一般に高齢者では生理機能が低下しているので減量するなど注意を要する．また妊娠中の投与に関する安全性は確立していない．

おもな類似薬との使い分け

脳梗塞後遺症の諸症状に対して用いるイブジラストやニセルゴリン，イフェンプロジルなどの他に，頭部外傷後遺症の諸症状に対して用いる薬剤などがある．適応が各々異なるので，目的に応じて使い分ける必要がある．

服薬指導のポイント

・必ず指示された服用方法に従うこと．
・誤って多く飲んだ場合は医師または薬剤師に相談すること．
・医師の指示なしに，自分の判断で飲むのを止めないこと．

≪≪≪ 専門医からのアドバイス ≫≫≫

1999年6月29日付の再評価の結果に伴い，脳血管障害（脳出血後遺症，脳梗塞後遺症）に伴う慢性脳循環障害による諸症状の改善に対する効能は削除されている．このため，処方に関しては，十分に注意し，基本的には添付文書の効能を遵守することが求められる．

（髙橋　晶）

抗認知症薬および脳循環・代謝改善薬 | 脳循環・代謝改善薬

イフェンブロジル酒石酸塩
ifenprodil tartrate

セロクラール[サノフィ]錠 10mg, 20mg, 細粒 4%／**イフェンブロジル酒石酸塩「あすか」**[あすか]錠 10mg, 20mg／**イフェンブロジル酒石酸塩「TCK」**[辰巳]錠 10mg, 20mg, 細粒 4%／**イフェンブロジル酒石酸塩「トーワ」**[東和]錠 10mg, 20mg／**セリミック**[ナガセ]錠 10mg／**イフェンブロジル酒石酸塩「サワイ」**[沢井]錠 10mg, 20mg／**イフェンブロジル酒石酸塩「ツルハラ」**[鶴原]錠 10mg, 20mg／**イフェンブロジル酒石酸塩「YD」**[陽進堂]錠 10mg, 20mg

特徴・どんな薬剤か？

脳や内耳の血流を増加させ，エネルギー代謝を改善する．血小板凝集能抑制作用もある．1998 年の再審査により効能が整理され，現在の正式な適応症は「脳卒中後遺症に伴うめまいの改善」に限定されている．

薬理作用

1．脳血流増加作用（特に椎骨動脈および扁桃核，視床下部，小脳皮質，内耳の血流増加を示す．血管平滑筋直接弛緩作用ならびに非選択的な交感神経 α 受容体遮断作用による．内頸動脈系よりも，椎骨・脳底動脈系に対して強く，選択的に働くと示唆されている）．

2．脳代謝改善作用（脳虚血時の乳酸，ATP，グルコースなどの脳組織における代謝異常を改善し，脳ミトコンドリア機能の低下を改善する）．

3．血小板凝集能抑制作用（ADP，コラーゲン，アドレナリンなどによる血小板凝集を抑制する）．

適応となる疾患・病態，どんなときに使うか？

効能または効果は，脳梗塞後遺症，脳出血後遺症に伴うめまいの改善である．

処方の実際，どのように使うか？

イフェンブロジル酒石酸塩錠 10mg　通常，成人には，1 回 2 錠を 1 日 3 回毎食後経口投与する．

イフェンブロジル酒石酸塩錠 20mg　通常，成人には，1 回 1 錠を 1 日 3 回毎食後経口投与する．

禁忌，併用禁忌，注意すべき副作用，慎重投与など

禁忌：頭蓋内出血発作後，止血が完成していないと考えられる患者．

慎重投与：
a．脳梗塞発作直後の患者（脳内盗血現象を起こすおそれがある）．
b．低血圧のある患者（血圧低下を増強するおそれがある）．
c．心悸亢進のある患者（心機能を亢進させるおそれがある）．
併用注意：
a．出血傾向をきたすと考えられる薬剤は，出血傾向が増強されるおそれがある．本剤の血小板粘着能・凝集能抑制作用による．
b．ドロキシドパとの併用で，ドロキシドパの作用を減弱するおそれがある．これは本剤の $α_1$ 受容体遮断作用による．

報告された副作用としては，口渇，悪心・嘔吐，食欲不振，胸やけ，下痢，便秘などの消化器系が最も多く，頭痛，めまい，不眠，眠気などの精神神経系，GOT・GPT 上昇など肝臓系，発疹，皮膚掻痒感などの過敏症，動悸という循環器系の副作用が報告されている．

一般に高齢者では生理機能が低下しているので，減量するなど注意を要する．また妊娠中の投与に関する安全性は確立していない．

おもな類似薬との使い分け

脳梗塞後遺症の諸症状に対して用いるイブジラストやニセルゴリン，アデノシン三リン酸二ナトリウム水和物などの他に，頭部外傷後遺症の諸症状に対して用いる薬剤などがある．適応が各々異なるので，目的に応じて使い分ける必要がある．

服薬指導のポイント

・必ず指示された服用方法に従うこと．
・誤って多く飲んだ場合は医師または薬剤師に相談すること．

≪≪≪ 専門医からのアドバイス ≫≫≫

1999 年 9 月 14 日，効能・効果の一部削除があり，効能・効果の脳梗塞後遺症，脳出血後遺症に伴う症状から「めまい感，頭痛・頭重感などの自覚症状，抑うつ，不安・興奮，焦燥などの精神症状」を削除し，「めまい」のみに改訂された点に注意が必要．

（髙橋　晶）

ガンマ－アミノ酪酸

γ-aminobutyric acid

ガンマロン［アルフレッサ］錠 250mg

特徴・どんな薬剤か？

ガンマ－アミノ酪酸（γ-aminobutyric acid：GABA）は神経アミノ酸の一種で，中枢神経に高濃度に存在している．GABA は脳のエネルギー代謝を賦活し，頭部外傷後遺症の自覚的，他覚的諸症状に対して有効で，安全に使用し得る薬剤である．

薬理作用

GABA は，アミノ基転移酵素によってコハク酸となって TCA サイクルに入る．したがって，GABA の投与によって糖代謝や ATP の産生が促進され，その結果，脳代謝が改善すると考えられる．

適応となる疾患・病態，どんなときに使うか？

頭部打撲，脳挫傷などの頭部外傷後遺症においては，様々な自覚的，他覚的症状が長期にわたって残存する．よくみられるものとして頭痛，頭重，易疲労性，のぼせ感，耳鳴，記憶障害，睡眠障害，意欲低下などがあり，GABA はこれらの症状に対して効果があるとされる．

処方の実際，どのように使うか？

ガンマロン錠 250mg　1 回 4 錠　1 日 3 回　14 日分

禁忌，併用禁忌，注意すべき副作用，慎重投与など

GABA の毒性は極めて低く，添付文書において「禁忌」や「併用禁忌」，「注意すべき副作用」，「慎重投与」の記載はない．おもな副作用は悪心，食欲不振，下痢などの消化器症状であり，重篤なものは知られていないため，安全に使用し得る．

おもな類似薬との使い分け

類似薬は現在のところ存在しない．

服薬指導のポイント

　GABAは通常，血液脳関門を通過しない．しかし動物においては，損傷脳では血中から迅速に脳内へ移行することが確認されている．したがって，頭部外傷後遺症では血液脳関門の機能低下により内服投与でも脳内に移行できると考えられる．しかし，ガンマロン錠の投与量が1日12錠，3gと大量であることから，脳への移行しにくさがあるものと推察される．したがって，ガンマロン錠は服用量が多いが，有効に作用するためには決められた量できちんと内服する必要があり，この点を説明することが重要と思われる．

《《《 専門医からのアドバイス 》》》

　GABAはこれまでに「高血圧症に伴う自覚症状」や，「脳動脈硬化症」，「脳卒中後遺症」に対する効能・効果が削除されてきた．現在，頭部外傷後遺症にのみ適応があるが，実際にGABAが使用されている頻度は高くないように思われる．またアジアの一部を除き，海外では発売されていない．一方で特定保健用食品の「血圧が高めの方の食品」やサプリメントなどにGABAを含むものが販売されている．GABAの脳内への移行性を含め，あらためて臨床的にその効果を検証する必要があろう．

（堀　孝文）

抗認知症薬および脳循環・代謝改善薬 / 脳循環・代謝改善薬

シチコリン

citicholine

ニコリン[武田]注射液 100mg, 250mg, 500mg, H 注射液 0.5g, 1g/ シチコリン「日医工」[日医工]注 100mg/2mL, 250mg/2mL, 500mg/10mL, 500mg/2mL, 1000mg/4mL/ シスコリン[東和]注射液 250mg, 500mg/ シチコリン「NP」[ニプロ]注 100mg/2mL, 500mg/2mL, H 注 500mg シリンジ / シチコリン「KN」[小林化工] H 注 0.5g, 1g

特徴・どんな薬剤か？

頭部外傷・脳手術・脳梗塞急性期の意識障害に有用性が認められている注射薬剤である．脳卒中後1年以内の片麻痺改善にも有用とされる他，脳血管性認知症や認知機能障害への有用性も報告されている．

薬理作用

Cytidine diphosphate choline (CDP-choline ; citicholine) は，レシチンの内在性前駆物質であり，リン脂質合成を促進して代謝機能を改善する．また，脳血流増加作用やグルコース脳内取り込み促進，乳酸の脳蓄積の抑制，アセチルコリンの合成促進，ドパミン代謝回転促進，脳虚血時の脳内脂肪酸遊離抑制などの脳代謝改善作用を示し，上行性網様賦活系，錐体路系の働きを促進して意識障害，運動機能を改善するとされる．

適応となる疾患・病態，どんなときに使うか？

頭部外傷や脳手術に伴う意識障害，脳梗塞急性期の意識障害，リハビリテーションおよび通常の内服薬物療法を行っている発症後1年以内の脳卒中片麻痺患者の上肢運動機能回復促進に用いる．また急性膵炎患者に蛋白分解酵素阻害剤と併用して用いることもある．

処方の実際，どのように使うか？

・頭部外傷ならびに脳手術に伴う意識障害の場合

通常成人1回100〜500mgを1日1〜2回点滴静脈内注射，静脈内注射，ないし筋肉内注射する．ニコリンHの場合1回0.1〜0.5gを1日1〜2回点滴静脈内注射，静脈内注射，ないし筋肉内注射する．

・脳梗塞急性期意識障害の場合

通常成人1回1,000mgを2週間連日静脈内投与する．ニコリンHの場合，1回1gを2週間連日静脈内投与する．

・脳卒中後片麻痺の場合

通常成人1日1回1,000mgを4週間連日静脈内投与する．または，1日1回250mgを4週間連日静脈内注射し，改善傾向が認められる場合には，さらに4週間継続投与する．ニコリンHの場合，1日1回1gを4週間連日静脈内投与する．または，1日1回0.25gを4週間連日静脈内注射し，改善傾向が認められる場合には，さらに4週間継続投与する．

禁忌，併用禁忌，注意すべき副作用，慎重投与など

本剤に対し過敏症の既往がある患者への使用は禁忌である．重大な副作用としてショック，その他注意すべき副作用として発疹，不眠，頭痛，めまい，興奮，けいれん，悪心，食欲不振，肝機能異常，一過性の複視，血圧変動，倦怠感がある．明らかな他剤との相互作用，併用禁忌薬はない．薬剤過敏症の既往歴のある患者には慎重投与を要する．

おもな類似薬との使い分け

他の脳循環代謝薬との明らかな使い分けの基準はない．4〜8週間投与して効果がなければ，他の薬剤を検討する．

服薬指導のポイント

本剤は注射薬であり，服薬指導のポイントは特にない．

専門医からのアドバイス

脳卒中後の有効性はなかったと結論している報告が欧米有力誌に掲載されている．一方，脳卒中後の認知機能障害，脳血管性認知症，アルツハイマー病，大脳皮質基底核変性症，活動減少性せん妄など様々な認知障害群について，投与が有効であるとの実験報告や臨床報告も続いており，評価は定まっていない．結局のところ，現時点では適応のある難治例について使用を検討するにとどまる．

（太刀川弘和）

抗認知症薬および脳循環・代謝改善薬 / 脳循環・代謝改善薬

ジヒドロエルゴトキシン メシル酸塩 dihydroergotoxine mesilate

ヒデルギン［ノバルティス］ 錠2mg, 舌下錠1mg/ ジヒドロエルゴトキシンメシル酸塩［東和, 日医工］錠1mg, 2mg/ パソラックス［マイラン製薬］ 錠1mg, 2mg（すべて現在は販売中止）

特徴・どんな薬剤か？

体や脳の血管を拡張して血流を改善する働きがある．末梢の血行障害や，頭部外傷後の頭重感などの随伴症状に用いる．穏やかな降圧効果もある．

薬理作用

交感神経終末におけるシナプス前ドパミン受容体刺激によるノルアドレナリン放出抑制により，末梢血管の緊張を減じる．

適応となる疾患・病態, どんなときに使うか？

・頭部外傷後遺症に伴う随伴症状．
・高血圧症．ただし，降圧効果はゆるやかなので，高年齢の患者や，利尿降圧薬投与で十分な効果が得られない場合に使用する．
・以下の疾患に伴う末梢循環障害．

  ビュルガー病，閉塞性動脈硬化症，動脈塞栓・血栓症，レイノー病およびレイノー症候群，肢端紫藍症，凍瘡・凍傷，間欠性跛行

＊以前は，脳梗塞後遺症や脳出血後遺症などに伴う慢性脳循環障害に対して，随伴症状を緩和させる目的で使用されていたが，1999年6月にこの適応が削除された．2016年には経過措置医薬品となり，2017年中にすべての会社・剤型で経過措置期限を迎えた．

処方の実際, どのように使うか？

医療の場では処方不可．

禁忌, 併用禁忌, 注意すべき副作用, 慎重投与など

禁忌は以下の通り．

本剤の成分または麦角アルカロイドに対し過敏症の既往歴のある場合．

心エコー検査により，心臓弁肥厚，心臓弁稼働制限およびこれらに伴う狭窄などの心臓弁膜の病変がある場合（心臓弁線維化のリスクが否定できないため）．

併用禁忌はない．

注意すべき副作用として，高用量を長期間投与した際，後腹膜線維症を発現したという報告があり，背部痛，下肢浮腫，腎機能障害等が現れた場合には投与を中止し，適切な処置を行うこととされている．

おもな副作用は胃腸障害，悪心・嘔吐，食欲不振，発疹・掻痒，頭痛・頭重，めまい・ふらつき等であるが，いずれも1％に満たない出現率である．

慎重投与として，以下のことに留意する．

本剤が代謝酵素CYP3A4で代謝されるため，以下の薬剤の同酵素阻害作用により本剤の代謝が抑制されて本剤の血中濃度が上昇し，特にドパミン作動性の効果が強く現れる可能性がある．

マクロライド系抗生物質：エリスロマイシン，クラリスロマイシン等
HIVプロテアーゼ阻害薬：リトナビル，インジナビル，ネルフィナビル等
逆転写酵素阻害薬：デラビルジン
アゾール系抗真菌薬：イトラコナゾール，ボリコナゾール等

おもな類似薬との使い分け

類似他剤にはない降圧効果をもつことから，軽症の高血圧を合併する症例には向いている．また，末梢循環障害への効果は，本剤特有のものといえる．

服薬指導のポイント

1999年6月以降，類似薬とともに適応が制限されるようになり，2017年中には各社とも経過措置の期限を迎えている．

専門医からのアドバイス

かつては脳循環代謝改善薬として，抗認知症効果をも期待された薬剤の1つである．慢性脳循環障害での再試験実施を見送ったため，1999年6月に同適応は削除された．販売中止後もいわゆるスマートドラッグと捉えられる一面もあり，厚生労働省では安全性を理由に個人輸入などの安易な使用を規制している．

（石井映美）

抗認知症薬および脳循環・代謝改善薬 / 脳循環・代謝改善薬

ニセルゴリン

nicergoline

サアミオン［田辺三菱］錠 5mg，散 1% / ジェネリック多数あり

特徴・どんな薬剤か？

麦角アルカロイドの一種で，脳梗塞後の抑うつ，意欲の低下や認知機能の低下，行動障害に効果を発揮する．最近は血管性認知症やアルツハイマー型認知症の治療薬としても注目されている．

薬理作用

$α_1$拮抗作用により脳血管を拡張し，血小板凝集抑制，赤血球変形能改善，PAF産生抑制作用などにより血流の流動性を増加させて脳循環を改善する．また，脳内のグルコース，ATP，乳酸などの代謝を改善し，さらにACh系やドパミン系，ノルアドレナリン系の神経伝達も促進する．最近では神経栄養因子，抗酸化因子として作用することやβアミロイドの神経毒性を抑制することが報告されている．

適応となる疾患・病態，どんなときに使うか？

最も適当な病態は脳梗塞後のアパシー状態である．他に抑うつ気分，不安，めまい，頭痛などの改善を認めるという．また血管性認知症や軽度〜中等度のアルツハイマー型認知症の行動障害や認知機能低下を含む全般的な臨床像の改善を認めるという報告も散見される．

処方の実際，どのように使うか？

サアミオン錠（5mg）1回1錠 1日3回 毎食後が基本的な投与方法であるが，年齢や基礎疾患によっては減量を要する．おおむね2ヵ月間の投与でplaceboとの差が出るとされる．一方で投与12週後に効果を認めない場合は投与を中止することが求められているので，漫然と投薬しない．

禁忌，併用禁忌，注意すべき副作用，慎重投与など

本剤の薬理作用から，頭蓋内出血後で止血していないと考えられる患者は出血を助長するおそれがあるので禁忌である．DI 上は併用禁忌，併用注意薬剤はない．しかし，CYP2D6 が代謝に関与しているので，同酵素で代謝される薬剤との相互作用に注意が必要である．例えば，インデラルの心血管系への効果を増強することが知られている．

副作用は重篤なものはない．発現率は1％を切るが，最も頻度の高いものは消化器系，神経系の有害事象である．消化器系では食欲不振，悪心，便秘もしくは下痢など，神経系では頭痛，めまい，立ちくらみ，眠気が多い傾向にある．また麦角アルカロイド製剤による線維症や麦角中毒を避けるため認知症の診断のついていない高齢者の認知機能低下や神経障害への対症療法は推奨しないという見解もある．

おもな類似薬との使い分け

脳梗塞後遺症に用いる類似薬としてセロクラール，ケタス，シンメトレル，グラマリールが挙げられる．セロクラール，ケタスは脳梗塞後のめまいを改善する．シンメトレルはドパミン作動薬で脳梗塞後の意欲の低下に改善を認めるが，用量によっては幻覚や妄想状態を呈することがある．グラマリールはドパミン拮抗薬で脳梗塞後の興奮，不穏，せん妄に効果を認める．

服薬指導のポイント

高齢者への投薬が多いと思われ，眠気やふらつきには特に注意が必要である．また脳血管障害急性期の使用を避けること．

《《《 専門医からのアドバイス 》》》

血管性認知症やアルツハイマー病への効果は報告が相次いでいるが，最近，パーキンソン病に伴う認知症への効果も報告された（Lee S et al, 2019）．古い薬剤だが様々な可能性をもっており，今後さらに使い方を工夫していくに値する薬剤と考えられる．

（佐藤晋爾）

抗認知症薬および脳循環・代謝改善薬 / 脳循環・代謝改善薬

メクロフェノキサート 塩酸塩 meclofenoxate hydrochloride

ルシドリール［共和］錠 100mg

特徴・どんな薬剤か？

脳代謝改善薬の1つで，頭部外傷の後遺症に使用される．

薬理作用

脳代謝改善薬の中では脳エネルギー代謝を改善する薬剤の1つとされている．脳内グルコース代謝促進作用，脳血流増加作用，脳幹網様体賦活作用，脳内コリン増加作用および抗低酸素作用があり，これらにより中枢神経系の賦活作用を有すると考えられている．

適応となる疾患・病態どんなときに使うか？

本剤では頭部外傷後遺症におけるめまいのみが適応となっている．

一方海外では，頭部外傷後遺症以外にも様々な報告がある．例えば，認知症患者の記憶障害に対してある程度効果があるとする報告がある．また脳卒中後の尿失禁に対してエビデンスレベルは高くはないものの有効性の報告がある．その他にもそのコリン作動性から抗精神病薬による遅発性ジスキネジアに対する有用性が検討されているが，はっきりとしたエビデンスはない．

処方の実際，どのように使うか？

・頭部外傷後のめまい

　ルシドリール錠100mg　1回1〜3錠　1日3回　毎食後．通常，症状が持続する期間は継続する．

禁忌，併用禁忌，注意すべき副作用，慎重投与など

禁忌および併用禁忌は挙げられていない．副作用としてけいれん発作や興奮が挙げられていることから，過度の興奮やけいれん発作のある患者には慎重投与とされている．その他の副作用に不眠，悪心，食欲不振が挙げられる．

おもな類似薬との使い分け

同様の脳エネルギー代謝改善を目的とした薬剤にはシチコリン（商品名ニコリン），アデノシン三リン酸二ナトリウム（商品名アデホス）などが市販されているが，頭部外傷後のめまいに対する適応が認められているのは，本剤のみである．このため，頭部外傷後でめまいが目立つ症例であれば本剤を選択する．

服薬指導のポイント

頭部外傷後の脳の機能を改善する目的に使用すると説明する．

《《《 専門医からのアドバイス 》》》

脳代謝改善薬は，どの薬に反応するかなど普遍的な選択基準が乏しく，症例によって有効性のばらつきが多い．このためそれぞれの薬剤を一定期間投与し，効果がなければ他剤に変更して比較するといった調整が必要である．

（石川正憲）

Column

疾患修飾薬（disease modifying drug）初めての成功か？

　アルツハイマー病治療薬では，1993年に創薬された最後の商品（Galantamine）以来26年成功例がない状態が続いていた．公式に治験成績が発表されたものに限っても30数連敗といわれ，世界の巨大製薬メーカーがこの領域から撤退するのでは，とまで危惧された．ところが2019年10月，新たな薬の成功の可能性が報道された．近年期待されていたが，2019年3月にいったんは撤退したBiogenの新薬アデュカヌマブの復活が発表されたのである．本剤の臨床第Ⅲ相試験にはEMERGE試験とENGAGE試験の2つがあった．最初の無益性解析データと比べ，米国の当局との相談のもとにこの2つの試験を合わせた大規模データセットを改めて解析した．その結果，有効性が得られたとして2020年の早い段階でアルツハイマー病を対象とした新薬承認申請が予定されている．

　新たな解析の結果，アデュカヌマブの用量依存的な脳内アミロイドの減少，主要評価項目における臨床症状悪化の抑制が示された．つまり薬理学にも臨床的にも有効性が示されたという．投与された被験者では記憶，見当識，言語などの認知機能において効果がみられた．また金銭管理，家事（掃除，買い物，洗濯など）や単独外出など日常生活動作でも有効だった．一方で有害事象と懸念されるのがアミロイド関連画像異常（ARIA-E）である．幸いARIA-Eが発症した被験者群のほとんどは，無症候性であり，ARIA-Eは4〜16週間以内にほぼ解消し，長期に及ぶ臨床的後遺症はなかったとされる．

　この薬が承認されても，アルツハイマー病が治癒するわけではない．従来薬との併用などにより，多少とも治療効果の拡大は期待できる．より現実的には，この成功を起爆剤に，多くの製薬メーカーが改めて新薬品の開発に力を入れることへの期待である．

（朝田　隆）

VIII 気分安定薬（抗躁薬）

章編集：坂元　薫

気分安定薬(抗躁薬)

■特徴・どんな薬剤か?

気分安定薬とは,おもに双極性障害の治療において第一選択となる薬剤であり,文字通り「気分を安定化させる」薬剤の総称である.その効果には,躁状態に対する抗躁効果,うつ状態に対する抗うつ効果,躁病相・うつ病相の再発予防効果があり,これらすべての効果を有する薬剤が理想的な気分安定薬といえる.

■作用機序

双極性障害における気分症状の発現メカニズムが明らかになっていないことから,気分安定薬の作用機序は不明な点が多い.これまでに炭酸リチウム(Li)はイノシトールモノホスファターゼを抑制することでイノシトールの産生を抑制することがおもな作用機序とされており[1],バルプロ酸ナトリウム(VPA)やカルバマゼピン(CBZ)もLiとは別のメカニズムでイノシトール枯渇作用を有することが示唆されている[2].イノシトールは,これら3種の気分安定薬に共通した神経保護作用を阻害することから,イノシトール欠乏作用を介した神経保護作用が気分安定薬に共通した作用機序の1つとして考えられている[3].その他,Bcl-2の増加[4],GSK-3β阻害[5]などが気分安定薬の作用機序として報告されている.

■効能・効果

気分安定薬の効果は,おもに抗躁効果,抗うつ効果,病相再発予防効果に分けられる.最も古典的な気分安定薬であるLiは,これらすべての効果を併せもつ唯一の気分安定薬とされている.抗てんかん薬であるVPA,CBZは抗躁効果に優れ,ラモトリギン(LTG)は病相再発予防効果が確立されているほか,うつ病相の急性期に対する効果も示唆されている.このほか,第二世代抗精神病薬(SGA)にも抗躁効果,抗うつ効果,病相再発予防効果を有するものがあり,気分安定薬としての効果が期待されている.

■治療のガイドライン

日本うつ病学会(http://www.secretariat.ne.jp/jsmd/index.html)の双極性障害治療ガイドライン(2017)をまとめたものを**表1**に示す.このガイドラインは双極性障害の治療を専門とする精神科医が,精度の高い研究やメタアナリシスをまとめ,エビデンスに基づいて作成したものである.2017年の改訂版では,躁病エピソードに対する治療薬のSGAとして新たにパリ

表1 双極性障害治療ガイドラインのまとめ

	躁病エピソードの治療	抑うつエピソードの治療	維持療法
最も推奨される治療	躁状態が中等度以上の場合 Li + SGA（OLZ, ARP, QTP, RIS） 躁状態が軽度の場合 Li	QTP Li OLZ LTG	Li
次に推奨される治療	VPA SGA（OLZ, ARP, QTP, RIS, PPD, ASP） CBZ VPA + SGA		LTG OLZ QTP Li or VPA +QTP Li + LTG ARP Li + ARP PPD Li + VPA VPA
その他に推奨される治療	気分安定薬2剤以上の併用 気分安定薬 + FGA ECT	Li + LTG ECT	CBZ RIS LAI 気分安定薬2剤以上の併用 気分安定薬 + SGA Li + 甲状腺ホルモン Ramelteonの付可

Li：lithium（炭酸リチウム）
SGA：second generation antipsychotics（第二世代抗精神病薬）
OLZ：olanzapine（オランザピン）
ARP：aripiplazole（アリピプラゾール）
QTP：quetiapine（クエチアピン）
RIS：risperidon（リスペリドン）
VPA：valproate（バルプロ酸ナトリウム）
PPD：palliperidone（パリペリドン）
ASP：asenapine（アセナピン）
CBZ：carbamazepine（カルバマゼピン）
FGA：first generation antipsychotics（第一世代抗精神病薬）
ECT：electroconvulsive therapy（電気けいれん療法）
LTG：lamotorigine（ラモトリギン）
RIS LAI：risperidone long-acting injection（リスペリドンのデポ剤）

ペリドン（PPD）とアセナピンが加わった．また，抑うつエピソードに対する治療薬としてクエチアピン（QTP）の徐放剤の保険適応が承認された．

治療は病相に応じて行われるが，いずれの病相においても推奨される薬剤はLiである．躁病エピソードにおいては，重症度によってSGAの併用を検討する．VPA，CBZはSGAと並んでLiの次に推奨される薬剤となっており，VPAとSGAの併用も同等のエビデンスレベルである．その他，気分安定薬の併用，気分安定薬と第一世代抗精神病薬（FGA）の併用，電気けいれん療法（ECT）が治療の選択肢となり得るが，LTGは抗躁効果に乏しいため躁病エピソードにおける治療薬としては推奨されていない．抑うつエピソードにおいては，Liと同等のエビデンスレベルを有する薬剤としてQTPが推奨されている．この他，同じSGAであるオランザピン（OLZ），躁病エピソードでは推奨されていないLTGも第一選択薬として推奨されている．抑うつエピソードにおける治療は，躁病エピソードに比して選択肢が乏しく，これらの単剤治療が有効でない場合には，LiとLTGの併用もしくはECTが推奨されているのみである．三環系抗うつ薬の投与，抗うつ薬単剤での治療は推奨されない．維持療法においても，最もエビデンスに優れる薬剤はLiである．次に推奨される薬剤選択としてLTG，VPAの他，OLZ，QTP，アリピプラゾール（ARP），PPDといったSGA，LiもしくはVPAとQTPの併用，LiとLTG，VPA，ARPいずれかとの併用がある．その他，CBZ，リスペリドンのデポ剤（RIS LAI），気分安定薬の併用，気分安定薬とSGAの併用があり，甲状腺機能低下は急速交代型の危険因子とされていることから，治療抵抗性の急速交代型には甲状腺ホルモンの補充療法も推奨されている．寛解期の不眠には，ラメルテオンの付加的治療が推奨されている．

■薬の使い分け

病相に応じた薬剤選択が重要である．躁病エピソードにおいては，Li，VPA，CBZ，SGAが推奨される一方で，LTGは抗躁効果に乏しいため推奨されない．抑うつエピソードにおいては，Li，LTGの他，SGAの中でもOLZ，QTPが推奨され，VPAやCBZは抗うつ効果に乏しいため推奨されない．維持療法においても最も推奨される気分安定薬はLiであるが，その他の気分安定薬については，躁病相が優位であれば抗躁効果のあるVPAやCBZもしくはSGA，反対にうつ病相が優位である場合には抗うつ効果のあるLTGを選択するとよいであろう．

Liはすべてのエピソードに対する予防効果が認められており[6]，いずれの病相においても第一選択として推奨されるが，長期投与に伴う腎機能低下，甲状腺機能低下といった忍容性の問題が存在する[7]．また，急速交代型には無効である場合がある．急速交代型においては，まず急速交代型を惹起する

三環系抗うつ薬が投与されている場合には投与を中止し，さらに甲状腺機能低下が認められる場合は甲状腺ホルモンを投与する．

> **Point**
> 双極性障害は再発性の高い疾患であり，急性期のみならず再発予防のための維持療法が重要である．そのことを絶えず念頭において症例ごとに適切な気分安定薬を選択し，そのアドヒアランスを高める工夫をすべきである．

【文献】
1) Berridge MJ：The Albert Lasker Medical Awards. Inositol trisphosphate, calcium, lithium, and cell signaling. Jama 262：1834-1841, 1989
2) van Calker D, Belmaker RH：The high affinity inositol transport system--implications for the pathophysiology and treatment of bipolar disorder. Bipolar Disord 2：102-107, 2000
3) Williams RS, Cheng L, Mudge AW et al：A common mechanism of action for three mood-stabilizing drugs. Nature 417：292-295, 2002
4) Chen G, Zeng WZ, Yuan PX et al：The mood-stabilizing agents lithium and valproate robustly increase the levels of the neuroprotective protein bcl-2 in the CNS. J Neurochem 72：879-882, 1999
5) Klein PS, Melton DA：A molecular mechanism for the effect of lithium on development. Proc Natl Acad Sci U S A 93：8455-8459, 1996
6) Miura T, Noma H, Furukawa TA et el：Comparative efficacy and tolerability of pharmacological treatments in the maintenance treatment of bipolar disorder：a systematic review and network meta-analysis. Lancet Psychiatry 1（5）：351-359, 2014
7) Shine B, McKnight RF, Leaver L et al：Long-term effects of lithium on renal, thyroid, and parathyroid function：a retrospective analysis of laboratory data. Lancet 386（9992）：461-468, 2015

（菅原裕子）

気分安定薬（抗躁薬）

炭酸リチウム

lithium

リーマス［大正］錠 100 mg, 200mg / 炭酸リチウム「アメル」［共和］錠 100mg, 200mg / 炭酸リチウム「フジナガ」［藤永］錠 100mg, 200mg, / 炭酸リチウム「ヨシトミ」［吉富］錠 100mg, 200mg

特徴・どんな薬剤か？

炭酸リチウム（以下 Li）は最も古典的な気分安定薬であり，双極性障害の薬物療法において中心となる薬剤である．

薬理作用

神経細胞突起の伸長，神経細胞の成長円錐拡大，抗アポトーシスなどを介した神経保護作用を有することが示唆されている．

適応となる疾患・病態，どんなときに使うか？

Li は，抗躁効果，抗うつ効果，病相再発予防効果のいずれにおいても優れた薬剤であるが，本邦においては双極性障害の躁病相においてのみ適応が認められている．

処方の実際，どのように使うか？

通常 400 〜 600 mg/ 日，躁病相においては 600 〜 800 mg/ 日，高齢者においては 200 〜 400 mg/ 日から投与を開始する．投与開始 1 〜 2 週後に血中濃度を測定し，効果と副作用を評価しながら，有効血中濃度（0.4 〜 1.0 mM）の範囲内になるよう，投与量を調整していく．Li の抗躁効果は血中濃度と相関し，抗うつ効果は血中濃度 0.8 mM 以上が有効であることが示唆されている．

・躁病相において
 Li（200）1回1錠　1日3回　もしくは1回2錠　1日2回
・うつ病相において
 Li（200）1回1錠　1日2〜3回
・高齢者の場合
 Li（100）あるいは（200）1回1錠　1日2回

禁忌，併用禁忌，注意すべき副作用，慎重投与など

禁忌：Li は，てんかん等脳波異常のある患者，重篤な心疾患のある患者，

Liの体内貯留を起こしやすい（腎障害等）患者，妊婦には投与禁忌となっている．

副作用：Liの副作用としては，口渇，多飲，多尿，手指振戦，嘔気・下痢などの消化器症状があり，これらの症状が強く現れる場合にはLi中毒が疑われる．Li中毒が進行すると，不可逆性の中枢神経症状が生じ，死に至る場合もあるため，特に急性期においては全身状態を考慮し，投与開始時期・投与量を検討する．また維持療法においても，加齢に伴う腎機能低下や身体疾患による全身状態の変化に応じて投与量を検討する．

長期投与によって腎機能低下，甲状腺機能低下，高カルシウム血症が生じる可能性があり，定期的なモニタリングを要する．甲状腺機能低下は，病状の不安定化につながる可能性があることを留意する．

慎重投与：利尿薬，アンギオテンシン変換酵素阻害薬，非ステロイド性消炎鎮痛薬との併用でLi中毒，カルバマゼピンとの併用で錯乱や失見当識など，抗精神病薬との併用で心電図変化や重篤な錐体外路症状など，選択的セロトニン再取り込み阻害薬との併用でセロトニン症候群の報告があるため，併用の際には注意する．

服薬指導のポイント

投与開始にあたり，Li中毒についての説明を行い，服薬方法の厳守を指示するとともに，大量服薬を行う危険性のある患者には投与を避けるか，投与する際には家族に服薬管理の徹底を依頼する．

《《《 専門医からのアドバイス 》》》

最も古典的な気分安定薬であるLiは，気分安定化効果とは独立して自殺予防効果を有することが報告されていることに加え，近年では認知症予防効果も示唆されている．また，双極性障害の治療薬として第一選択となるだけでなく治療抵抗性うつ病患者に対する抗うつ薬の増強療法においても有効性が認められている薬剤である．優れた効果を有する反面，安全域が狭く，中毒症状をひき起こし得ることから，臨床現場では投与がためらわれる場面も少なくない．しかし，きちんと適応を考慮したうえで，用法用量を厳守し，こまめな血中濃度測定を行うことで，Liの優れた効果を活かし，患者の有益につなげることが臨床医の役目といえるであろう．

（菅原裕子）

気分安定薬
(抗躁薬)

カルバマゼピン

carbamazepine

テグレトール［サンファーマ］錠 100mg, 200mg, 細粒 50%／**カルバマゼピン「フジナガ」**［藤永］錠 100mg, 200mg, 細粒 50%／**カルバマゼピン「アメル」**［共和］錠 100mg, 200mg, 細粒 50%

特徴・どんな薬剤か？

元来は抗てんかん薬として開発され，部分発作に対して第一選択となる抗てんかん薬である．てんかん患者において情動安定化作用が認められることから，躁状態に対する抗躁効果が見出された．

薬理作用

いまだに十分解明されていない．電位依存性 Na^+ チャネルの不活性化，Ca^{2+} チャネル阻害作用，GABA 活性の増強作用，アデノシン受容体への作用，NMDA 受容体を介した細胞内カルシウム上昇抑制作用などのほか，リチウムやバルプロ酸と共通の薬理作用として，神経細胞内のイノシトール枯渇作用が考えられている．

適応となる疾患・病態，どんなときに使うか？

双極性障害の躁病相ならびに躁病相の再発予防に適応となる．

処方の実際，どのように使うか？

通常 200 〜 400mg を 1 〜 2 回に分割経口投与から開始し，至適効果が得られるまで（1 日 600mg）徐々に増量する．症状により 1 日 1,200mg まで増量することができる．臨床効果と合わせて，てんかんにおける有効血中濃度（5 〜 9 μg/mL）を指標として，投与量の調整を行う．

テグレトール錠 200mg　1 回 1 錠　1 日 2 回　朝夕食後　7 日分

禁忌，併用禁忌，注意すべき副作用，慎重投与など

禁忌：①本剤の成分または三環系抗うつ薬に対し過敏症の既往歴のある患者，②重篤な血液障害のある患者，③第二度以上の房室ブロック，高度徐脈（50 拍 / 分未満）のある患者，④ボリコナゾール（商品名ブイフェンド）投与中，タダラフィル（商品名アドシルカ），リルピビリン（商品名エジュラント）投与中の患者，⑤ポルフィリン症の患者．

副作用：おもな症状としては眠気，めまい，ふらつきなどがあるが，重篤

な副作用（頻度不明）として再生不良性貧血，汎血球減少，皮膚症状（中毒性表皮壊死融解症（TEN），皮膚粘膜眼症候群（スティーブンス・ジョンソン症候群：SJS）などに留意する．

催奇形性があるため，妊婦への投与は注意を要する．

相互作用：本剤の主たる代謝経路であるチトクローム P450・3A4 をはじめとする代謝酵素を誘導し，多くの薬剤の血中濃度を低下させるため，他剤併用時は，可能な限り薬物血中濃度の測定や臨床症状の観察を行い，用量に留意して慎重に投与する．

また，心不全，心筋梗塞などの心疾患または第Ⅰ度の房室ブロックのある患者，排尿困難または眼圧亢進などのある患者，高齢者，肝障害・腎障害のある患者，薬物過敏症の患者，甲状腺機能低下の患者に対しては慎重投与となっている．

おもな類似薬との使い分け

同様に，抗てんかん薬として開発され，躁状態に対する抗躁効果が認められた薬剤として，バルプロ酸ナトリウムがある．バルプロ酸ナトリウムは混合状態や不機嫌な躁病に対して有効であるのに対し，躁病相優位，精神病症状や錯乱といった非定型的な特徴を示す躁病にはカルバマゼピンによる再発予防が有効とされている．

服薬指導のポイント

投与開始にあたり，重篤な副作用について説明を行い，皮疹が出現した際には服薬を中止するよう指導する．妊娠可能な年齢の女性に投与する際には，本剤の催奇形性についても伝え，妊娠している可能性が明らかになった際には，病状等に応じて服薬継続の必要性を検討する旨を伝えておく．

専門医からのアドバイス

薬物相互作用の観点から，他の気分安定薬との併用には注意が必要である．特に，本剤とバルプロ酸ナトリウム，本剤とラモトリギンを併用する場合は，バルプロ酸ナトリウムやラモトリギンの血中濃度を低下させるため，血中濃度のモニタリングは必須である．

また，本剤による SJS では，日本人において HLA-A*3101 との関連が見いだされており，保険適応はないものの，本剤投与開始前に臨床検査において HLA-A のタイピングを行うことは有用である．

（菅原裕子）

気分安定薬（抗躁薬）

バルプロ酸ナトリウム

sodium valproate

デパケン［協和発酵キリン］錠 100mg, 200mg, 細粒 20%, 40%, 徐放錠R 100mg, 200mg, シロップ 5%（50mg/mL）/ バレリン［大日本住友］錠 100mg, 200mg, シロップ 5%（50mg/mL）/（徐放剤） セレニカR［興和］錠 200mg, 400mg, 細粒 40%

特徴・どんな薬剤か？

気分安定薬として，特に躁状態の治療に用いられる．元来は抗てんかん薬であり，片頭痛の発症抑制にも使用される．

薬理作用

GABA トランスアミナーゼ阻害による GABA の増強作用のほか，電位依存性 Na^+ チャネルの抑制作用，電位依存性 Ca^{2+} チャネルの抑制作用，小胞体シャペロンの増加作用，ヒストン脱アセチル化阻害作用などが知られている．リチウムやカルバマゼピンとの共通の薬理作用として，神経細胞内のイノシトール枯渇作用のほか，リチウムとの共通の薬理作用として，Bcl-2 増加作用，GSK-3β 阻害作用などが考えられている．

適応となる疾患・病態，どんなときに使うか？

双極性障害の躁病相に適応となる．維持療法における病相再発予防効果の有効性を示すデータは十分ではない．うつ病相に対する有効性は明らかでない．

処方の実際，どのように使うか？

200～400mg より開始し，800～1,200mg まで漸増する．躁状態に対する有効血中濃度は 71～125μg/mL とされており，抗躁効果は血中濃度に比例することが報告されていることから，血中濃度を測定しながら臨床効果に応じて十分量投与する．急性期において，徐放剤を高用量から投与開始する急速飽和法により，早い治療効果が期待できる．

デパケン徐放剤R 200mg　1回4錠　1日1回　夕食後　7日分

禁忌，併用禁忌，注意すべき副作用，慎重投与など

禁忌：①重篤な肝障害がある患者，②カルバペネム系抗生物質投与中の患者，③尿素サイクル異常症の患者．

副作用：重篤な副作用としては，重篤な肝障害，高アンモニア血症，汎

血球減少などがあるため，投与開始後は血液検査にて肝機能，血中アンモニア，血算を測定する．その他，嘔気・嘔吐などの消化器症状，体重増加，振戦，眠気がある．

催奇形性（二分脊椎）のリスクがあり，妊娠中の投与は原則禁忌である．

相互作用：ラモトリギンとの併用時には，肝でのグルクロン酸抱合が競合しラモトリギンの半減期が2倍程度延長するため，併用の際には注意する．また，バルビツール酸剤，フェニトイン，カルバマゼピン，エトスクシミド，アミトリプチリン，ノルトリプチリン，クロバザム，サリチル酸系薬剤，ベンゾジアゼピン系薬剤，ワルファリンカリウム，エリスロマイシン，シメチジン，クロナゼパムとの相互作用があり，併用注意となっている．

おもな類似薬との使い分け

リチウム抵抗性とされる急速交代型に対して有効と考えられていたが，十分なエビデンスには乏しい．リチウムが爽快気分を呈する古典的な躁病に有効であるのに対し，本剤は混合状態や不機嫌な躁病に対して有効とされている．また，脳波異常または脳器質的異常を有する患者にはリチウムより有効との報告もある．

服薬指導のポイント

内服開始にあたり，モニタリングのための定期的な血液検査が必要であることを説明する．妊娠可能な年齢の女性に投与する際には，本剤の催奇形性についても伝え，妊娠している可能性が明らかになった際には，病状等に応じて服薬継続の必要性を検討する旨を伝えておく．

専門医からのアドバイス

本剤は双極性障害の躁病相の急性期治療に用いられ，徐放剤を高用量から投与開始する急速飽和法により，早い治療効果が期待できる．うつ病相に対する有効性や維持療法における病相予防効果に関するエビデンスは乏しいため，他の気分安定薬と併用される場合があるが，ラモトリギンとの併用においては，薬物相互作用の観点からラモトリギンによる重症皮疹の出現に注意が必要である．

（菅原裕子）

気分安定薬
(抗躁薬)

オランザピン

olanzapine

ジプレキサ［日本イーライリリー］錠 2.5mg, 5mg, 10mg, 細粒 1%, ザイディス錠 2.5mg, 5mg, 10mg

特徴・どんな薬剤か？

本邦では2001年6月から統合失調症治療薬として使用されてきたが，2010年10月に「双極性障害における躁症状の改善」，2012年2月に「双極性障害におけるうつ症状の改善」の適応が承認された．なお，2012年11月に「ジプレキサ筋注用10mg」が薬価収載されているが，2019年7月現在，適応は「統合失調症における精神運動興奮」のみである．

薬理作用

双極性障害ではD_1受容体機能の低下が，双極性うつ病相ではドパミン神経伝達の低下が，躁病相ではドパミン神経伝達の亢進が想定される．

本剤は，D_2受容体遮断あるいは部分アゴニスト作用によりドパミン機能を緩和し，躁病相を改善させる．

一方，細胞外ドパミン濃度を増加させてD_1受容体を刺激し，さらに細胞外ノルアドレナリン濃度を増加させることで双極性うつ病相を改善させる．本剤単独では細胞外セロトニン濃度増加作用は認められず，SSRIとの併用ではSSRIのもつ細胞外セロトニン増加作用効果を減弱させる．

適応となる疾患・病態，どんな時に使うか？

急性期躁症状および躁症状予防に対しては，単剤投与もしくは気分安定薬との併用，急性期うつ症状については，単剤投与もしくは抗うつ薬との併用が推奨される．ただし，抗うつ薬投与の際は躁転への注意が必要である．

処方の実際，どのように使うか？

・急性期躁病エピソード
　ジプレキサザイディス錠10mg　1回2錠　1日1回　就寝前
　高用量から開始し，症状の軽快とともに漸減する．
・急性期うつ病エピソード
　ジプレキサ錠5mg　1回1錠　1日1回　就寝前
　低用量で使用する．高用量では過鎮静となる．

禁忌，併用禁忌，注意すべき副作用，慎重投与など

特筆すべき禁忌は，糖尿病の患者，糖尿病の既往歴のある患者である．アドレナリンと併用すると，重篤な血圧降下をひき起こす可能性があるため，アナフィラキシーの救急治療の使用する場合を除き，併用禁忌である．

頻度の高い副作用は，傾眠，体重増加，口渇，倦怠感があるが，最も注意すべき重大な副作用として，高血糖（糖尿病性ケトアシドーシス，糖尿病性昏睡）が挙げられる．本剤投与中は，定期的な血糖・耐糖能検査が必要である．その他の相互作用では，本剤の血漿中濃度を増加させるものにフルボキサミンなどがあり，低下させるものにカルバマゼピンなどがある．これらの一部は，肝薬物代謝酵素CYP1A2と関連する．

おもな類似薬との使い分け

リチウム，バルプロ酸ナトリウム，カルバマゼピンに比べ，抗躁効果ではこれらと同等かそれ以上であり，抗うつ効果はこれらより優れているとされる．双極性うつ病への適応を有することから，双極性うつ病に対しては，上記3剤よりも推奨度の高い薬剤である．なお，2017年8月には，クエチアピンフマル酸塩徐放錠（商品名ビプレッソ徐放錠）が「双極性障害におけるうつ症状の改善」を適応症として，薬価収載されている．また，抗てんかん薬のラモトリギン錠（商品名ラミクタール錠）は，「双極性障害における気分エピソードの再発・再燃抑制」の適応を有している．

服薬指導のポイント

食欲亢進や体重増加が起こり得る可能性を説明しておく．

口渇や多飲多尿など，糖尿病を疑う症状が出たときにはすぐ伝えてもらうように指導しておく．定期的な血液検査が必要なことも説明しておく．

≪≪≪ 専門医からのアドバイス ≫≫≫

急性期双極性躁病相・うつ病相の治療に用いられ，いずれも単剤使用で効果が認められる．適応はないが，躁病相の予防効果も期待されている．副作用として糖代謝異常があり，糖尿病患者では使用禁忌である．

（河野敬明）

気分安定薬（抗躁薬） （うつ病相予防）

ラモトリギン
lamotrigine

ラミクタール［グラクソ・スミスクライン］錠 25mg, 100mg/ ジェネリック多数あり

特徴・どんな薬剤か？

他の気分安定薬と比較すると，副作用の頻度が少なく忍容性の高い薬剤．

薬理作用

双極性障害への効果を示す作用機序についてはまだ明らかではないが，① Presynaptic の Na^+ チャネルと Ca^{2+} チャネルを不活性化状態にすることにより神経膜を安定化させる（use-dependent action），②興奮性神経伝達物質であるグルタミン酸の放出を抑制する，③皮質・扁桃核のキンドリング（cortical and amygdaloid kindling）を抑制することが知られている．ラモトリギンの蛋白結合率は約 55％であり，蛋白結合の競合による薬物相互作用は生じにくいとされる．代謝はおもにグルクロン酸転移酵素（おもに UGT1A4）によるグルクロン酸抱合によるものである．おもな代謝物に薬理活性はなく，94％は尿中に排泄される．半減期は約 31 〜 38 時間であり，グルクロン酸抱合が競合して阻害されるバルプロ酸ナトリウムの併用においては，半減期が約 2 倍（約 70 時間）に延長する．グルクロン酸抱合を誘導するカルバマゼピンのような薬剤を併用する場合には半減期が短縮する（約 13 時間）．

適応となる疾患・病態，どんなときに使うか？

ラモトリギンは，本邦においては，2011 年 7 月より双極性障害における気分エピソードの再発・再燃抑制効果の保険適用が追加された．急性期うつ病に対する有用性も報告されており，APA ガイドラインなど海外においては，双極性障害のうつ病相の第一選択薬（first line）として位置づけられている．

一方で，躁状態においては，急性期治療・予防ともにプラセボ群と比較し有意性は認めないものの，再発・再燃のリスクを上げることはないとされている．

処方の実際，どのように使うか？

ラモトリギンは，皮膚障害の副作用のリスクが知られており，慎重な漸

増が必要となる．単剤療法の場合には，25mg/日より開始するが，バルプロ酸ナトリウムを併用する場合には最初の2週間は，25mgを隔日投与とする．いずれの場合も可能な限り慎重増量を心がけるべきであるが，至適用量は200mg/日とされる．投与法については抗てんかん薬のラモトリギンの項参照．

禁忌，併用禁忌，注意すべき副作用，慎重投与など

禁忌は本剤に過敏症の既往のあるもの．併用禁忌はない．注意するべき副作用としては，皮膚障害が挙がる．海外においては，発疹の発現率は10.9%であり，重篤な発疹（スティーブンス・ジョンソン症候群：SJS）は0.08%との報告がある．頻度は多くはないものの，重症薬疹をきたすおそれがあり，添付文書の遵守が必要である．相互作用については，①半減期が延長：バルプロ酸ナトリウム，②半減期が短縮：カルバマゼピン，フェニトイン，フェノバルビタール，プリミドン，リファンピシンおよび経口避妊薬などがある．

おもな類似薬との使い分け

本邦において，双極性障害の気分エピソードの再発・再燃予防に適応が認められている薬剤はラモトリギン以外にはない．ラモトリギンはうつ病エピソードの再発・再燃予防に優れ，リチウムは躁病エピソードの再発・再燃予防に優れることが指摘されている．

服薬指導のポイント

用法用量を医師の指示どおりに行うこと．また，発疹出現時には直ちに内服を中止し，必要に応じて皮膚科受診とする．

≪≪≪ 専門医からのアドバイス ≫≫≫

ラモトリギンは本邦においては双極性障害の気分エピソードの再発・再燃予防の適応とされるが，急性期うつ病相への効果も期待されている．また急速交代（rapid cycling）化をきたした症例にも効果が期待できるとの報告があり，長期間安定を得られていない患者の一助となる可能性がある．

（村岡寛之）

IX
精神刺激薬など

章編集:金生由紀子

ADHD 治療薬

■特徴・どんな薬か？

ADHD（注意欠如・多動症）の中核症状である不注意，多動，衝動性の改善に効果を示す薬剤であり，本邦においては中枢神経刺激薬であるメチルフェニデート徐放剤（MPH-OROS）と非中枢神経刺激薬であるアトモキセチン，グアンファシン塩酸塩徐放薬が該当する．

■作用機序

メチルフェニデート（MPH）は神経終末のドパミン再取り込み部位に結合し，シナプス間隙のドパミンやノルエピネフリンの濃度を高く保つことで，神経伝達を促進する作用をもつ．2007年よりADHDに保険適用となったコンサータ（MPH-OROS）は長時間作用型（徐放製剤）であり，従来のMPH製剤に比し依存形成のリスクは低減されている．

アトモキセチン（ATMX）は，ノルアドレナリン（NA）再取り込み阻害薬（NRI）であり，NAの神経終末への再取り込み過程を選択的に阻害する．前頭葉ではドパミン再取り込み部位が神経終末に存在せず，NA再取り込み部位からドパミンが再取り込みされていると考えられており，NRIによってシナプス間隙でのNAの上昇とともにドパミン濃度も上昇すると考えられている．塩酸グアンファシンは選択的$α_2$受容体作動薬であり，前頭前皮質における後シナプスの$α_2$受容体を刺激しHCNチャネルを閉口させることにより神経シグナル伝達を増強すると考えられている．

■効能・効果

3剤ともADHDの中核症状である不注意，多動，衝動性の改善に効果を示す．MPH-OROSは44～66％の症状改善率の報告[1]がみられている．

ATMXの症状改善率はMPHの約60％程度との報告があるが，効果が24時間持続するのが特徴である．塩酸グアンファシンは同じくADHDの症状の改善に効果を示すとされる．他の2剤に比し鎮静効果が強く食欲への影響が少ないことが特徴的である．表1に各剤の特徴比較を示す．

■薬の使い分け

各剤の使い分けについては各剤の特性と症例のニーズや副作用を考慮して検討する必要がある．表1に各剤の特徴比較を示す．米国精神医学会の臨床指針によると，徐放型メチルフェニデートは治療の初期から使用される薬剤であり，アトモキセチンは薬物依存や不安症やチック症をもつ場合に最

表1 ADHD薬の特徴比較

	メチルフェニデート徐放剤	アトモキセチン	塩酸グアンファシン
用法（剤型）	1日1回（徐放製剤） 6歳以上に適応	1日2回 カプセル，錠剤，液剤	1日1回（徐放製剤） 6歳以上，17 kg以上に適応
効果発現までの期間など	内服当日より効果半減期12時間 夕方効果の切れ目に反動あり 休薬可能	内服開始後4～6週間と緩徐 昼夜持続的な効果	内服当日より効果あり
副作用	食欲低下，睡眠障害，体重減少，チック増悪，けいれん閾値の低下，心毒性	頭痛，めまい，食欲低下，体重減少 睡眠障害	倦怠感，眠気，血圧低下
連続使用による影響	効果の減弱，依存性の形成あり	効果の減弱や中毒形成なし	食欲低下（－） 最高血中濃度到達時間5時間 連続5日使用で定常状態

初に用いられる処方であるとされている．

徐放型メチルフェニデートは薬物依存や重篤な副作用の問題を受け2019年12月よりADHD適性流通管理システム下での処方管理が開始されている．双極性障害や自閉スペクトラム症の固執性など依存性疾患に親和性のある特性がみられる場合はメチルフェニデートの投与に慎重になるべきである．小児の場合は脳の発達と適切な心理社会的介入により次第に自己コントロール力が高まり小学高学年以降はADHD症状が目立たなくなることも多い．成長発達と環境調整に目を配りつつ卒薬の時期を見据えたうえでの導入と選択が重要である．

■治療ガイドライン

十分な診断・評価の後，薬剤の使用にあたっては，効果，効果発現までの期間や持続時間，副作用や併存疾患，禁忌を考慮しながら第一選択薬を用い，十分量まで増量したうえでも効果がない場合に変薬あるいは他剤追加とするのが原則となる．

ADHD治療ガイドライン

図1にADHD治療薬の使用アルゴリズムを示す．

塩酸グアンファシンについては，2017年に本邦3剤目のADHD治療薬としてインチュニブの適応が承認されて間もなく，上記のガイドライン上には明記されていない．

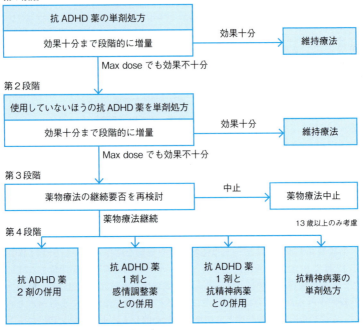

図1 薬物療法の導入

> **Point**
>
> ADHDの治療薬には中枢神経刺激薬と非中枢性刺激薬がある．
> 各々の薬物特性と症例のニーズに合わせて選択可能だが，中枢神経刺激薬については適切な処方管理体制のもとでの安全な処方が必須である．
> 小児の場合は成長発達に伴う症状の変遷を考慮した治療介入が重要である．

【文献】
1) Pliszka SR：Pharmacologic treatment of attention-deficit/hyperactivity disorder：efficacy, safety and mechanism of action. Neuropsychol Rev 17：61-72, 2007
2) Tsang TW et al：A randomized controlled trial investigation of a non-stimulant in attention deficit hyperactivity disorder：Rational and design, Trials, 2011
3) 斎藤万比古 編：注意欠如・多動症― ADHD ―の診断・治療ガイドライン，第4版．じほう，2016

(戸所綾子)

精神刺激薬など　ADHD治療薬

メチルフェニデート徐放薬 methylphenidate hydrochlirude

コンサータ［ヤンセン］　錠 18mg, 27mg, 36mg

特徴・どんな薬剤か？

メチルフェニデート（MPH）は，注意欠如・多動症（ADHD）の約70%で症状を改善するとされる．本邦では依存の問題から短時間作用型MPHがADHDに使用できず，徐放製剤が使用される．また，ADHDの診断・治療に精通し，薬物依存を含む本剤のリスクを十分に管理できる医師・医療機関・管理調剤責任者のいる薬局のもとでのみ投与できるように，処方には「コンサータ錠適正流通管理委員会」への登録を要する．

薬理作用

実行機能回路（前頭前野）と報酬回路系（線条体・側坐核）に作用し，前頭前野ではドパミンとノルアドレナリンの，線条体・側坐核ではドパミンの再取り込みを抑制し，シナプス間隙の神経伝達物質の濃度を上げる．線条体はチックに，側坐核は依存形成に関与している．しかし，本剤は徐放性であるため，従来用いられてきた短時間作用型MPHよりも依存性は低く，効果が12時間続く．

適応となる疾患・病態，どんなときに使うか？

ADHDの診断で不注意や多動性，衝動性の症状のために学業や対人関係に困難があり，環境調整のみでは問題解決が困難な場合に用いる．ADHDの診断・治療ガイドラインでは，6歳未満は原則として使用せず，中学生以上では新規の投与開始は慎重に決定し，GAF値（Global Assessment of Functioning Scale）が60以下で薬物療法を検討することが推奨されている．

処方の実際，どのように使うか？

学校や職場での適応をターゲットにする場合，朝，登校・出勤時に内服する．また，不眠の原因となり得るため，就寝時間を考慮し，服用時間が遅くならないようにすることを勧める．通常，本剤18mgを初回用量とし，増量が必要な場合には1週間以上間隔をあけて9mgまたは18mgの増量を行う．18歳未満の患者では18〜45mgを維持用量とし，1日用量54mgを超えないものとする．18歳以上の患者では，1日用量は72mgを超えないものとする．

禁忌，併用禁忌，注意すべき副作用，慎重投与など

過度の不安・緊張・興奮がある患者，閉塞隅角緑内障の患者，甲状腺機能亢進のある患者，不整脈拍・狭心症のある患者，慢性のチックまたはその既往・家族歴のある患者，重症うつ病の患者，褐色細胞腫のある患者の場合，その症状を悪化させることがあるため禁忌とされている．MAO阻害剤を投与中または投与中止後14日以内は併用禁忌である．てんかんまたはその既往を有する場合には，けいれん閾値を下げることがあるので注意する．抗けいれん薬，三環系抗うつ薬，SSRI，SNRI，クロニジン，昇圧剤，ワルファリンとの併用には注意が必要である．副作用には食欲不振，不眠，チック，頭痛，腹痛，悪心，発熱などがある．重大な副作用に剥脱性皮膚炎，狭心症，悪性症候群，脳血管障害，肝不全，肝機能障害がある．

おもな類似薬との使い分け

本邦の専門医の使用状況を調べたところ，併存合併症のない場合，重症の場合，幼児・学童である場合，多動・衝動性が優勢の場合，学校での問題が多い場合，反抗挑戦性障害や素行障害などの外在化障害が併存する場合に，アトモキセチンよりも多く使用されていたとの報告がある．

服薬指導のポイント

食欲不振・体重減少の副作用があるにもかかわらず，他剤の使用が難しく，本剤を使用することに大きなメリットがある場合には，食品のカロリーアップなど食事の工夫をするとよい．

≪≪≪ 専門医からのアドバイス ≫≫≫

薬物療法は，ADHD症状の不注意や多動性，衝動性に対症的に使用して，包括的治療の効果を高めるものとの位置づけが重要である．患者の対人関係や問題行動に関係する環境調整や行動療法などが優先され，それらのみでは問題解決が困難で患者の自己評価が低下するなどの不利益が多いと判断される場合に薬物療法を行う．報酬回路系に作用するMPH徐放薬では，環境調整などに追加した場合に患者の行動改善意欲を高めることが期待される．

〔稲井　彩〕

精神刺激薬など　ADHD治療薬

アトモキセチン 塩酸塩
atmoxetine hydrochloride

ストラテラ［イーライリリー］　カプセル 5mg, 10mg, 25mg, 40mg, 内容液 0.4％/ジェネリック多数あり

特徴・どんな薬剤か

アトモキセチンは選択的ノルアドレナリン再取り込み阻害薬（NRI）である．抗うつ薬として開発されたが，うつではなくて注意欠如・多動症（ADHD）に有効であることが判明した．メチルフェニデート（MPH）徐放薬とは異なって，厳密には非精神刺激薬であり，濫用のおそれがない．

薬理作用

前頭前野で，選択的にノルアドレナリンの再取り込みを抑制し，シナプス間隙のノルアドレナリン，ドパミンの濃度を上げる．これにより，実行機能回路に作用し，ADHD症状を改善すると考えられている．

適応となる疾患・病態，どんなときに使うか

ADHDの診断で不注意や多動性，衝動性の症状のために学業や仕事，対人関係に困難があり，環境調整のみでは問題解決が困難な，6歳以上の児童，成人に用いる．

処方の実際，どのように使うか

18歳未満の患者には，1日0.5mg/kgより開始し，その後1日0.8mg/kgとし，さらに1.2mg/kgまで増量した後，1日1.2～1.8mg/kgで維持する．ただし，増量は1週間以上の間隔をあけて行う．1日用量は1.8mg/kgまたは120mgのいずれか少ない量を超えないようにする．

18歳以上の患者には，1日40mgより開始し，1日80mgまで増量した後，1日80～120mgで維持する．ただし，1日80mgまでの増量は1週間以上，その後の増量は2週間以上の間隔をあけて行う．1日用量は120mgを超えないようにする．

いずれの年齢でも投与量は症状により適宜増減し，投与量にかかわらず，1日2回に分けて経口投与する．

禁忌，併用禁忌，注意すべき副作用，慎重投与など

重篤な心血管障害，褐色細胞腫，閉塞隅角緑内障の患者は禁忌である．MAO阻害剤を投与中または投与中止後14日以内は併用禁忌である．MPHと異なり，チックやけいれんに対する禁忌はないが，賦活症候群に注意が必要である．また，内在化障害を合併した場合に本剤を選択すると考えられるが，三環系抗うつ薬，SSRI，SNRI，MPH，昇圧剤との併用には注意が必要である．

副作用には食欲不振，体重減少，傾眠，頭痛，腹痛，悪心などがある．

おもな類似薬との使い分け

本邦の専門医の使用状況を調べたところ，気分障害・不安障害・適応障害などの内在化障害が併存している場合，チック症状がある場合，てんかんが併存する場合に，MPH徐放薬よりも多く処方されていたとの報告がある．また，本剤にはカプセルや錠剤の嚥下が困難な場合でも服薬できる剤型として内溶液がある．

服薬指導のポイント

専門医からのアドバイスに述べるように，効果の発現までに時間がかかるが，有効性が発揮できるまできちんと服用できれば継続的な効果が得られるため，医師と相談しながら規則正しく服用するように勧めるとよい．

《《《 専門医からのアドバイス 》》》

同じくADHDの治療に使用されるMPH徐放薬と比較すると，効果の発現までに4週間程度と時間がかかること，24時間の効果持続が期待できること，依存・不眠の危険性がないことが特徴である．

（稲井　彩）

精神刺激薬など　ADHD治療薬

グアンファシン塩酸塩徐放錠 guanfacine hydrochloride

インチュニブ［塩野義］錠1mg, 3mg

特徴・どんな薬剤か？

グアンファシンは，注意欠如・多動症（ADHD）治療薬として2017年5月26日に発売された．2007年承認のコンサータ，2009年承認のストラテラに次ぐ第3のADHD治療薬である．もともとは速放性製剤として高血圧治療薬として承認されたが，降圧作用が弱いこともあり，現在は降圧薬としては使用中止となっている．

薬理作用

脳内の（特に前頭前皮質の）$α_{2A}$アドレナリン受容体を選択的に刺激することにより，ノルアドレナリンのシナプス伝達調整を行うことで，多動性，衝動性，不注意に効果があるとされるが，詳細な作用機序は不明な部分も多い．効果が出現するまでは内服開始から約1週間程度かかるとされる．

適応となる疾患・病態，どんなときに使うか？

ADHDの診断で，多動性，衝動性，不注意の症状のために学業や対人関係に困難があり，環境調整のみでは問題解決が困難な場合に用いる．6歳未満は原則的に使用しない．

処方の実際，どのように使うか？

18歳未満の患者では，体重50kg未満の小児ではグアンファシンとして1日1mg，体重50kg以上の小児ではグアンファシンとして1日2mgより投与を開始し，1週間以上の間隔をあけて1mgずつ，**表1**の維持用量まで増量する．なお，症状により適宜増減するが，表1の最高用量を超えないこととする．

18歳以上の患者では，1日2mgより投与を開始し，1週間以上の間隔をあけて1mgずつ，1日4〜6mgの維持用量まで増量する．

いずれの場合も1日1回投与である．内服時間の規定はないが，内服後に眠気や倦怠感が出現しやすいため，夕方から就寝前に内服する場合が多い．また，眠気や倦怠感が出現した際には，その症状が落ち着くまで増量を控えることで，内服を中止せずに継続できる可能性が高まる．

表1 18歳未満の患者の用法・用量

体　重	開始用量	維持用量	最高用量
17kg 以上 25kg 未満	1mg	1mg	2mg
25kg 以上 34kg 未満	1mg	2mg	3mg
34kg 以上 38kg 未満	1mg	2mg	4mg
38kg 以上 42kg 未満	1mg	3mg	4mg
42kg 以上 50kg 未満	1mg	3mg	5mg
50kg 以上 63kg 未満	2mg	4mg	6mg
63kg 以上 75kg 未満	2mg	5mg	6mg
75kg 以上	2mg	6mg	6mg

禁忌，併用禁忌，注意すべき副作用，慎重投与など

房室ブロックのある患者，妊婦には禁忌である．注意すべき重大な副作用に，血圧低下や徐脈，失神，房室ブロックがある．そのため，本剤の投与開始前に心電図検査，血圧および脈拍数の測定が必要である．他に，頻度の高い副作用として，眠気，頭痛，傾眠，めまい，口渇などがある．また，CYP3A4にかかわる他の薬剤との併用に注意が必要である．

おもな類似薬との使い分け

従来のメチルフェニデートやアトモキセチンとは異なった作用機序をもつため，今までのADHD治療薬で効果が不十分だった場合に効果が期待できる．また，鎮静作用があるため，興奮・攻撃性が強い場合に使われることが多い．

服薬指導のポイント

特に内服開始初期に頭痛や眠気などが出現しやすいが，次第に改善する傾向があるため，その見通しを患者および家族に伝えることが重要である．また，突然の内服中止で反跳性の血圧上昇をきたすことがあるので，内服を忘れないように指導する．

専門医からのアドバイス

グアンファシンは，メチルフェニデート，アトモキセチンに次ぐ第3のADHD治療薬として注目を集めている．その薬剤特徴から，衝動性や攻撃的な行動が目立つ際に，特に効果を発揮する可能性が高い．各薬剤の特徴を理解したうえで，適切な薬剤選択と組み合わせが重要である．

（濱本　優）

過眠症治療薬

■特徴・どんな薬か？

中枢性過眠症とは，自覚的に夜間十分眠っているはずであるのに日中に眠気をきたす疾患群をいい，代表的な疾患としてナルコレプシーおよび特発性過眠症が知られる．これらの眠気を治療する薬物として一般には，中枢神経刺激薬であるメチルフェニデート即効薬（MPDF），ペモリン（PEM），モダフィニル（MOD）が該当する（カフェインなど，他の覚醒作用のある薬剤もあるが，ここではこの3剤について概説する）．

■作用機序

いずれも神経終末のドパミントランスポーターを阻害してシナプス間隙のドパミン濃度を上昇させドパミン神経系の興奮性を高めることが主作用とされるが，MODではこれに加えてヒスタミン神経系の興奮性を高める作用も考えられている．

■適応となる疾患・病態

ナルコレプシーには3剤とも適応があるが，特発性過眠症に対して適応があるのはPEMのみである．他に，MODは睡眠時無呼吸症候群の残存眠気に対しても投薬可能であるが，客観的判定を要する．

表1 過眠症治療薬の特徴比較

	MOD	PEM	MPDF
適応疾患・病態	ナルコレプシー 睡眠時無呼吸症候群の残存眠気	傾眠傾向，精神的弛緩の改善 ナルコレプシー ナルコレプシーの近縁傾眠疾患 軽症うつ病（10mg錠） 抑うつ神経症（10mg錠）	ナルコレプシー
実効時間	12時間程度	12時間程度	4時間程度
投薬量上限	300mg	150mg	60mg
投薬制限			リタリン登録医のみ処方可能
使用法	ナルコレプシーの初療で用いる．無呼吸への投与は客観的な残存眠気の確認が必要である	特発性過眠症に投薬可能	多幸感の出現がみられ薬物依存／濫用の危険があるため，近年ではMODで効果不十分な場合に使用されることが多い
注意すべき副作用		肝不全（出現率0.1%）	

■薬の使い分け

薬物の特徴を表1に挙げた．一般に，多幸感の出現が比較的明らかなMPDFはMODの補助として投薬されるのが一般的で，2nd lineとして使用される．

■治療ガイドライン

中枢性過眠症の加療は日中の眠気の鑑別から始まる（図1）．概日リズム睡眠障害による過眠の除外後，睡眠不足症候群ではないことを確認し，さらに周期性四肢運動障害および睡眠呼吸障害，ナルコレプシー，特発性過眠症について終夜睡眠ポリグラフ検査（PSG）および（可能であれば翌日の）反復睡眠潜時検査（MSLT）を用いて鑑別する．このうち，過眠症治療薬の投与適応となるのはナルコレプシーおよび特発性過眠症である．臨床症状での鑑別点としてレム関連症状の有無，午睡の性状，PSGにおける入眠直後REM期の存在，MSLTにおけるREM睡眠の2回以上の出現が挙げられる（表2）．ナルコレプシーでは3剤とも投薬の適応があるが，特発性過眠症ではペモリンに限定される．治療のゴールは"起きようと思えば起きていられる"状態とし，他に投薬は少量から開始し休薬日を設ける，計画的な午睡をとるなどが推奨される．

睡眠時無呼吸症候群の残存眠気に対し，MODの投薬が適応とされるが，残存眠気の診断の条件として，①CPAP療法等の気道閉塞に対する治療が3ヵ月以上適切に行われていることを確認すること，②他の過眠を呈する疾患との鑑別を行うこと，③残存眠気の有無についてはMSLTにより確認すること，が条件とされている．

表2　中枢性過眠症の鑑別

	ナルコレプシー	特発性過眠症
午睡の性状	10〜30分程度 覚醒時爽快感 夢見体験	数時間以上
眠気の性状	数時間ごとで波状 耐え難い眠気	一日同様の眠気 眠気はある程度我慢できる
PSGの特徴	入眠直後REM期 睡眠の分断化	
MSLTの特徴	睡眠潜時8分以下 REM睡眠の出現（2回以上）	睡眠潜時8分以下

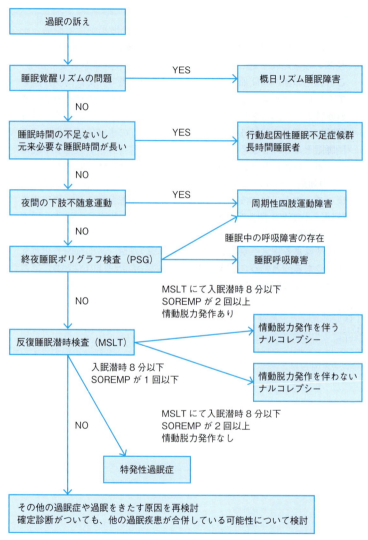

＊SOREMP：入眠時レム睡眠

図1 過眠症の診断手順
(日本睡眠学会：ナルコレプシーの診断・治療ガイドライン．http://jssr.jp/data/pdf/narcolepsy.pdf （2020年2月閲覧）より引用)

過眠症治療薬投薬の注意点としては，半減期の長短にかかわらず，夜間の睡眠悪化を起こし得る薬物であるという認識が必要である．これは他の精神科関係の薬物と大きく異なる点で，実効時間が過ぎても作用が消失するとは限らず，神経の興奮が次の興奮を呼び，それが連鎖して睡眠悪化，となるわけである．これは過眠症治療薬投薬時に休薬日を設けると明らかとなり，多くの患者は休薬日は長時間睡眠となってしまう．これはすなわち服薬日の睡眠悪化を示唆している．逆に睡眠不足の場合には，薬物の実効時間が過ぎた時点で"薬の効果が切れた瞬間が自覚できる"ような非常に強い眠気が出現する．また，精神疾患が存在する場合，精神状態を不安定にする薬物，との認識も必要である．この場合の不安定とは，抑うつや不安，精神病症状が出現するということのほか，通常，精神科診療においてはある程度患者の行動予測が立つのだが，この行動予測が立たなくなる，ということを意味する．過眠症治療薬の投薬時にはこのような点に留意して投薬を行う要がある．

【文献】
1) 日本睡眠学会：ナルコレプシーの診断・治療ガイドライン
   http://jssr.jp/data/pdf/narcolepsy.pdf　（2020年2月閲覧）

（中島　亨）

精神刺激薬など　過眠症治療薬

モダフィニル

modafinil

モディオダール［アルフレッサ・田辺三菱］錠 100mg

特徴・どんな薬剤か？

モダフィニル（MOD）は 12～16 時間程度の作用時間が期待できる過眠症治療薬である．

薬理作用

MOD の主作用はドパミンの再取り込み阻害で，他にヒスタミン系への作用も考えられている．薬効の持続時間はおよそ 12 時間程度である．

適応となる疾患・病態，どんなときに使うか？

MOD は，ナルコレプシー，および眠気が治療で改善しないタイプの睡眠時無呼吸症候群に対する使用が認められている薬物である．

処方の実際，どのように使うか？

MOD は，ナルコレプシーと確定診断されるか，睡眠時無呼吸症候群で 3 ヵ月以上睡眠呼吸障害の治療を行っても眠気が改善しない場合に使用される．通常の初期投与量はモディオダール錠（100mg）0.5～1 錠であり，これを朝 1 回投与する．効果不十分な場合には徐々に増量し，最高 300mg まで投与する．

禁忌，併用禁忌，注意すべき副作用，慎重投与など

MOD の禁忌は重篤な不整脈である．併用禁忌は記載されていない．使用開始時には頭痛，口渇，動悸，不眠が 5% 以上の頻度でみられるとされるが，通常数日間の服薬後に軽減する．その他，臨床実感として上部消化管症状が比較的高頻度に出現する．**重大な副作用としては**，中毒性表皮壊死融解症，皮膚粘膜眼症候群，薬剤性過敏症症候群，ショック，アナフィラキシーが報告されている．

おもな類似薬との使い分け

ペモリンは MOD とほぼ同等の作用時間を示すが，覚醒作用は MOD よりもやや弱い印象のある薬物である．

服薬指導のポイント

MOD 使用時に注意しなければならないのはその薬理作用による夜間の睡眠悪化であり，投与初期にはその観察を行う必要がある（ペモリンの項参照）．また，時として過眠症に罹患した患者が睡眠不足に陥ることがあるが，臨床的に夜間の睡眠不足の程度をみる方法としては，夕方の眠気について聴取する方法がある．夜間の睡眠不足が強い状態で MOD を投与すると，薬効が切れた時点で非常に強い眠気が出現することが少なくないので，この現象の有無をみて夜間の睡眠不足の有無を判断するわけである．なお，MOD の服薬開始後 1 時間程度は，逆に眠気の訴えがみられることが少なくなく，服薬直後の眠気が出現する場合にはその時間帯の眠気を織り込んだ生活をするように（例えば，眠気の出る時間帯を通勤時間帯にあてる等）指導する場合もある．

《《《 専門医からのアドバイス 》》》

過眠症治療薬処方時には，"必要時以外服用せぬよう"指導することも多い．このように指導することにより，平日の睡眠悪化を代償し耐性の獲得を防ぐことを考えるのである．ただし，非服薬日に長時間眠ってしまい翌日の睡眠覚醒リズムに影響する場合は，休日の服薬を指示することもある．

（中島　亨）

精神刺激薬など　過眠症治療薬

ペモリン

pemoline

ベタナミン［三和化学］錠 10mg，25mg，50mg

特徴・どんな薬剤か？

ペモリン（PEM）は12時間程度の作用時間を期待できる過眠症治療薬で，日中の眠気を呈する病態全般への投与に対し保険適用が認められている薬物である．

薬理作用

PEMの主要な薬理作用は，ドパミンの再取り込み阻害である．薬効の持続時間は12時間程度とされている．

適応となる疾患・病態，どんなときに使うか？

本邦で発売されている他の過眠症治療薬の過眠症への保険適用はナルコレプシーのみに限定されているのに対し，PEMはナルコレプシー以外の過眠症や眠気を呈する病態全般に対しても使用が認められている．また，10mg錠は軽症うつ病，抑うつ神経症への使用も認められている．

処方の実際，どのように使うか？

PEMは，通常ナルコレプシーと暫定的に診断されていた状態であった場合，および終夜睡眠ポリグラフ検査等によりナルコレプシーが否定され，特発性過眠症と診断された場合を中心に投与される．これは，検査を行って夜間睡眠が不十分であることが判明した場合，日中の眠気に対して過眠症治療薬を投与することは病態の改善につながるとは考えられないためである．通常の初期投与量はベタナミン錠（10mg）2錠であり，これを朝1回投与する．効果不十分な場合には徐々に増量し，最高150mgまで投与する．

禁忌，併用禁忌，注意すべき副作用，慎重投与など

PEMの禁忌として，①過度の不安，精神運動興奮状態，幻覚妄想状態，強迫，ヒステリー，舞踏病，②重篤な肝障害，③閉塞隅角緑内障，④甲状腺機能亢進，⑤不整頻拍，狭心症，動脈硬化，⑥てんかん等のけいれん性疾患などが挙げられる．併用禁忌の記載はない．PEMの使用時に最も注意する必要のある重大な副作用は肝不全である．その発症率は0.1％程度であって決して低い

値ではない．このため，PEM の使用開始時前後に肝機能を調べる要がある．また，長期投与により薬物依存を生じる可能性があるため観察を十分に行う必要がある．慎重投与として，禁忌同様にてんかん，肝障害および閉塞隅角緑内障が，他に高血圧，重篤な腎障害，小児および高齢者が挙げられている．頭痛，めまい，動悸等の投与初期にみられる副作用は通常数日間の服薬後に軽減する．その他，おもな副作用としては，口渇，不眠，胃腸障害が報告されている．

おもな類似薬との使い分け

ナルコレプシーと診断された場合には，ほぼ同等の作用時間でやや覚醒効果の強いモダフィニルを使用することもできる．

服薬指導のポイント

PEM 使用時に注意しなければならないのは，その薬理作用による夜間の睡眠悪化である．投与開始後数回の面接では，夜間の睡眠状態について外来面接時に聴取を行い，睡眠不足や浅眠状態について，必要に応じ睡眠日誌等を用いて十分に確認する必要がある．すなわち，投薬開始後数ヵ月の間に"効果が減弱した"との訴えが見られる場合，耐性の発現よりも，PEM の薬理作用での睡眠悪化に起因して日中の眠気が増悪した可能性を第一に考えるべきである．また，服薬直後に眠気が出現することもある（モダフィニルの項参照）．

《《《 専門医からのアドバイス 》》》

過眠症治療薬の加療のゴールは，"服薬すれば全く眠気がなくなって生活できる"というところではなく，"起きていようと思っていれば覚醒していられる"というところになる．前者をゴールにするとかなりの量の過眠症治療薬が必要になるので要注意である．

（中島　亨）

精神刺激薬など　過眠症治療薬

メチルフェニデート即効薬

methylphenidate

リタリン［ノバルティス］錠 10mg

特徴・どんな薬剤か？

メチルフェニデート（MPDF）は4時間程度の作用時間を期待できる過眠症治療薬で，ナルコレプシーの眠気に対し保険適用が認められている薬物である．MPDF はその最高血中到達時間が短時間であることから，作用を自覚しやすく多幸感をきたすため，濫用に陥りやすく，その注意をしたうえで投与する必要がある．

薬理作用

MPDF の主要な薬理作用は，ドパミン＞ノルアドレナリン＞セロトニンの再取り込み阻害である．薬理作用は4時間程度持続する．

適応となる疾患・病態，どんなときに使うか？

MPDF は，本邦では過去にはナルコレプシー加療の主剤として用いられていたが，濫用の多いことから，近年では眠気に対しての主剤はモダフィニルやペモリンとされることが多い．

処方の実際，どのように使うか？

MPDF は，ナルコレプシーと確定診断された場合に使用される．覚醒作用が短時間であるため，眠気改善の効果が不十分な場合に，短期の覚醒効果を期待して頓用的に使用されることが多い．通常はナルコレプシーの眠気に対して 10mg を投与し，効果不十分な場合には徐々に増量する．MPDF 単剤でナルコレプシーの加療を行う場合には，リタリン錠（10mg）2錠を朝昼の2回投与する．

禁忌，併用禁忌，注意すべき副作用，慎重投与など

禁忌は，①過度の不安，緊張，興奮，②閉塞隅角緑内障，③甲状腺機能亢進，④不整頻拍，狭心症，⑤運動性チック，トゥレット障害，⑥重症うつ病，⑦褐色細胞腫が挙げられ，原則禁忌として6歳未満の幼児が挙げられる．併用禁忌として，MAO 阻害剤の投与中およびその中止後 14 日間が該当する．重大な副作用としては，剥脱性皮膚炎，狭心症，悪性症候群，脳血管障害，

肝不全，肝機能障害がある．MPDFの使用開始時には頭痛，めまい，悪心，動悸等の副作用が出現するが，通常数日間の服薬後に軽減する．その他のおもな副作用としては，口渇，発汗，消化器症状がある．消化器症状は時として強く出現することがあり，実際に胃粘膜疾患が招来されることもあるので，投与初期には消化器症状を綿密に問診し，必要に応じて精査加療を行う．

おもな類似薬との使い分け

MPDFの覚醒作用は，ペモリンやモダフィニルよりも強い印象があって，眠気が非常に強くこれらの薬物で効果不十分な場合に単剤もしくは追加薬剤として使用されることもあるが，この加療は睡眠医療の専門家により行われることが望ましい．

服薬指導のポイント

MPDF投薬時の最大の問題は，多幸感の発現およびそれに端を発する濫用であるため，投薬時には投薬前にその危険性を十分説明し，投与開始直後に多幸感について十分に聞き取りを行ったうえで使用する必要がある．

専門医からのアドバイス

多幸感および昂揚感は患者によって発現の様式および程度が大きく異なるが，それが臨床場面で訴えられることは実際にはそう多くはない．また，昂揚感の強い場合，多くの患者では自ら「この薬は危ない」ことを実感し自分で服薬を中止する．しかし，加療初期から眠気の訴えよりも多幸感・昂揚感を期待して投薬量の増量を望む場合などでは，その危険性を十分説明したうえで，投薬を中止するか他の覚醒作用を有する可能性のある薬剤に変更する必要がある．

（中島　亨）

精神科のくすりハンドブック　第3版

2013年11月16日発行	第1版第1刷
2016年4月21日発行	第2版第1刷
2020年4月10日発行	第3版第1刷Ⓒ

監　修　樋口　輝彦
　　　　ひ ぐち てる ひこ

発行者　渡辺　嘉之

発行所　株式会社　総合医学社

〒101-0061　東京都千代田区神田三崎町1-1-4
電話 03-3219-2920　FAX 03-3219-0410
URL：https://www.sogo-igaku.co.jp

Printed in Japan　　　　　　　　　　　　　　シナノ印刷株式会社
ISBN978-4-88378-681-7

・本書に掲載する著作物の複製権・翻訳権・上映権・譲渡権・公衆送信権（送信可能化権を含む）は株式会社総合医学社が保有します．

|JCOPY|＜（社）出版者著作権管理機構 委託出版物＞
本書を無断で複製する行為（コピー，スキャン，デジタルデータ化など）は，「私的使用のための複製」など著作権法上の限られた例外を除き禁じられています．大学，病院，企業などにおいて，業務上使用する目的（診療，研究活動を含む）で上記の行為を行うことは，その使用範囲が内部的であっても，私的利用には該当せず，違法です．また私的使用に該当する場合であっても，代行業者等の第三者に依頼して上記の行為を行うことは違法となります．複写される場合は，そのつど事前に，|JCOPY|（社）出版者著作権管理機構（電話　03-5244-5088，FAX　03-5244-5089，e-mail：info@jcopy.or.jp）の許諾を得てください．